In de schaduw van de appelboom

Van dezelfde auteur:

In de marmeren tuin
Terug naar Bear Mountain

DEBORAH SMITH

In de schaduw van de appelboom

2003 – De Boekerij – Amsterdam

Oorspronkelijke titel: Sweet Hush (Little, Brown and Company)
Vertaling: Ans van der Graaff
Omslagontwerp/artwork: Hesseling Design, Ede

ISBN 90-225-3461-8

Voor

Chelsey, Amy, Patti, Trisha, Susan
en alle andere *First Daughters*

In jouw boomgaard verwelkom je elke ziel die bloeit,
Groene geesten, gouden dromen, rode hartstochten –
Sour Shaws, Auburn Delilahs,
MacLand Tarts, Osmo Russetts, Candler Wilds;
Duizend fluisteringen van lang verdwenen bomen –
Vergeten appels, in de aarde verloren.
Maar de jouwe overleven, mijn lieve sterke Hush;
Jouw hoop wenkt, zacht en zoet;
Jouw bomen groeien voor eeuwig, waar twee harten elkaar ontmoeten.

Een gedicht geschreven in 1899 voor de tweede Hush McGillen, door haar echtgenoot

Proloog

Ik ben de vijfde Hush McGillen, vernoemd naar de Sweet Hush-appel, maar de enige die de First Lady van de Verenigde Staten een rotte Sweet Hush naar het hoofd heeft gegooid. Tot mijn verdediging moet ik u vertellen dat de First Lady ook een rotte Sweet Hush naar mij gooide. De woordenwisseling was, ondanks de appels, treurig en dodelijk serieus.

'Je hebt mijn dochter afgepakt. Ik wil haar terug,' zei ze.

'In ruil voor mijn zoon,' antwoordde ik, 'en de ziel van Nick Jakobek.'

De ruzie ging immers niet om haar of mij, maar om ons pijnlijk verbonden lot, onze respectieve kinderen en onze respectieve mannen, en onze ideeën over datgene wat we op deze aarde moesten bereiken terwijl andere mensen toekeken – of dat nu om een heel land ging of om een enkele, koppige familie. Er ligt maar een dunne scheidslijn tussen publieke faam en persoonlijke schaamte. Voor degenen onder ons die wat te verbergen hebben vergt het instandhouden van die lijn meer van onze natuurlijke energie dan we willen toegeven.

Dus toen ik daar die dag in het Witte Huis stond met druipend, rottend appelvruchtvlees als bloed aan mijn handen, realiseerde ik me een fundamentele waarheid: de orde in de wereld wordt niet bewaard door politiek, geld, legers of godsdienst, maar door het standvastige vermogen van simpele zielen om alles wat ons dierbaar is aan onze persoonlijke legendes en wat we voor onszelf willen houden, te verdedigen, gewapend met de vruchten van ons levenswerk. In mijn geval appels.

Ik liep vermoeid door een van de gangen van het Witte Huis die we allemaal wel in tijdschriften en documentaires hebben gezien. Voor de duidelijkheid, het is in het echt veel kleiner dan het op de televisie lijkt, al is het effect in levenden lijve wel sterker. Mijn hakken tikten te luid. Mijn huid voelde het gewicht van belangrijke lucht. De geschiedenis fluisterde me toe: *Hush, ga naar huis, lik je wonden en ga de goede, betrouwbare aarde bewerken met je handen en je tranen.* Buiten volgde ik een perfect onderhouden pad naar de winterse zon, en vervolgens naar de openbare weg. De bewaker bij de poort aan de zuidzijde zei: 'Kan ik u helpen, mevrouw Thackery?' alsof ik daar al duizend keer langs was gelopen. Roem, hoe indirect of ongewenst ook, heeft zijn voordelen.

'Ik zou wel een tissue kunnen gebruiken, alstublieft.' Ik wilde alleen maar een paar stukjes rotte appel van mijn spijkerbroek en rode blazer vegen, maar hij gaf me een heel pak. Hush McGillen Thackery uit Chocinaw County, Georgia, kreeg een heel pak tissues van de bewaker bij de poort van het Witte Huis. Ik zou onder de indruk moeten zijn.

Ik stak mijn bergbewonersvingers tussen mijn lippen en floot een taxi naderbij. Ik reed met die taxi naar het ziekenhuis in Bethesda, Maryland, waar de artsen in de jaren vijftig de hartproblemen van president Eisenhower stilhielden, en waar de dokters van president Reagan in de jaren tachtig verzwegen dat hun oude beschaafde leider gek aan het worden was. Het was een veilige plek om familieproblemen dicht op je ziel en ver van de rest van het land te houden. Met de hulp van de geheime dienst, die nog niet wist dat ik je-weet-wel-wie met een rotte appel had bekogeld, glipte ik langs een menigte verslaggevers naar binnen.

Ik liep naar de privé-kamer waar Nick Jakobek diep onder de oppervlakte van de normale slaap lag te herstellen. Het verband om zijn maag en borst verhulde lange rijen hechtingen, en een infuus dat hij beslist uit zijn ader zou trekken wanneer hij wakker werd, liet langzaam kalmerende narcotica in zijn arm druppen. Ik ging naast Jakobeks bed zitten en nam een van zijn grote handen in de mijne.

Mensen hadden me bezworen dat hij het soort man was aan wie ik buiten het bed niets zou hebben. Een verdachte vreemdeling, geen goeie ouwe jongen of een snoevende zuidelijke zakenman, niet 'een van ons'. Een man die nooit de grond had bewerkt voor de kost, of een lading appels had verkocht aan een appelhongerige wereld, of in oktober onder een volle maan bij een kampvuur bourbon had zitten drinken. Een man die meer manieren kende om te sterven dan om te leven. Een man die zo gehuld was in geruchten en mysteries dat zelfs de president zijn reputatie niet kon beschermen. Hush McGillen Thackery zou zich er beslist nooit toe verlagen van een dergelijke man te houden, nadat ze zo'n goede man als haar echtgenoot had liefgehad.

Ik kan u vertellen dat ik dat wel deed. Ook al was dat niet de bedoeling geweest, ik hield van hem.

'Dit had niets met jou en mij te maken,' fluisterde ik Jakobek toe. 'Mensen moeten gewoon groeien waar ze geplant zijn. Dat is de laatste appelanalogie die ik je zal geven tot je besluit dat je er meer wilt horen. Als en wanneer. Maar onthou dit. Geloof me. *Je hebt je zegeningen verdiend.*' Ik kuste hem en huilde een poosje. Zijn mond ontspande zich, maar hij kon niet wakker worden.

'Ik hoor dat u en mijn vrouw een ongelukkig gesprek hebben gehad,' zei iemand achter me. Ik draaide me om en zag de president vanuit de deuropening naar me kijken.

'Ik heb haar geraakt met een rotte appel.' Niet iets wat je graag vertelt tegen een man die zijn eigen leger heeft.

De president knikte echter alleen maar. 'Ze zal het wel verdiend hebben.'

Ik legde een klein kruisbeeldje van appelhout in Jakobeks geopende hand, drukte even mijn voorhoofd tegen het zijne en liep de kamer uit. Het was tijd om terug te keren naar de vruchtbare, wilde bergen van Georgia, waar ik en al degenen die ik liefhad – behalve Nick Jakobek en zijn presidentiële familieleden – thuishoorden.

We maken gaandeweg allemaal ons eigen verhaal, tot de sterke verhalen van onze levens over onze zwakheden en vernederingen heen groeien als de sterke bast van een appelboom. Noem het public relations omwille van het land, of noem het het beste maken van een moeilijke situatie binnen een gezin of huwelijk of relatie, maar hoe dan ook, we wortelen onze levens in andermans ideeën over wie we zijn, zowel publiekelijk als privé, zowel groot als klein.

Maar een appel valt natuurlijk nooit ver van de boom.

Deel I

I

VERDIEN JE ZEGENINGEN. WIJ MCGILLENS HADDEN ALTIJD onze zegeningen moeten verdienen in de wrede genade van de jaargetijden en de felrode hoop op rijpe appels. Onze geschiedenis begon in 1865 met Hush Campbell McGillen, een jonge Schotse vrouw wier echtgenoot Thomas aan flarden werd geschoten bij de slag bij Bull Run. We vermoeden dat Thomas McGillen een Schot uit Pennsylvania was in dienst van het leger van de Unie, maar sinds ze naar vijandelijk gebied in de zuidelijke Appalachen was gekomen sprak over-over-overgrootmoeder Hush nooit over een dergelijk roemrucht feit. Ze had vier opgroeiende zoons en dochters, een muilezel en een boerenkar bij zich, en een zak appelzaad die ze had vergaard in elke boomgaard die ze tussen Pennsylvania en Georgia was gepasseerd.

Hush de Eerste was in het oude land, waar haar vader voor de fruitbomen van een Engelsman zorgde, opgegroeid met appels. Hush wist waar en hoe ze een boomgaard moest aanleggen, hoe ze moest zorgen dat een ent aansloeg op een onderstam, hoe ze elk voorjaar de met pollen beladen bijen moest lokken, hoe ze elke winter de appels maandenlang kon opslaan. Ze begreep dat een appelboom behoefte had aan warme aarde en goed water en heldere, koele lucht; en de appelbomen begrepen haar. Net als zij verlangde ze naar grond, de juiste grond voor een boomgaard, die zelfs een straatarme weduwe bijna voor niets kon opeisen. Die grond lag verscholen in een wild bergparadijs dat Chocinaw County heette, in Georgia.

Hush de Eerste vond haar weg naar een breed kreekdal aan de voet van de Chocinaw en haar zusterbergen, de Big Jaw en de Ataluck. Het dal werd door de bergbewoners de Hollow genoemd, als het mysterieuze gat aan de voet van een grote, hoge boom. Het lag zo diep in de schoot van de Chocinaw, Big Jaw en Ataluck dat het alleen te voet te bereiken was, en was zo ver verwijderd van de beschaving dat alleen een wanhopig iemand zou willen proberen er een bestaan op te bouwen. De Hollow lag 15 kilometer ten westen van Dalyrimple, de zetel van het gerechtsgebouw van Chocinaw County (waar ze allemaal schaamteloos blij waren dat de oorlog hen links had laten liggen), 30 kilometer ten zuiden van Chattanooga, Tennessee, met z'n oorlogsneurose, 150 kilometer ten noorden van het platgebrande Atlanta, en zo'n 1500 kilometer ten westen van de Schotse laaglanden waar Hush geboren was.

'Nergens' was waarschijnlijk nog gemakkelijker te vinden op de landkaart.

Wat nog bijdroeg aan de geheimzinnigheid was dat de Hollow werd gemeden door de lokale bevolking omdat het een vallei van de doden was. In een smalle vallei langs de kreek lagen de lijken van bijna vijftig Unie- en Rebellensoldaten begraven. Ze hadden elkaar een jaar voordat Hush arriveerde tijdens een vreselijk bloedbad om het leven gebracht. De bemoei-je-met-je-eigen-zaken-bergbewoners van Chocinaw County hadden de soldaten in ondiepe graven begraven, gewoon waar ze gesneuveld waren. De meest geletterde man van Dalyrimple en stichter van het stadje, Arnaud Dalyrimple – barkeeper, gokker, predikant van het evangelie en columnist van de krant – schreef in de *Dalyrimple Weekly Courier*: *Het spookt in de ontzaglijk wilde Hollow net zo erg als in meneer Abraham Lincolns hoogstpersoonlijke hel.*

Toen Hush echter naar de Hollow keek zag ze appelgrond. De berghellingen beschermden het dal tegen de wind en boden beschutting tegen de brandende zon van het zuiden; met de bergstroompjes sijpelde een betrouwbare voorraad water naar de kreek die door de Hollow stroomde. Maar bovenal stonden de lagere heuvels, als oases tussen de granieten klippen, vol met wilde appels. De taaie boompjes klampten zich vast in de spleten tussen laurierstruikjes en rotsen en bloeiden onstuimig. Ze wisten waar ze een goed thuis hadden gevonden en ze wisten dat de Hollow voor appels was voorbestemd. 'Appelbomen geven niet om een paar botten, en de doden geven niet om een paar appels,' zei Hush. Ze spendeerde haar vijftig dollar aan een eigendomsakte voor de ruim tachtig hectare grond van de Hollow, sloeg haar kamp op, ontgon de grond en zaaide haar appelzaad.

Nu zijn appels net als mensen. Geen twee zaden zijn gelijk. Zaai honderd zaadjes en je krijgt honderd unieke appelbomen – sommige goed, sommige slecht, maar de meeste heel gewoontjes, net als kinderen. Hush wist dat alleen de tijd en het lot de beste keus zouden maken uit de vreemde mengeling die ze had geplant – Vandermeers uit Pennsylvania, Coleridge Yellows uit Maryland, Spirit Reds uit de Carolina's, en nog veel meer. Er waren toen honderden appelvariëteiten in de koele oostelijke helft van dit land. Iedere kleine boerderij had een boomgaard, en ieder district had zijn eigen soort appels. Boeren wachtten elk seizoen af wat de bijen met hun harige poten vol pollen hun zouden brengen. Ze bestudeerden elke nieuwe zaailing als pelgrims die naar een heilige leider zochten.

Misschien wordt deze bijzonder. Misschien wordt dit de koninginmoeder van alle appelbomen.

Hush keek tien, twintig jaar lang naar haar bomen. Tegen die tijd waren haar kinderen volwassen en uitgevlogen, en had ze een kamer aangebouwd aan haar tochtige houten huis, een kleine kudde vee en kippen en varkens aangeschaft, een schuur gebouwd en twee nieuwe muilezels gekocht. Haar zoons hadden een zandpad naar Dalyrimple uit de berg gehakt en het McGillen Orchards Road genoemd. Hush verdiende de schamele kost door elk najaar karrenvrachten appels aan de dorpsbewoners te verkopen. Maar nog altijd geen bijzondere boom. Elk voorjaar keek ze naar de bijen die heen en weer vlogen tussen haar tamme boomgaard en de verleidelijke wilde appels op de berghellingen. Een dochter die naar Atlanta was verhuisd schreef aan haar vriendin: *Mama gelooft nog steeds dat God in de hemel welwillend zal glimlachen om het huwelijk tussen haar bomen en de Zijne.*

Toen ze ouder werd, leerde Hush haar kleindochter, Liza Hush McGillen (bekend als de tweede Hush McGillen), haar te helpen in de boomgaard. Samen speurden ze elk jaar de opgroeiende jonge bomen af op zoek naar de Ene. In het najaar van 1889 vonden ze haar. Daar stond ze, voor het eerst vruchtdragend – een sterke, trotse jonge boom midden op de oude begraafplaats van de dode soldaten, ontsproten aan hun botten, en met appels zo zoet dat het sap als gesmolten suiker over je tong liep.

Hush en Liza Hush vielen op hun knieën, huilden en lachten en aten van het heerlijke fruit. In de jaren die volgden sneden ze twijgjes van de takken van de jonge boom, entten die op onderstammen en kloonden zo de fantastische moederboom wel honderd keer, en daarna tweehonderd en daarna nog meer. Het verhaal deed de ronde als bijen op zoek naar liefde; de mensen kwamen appels kopen. Hush verkocht appels, en Hush verkocht geënte zaailingen en Hush verkocht Hush – dat wil zeggen, de legende.

Roder dan een Arkansas Beauty, net zo lang houdbaar als een Ben Davis, sappiger dan een Jenny's Eureka, zoeter dan een Blush Delilah.

De Sweet Hush-appel.

Elke generatie vóór mij had het recht op die naam verdiend, en ik zou het ook moeten verdienen.

Ik werd opgeleid in het telen van de Sweet Hush door mijn oudtante Betty Hush (de vierde Hush McGillen), die vóór mijn vader eigenaar was geweest van de Hollow. Betty had het appelvak geleerd van haar oudere neef, William Hush McGillen (de derde Hush McGillen en de enige man in het rijtje), die de befaamde Sweet Hush-boomgaarden had geleid tijdens hun eerste hoogtepunt, tussen 1900 en 1930. Volgens alle legendes was William Hush McGillen begiftigd geweest met het fantastische zakeninstinct van een prediker die zondaars stuivers afhandig maakte. Ik dacht graag dat ik zijn vaardigheid had geërfd.

Tijdens de heerschappij van William Hush pronkte heel Chocinaw County met Sweet Hush-boomgaarden, en de wijd uitgezaaide McGillen-clan koesterde zich in comfortabele huizen met mooie ijzeren fornuizen in de keuken en snelle T-Fords voor de deur. William Hush en al zijn neven verkochten appels per ton en illegaal gestookte appelbrandewijn per vat. In Atlanta opende Williams zus Dorothea McGillen de Sweet Hush-bakkerij. De McGillens van de berg stuurden elk jaar duizenden van de beste appels per muilezelkar en trein naar Dorothea, die ze kookte en pureerde en kruidde en er vulling voor allerlei soorten gebak van maakte. Die heerlijke producten werden in de fijnste huizen van de stad afgeleverd door zwarte mannen in witte pakken op mooie, door paarden getrokken wagens met SWEET HUSH BAKERY in Victoriaanse letters op de zijkanten. Op het dessertbordje van de gouverneur lag Sweet Hush-appeltaart.

Toen vaagde de Depressie de bakkerij van Dorothea weg. Federale belastingagenten van Roosevelts regering doekten de McGillen-drankhandel op (en deelden ook aan onze families een gevoelige tik uit – mijn trotse grootvader en een van zijn neven, beiden diaken in de baptistenkerk van Dalyrimple, werden in hun stokerijen betrapt en pleegden liever zelfmoord dan dwangarbeid te verrichten). Maar het ergst van al was dat de opkomst van moderne koeltechnieken en het vervoer over lange afstanden per schip plaatselijke appels tot een aardigheidje in plaats van een noodzaak maakten.

De meeste grote zuidelijke boomgaarden waren verdwenen tegen de tijd dat ik in 1962 werd geboren – omgehakt, opgestookt, vergeten, ongewenst, onbemind. Potter Prides, Escanow Plumps, Sweet Birdsaps, Black Does, Lacey Pinks – ze waren allemaal van de aardbodem verdwenen, evenals honderden andere. Voor altijd verdwenen. Wij McGillens werden telkens weer overvallen door pech (mijn eigen vader stierf jong aan een hartaanval toen hij doornstruiken aan het omhakken was in de boomgaard), maar wij en onze Sweet Hushes bleven koppig aan onze tak hangen en weigerden het op te geven in een wereld die ons opzij had geschoven voor goedkope Wisconsin Winesaps en ijskoude Japanse Mutsus.

Als kind al was ik vastbesloten ervoor te zorgen dat de mensen onze appels weer zouden proeven.

De eerste elf jaar van mijn leven, voor papa stierf, waren perfect. Mama werkte zingend naast hem in de boomgaarden; papa was altijd vrolijk, of leek dat in elk geval te zijn. En ik was hun appelprinses, de vijfde Hush McGillen van de Hollow, de mooiste plek op aarde. Het dal bloeide in de lente, rijpte als een moederschoot in de zomer, voedde onze zielen in de herfst en droomde zoete dromen van bescherming tijdens de koude winters.

De McGillen-boomgaarden pronkten in het hele, brede kreekdal en tegen de voet van de Chocinaw, de Ataluck en de Big Jaw, en bedekten terrassen die door diverse generaties McGillens eigenhandig waren aangelegd. Wij hadden een gezegde in de familie: echte Sweet Hush-appels kunnen alleen worden geteeld door God en de McGillens. Er school iets duisters en rijks en spookachtigs in onze grond, fluisterden de oude mensen.

'Dat soort grond levert altijd het beste fruit,' zei papa.

Ik had geen idee dat we arm waren, en ik begreep nog niet wat onze verwanten bedoelden als ze treurden om het laatste bewijs van het grootse verleden van onze familie – de zilveren kan met monogram die papa liefdevol oppoetste en op een oude vurenhouten tafel zette. *Er is een tijd geweest*, hoorde ik oude tantes zeggen, *dat onze familie niet haar prachtige erfstukken hoefde te verkopen*.

Wat mij betrof hadden we alle prachtige erfstukken nog. Ze groeiden in schitterende, kleurrijke schoonheid op onze hellingen en werden beschreven in de stoffige landbouwboeken in de eenvoudige boekenkast in onze woonkamer. Aan de muur, op een ereplaats boven onze doorgezakte oude bank, hing het enige ingelijste kunstwerk in ons huis: een botanische weergave uit 1909, in kleur, van een Sweet Hush.

‘Het werd voor het eerst gepubliceerd in de grote federale landbouwkundige boeken van die tijd,’ legde papa me uit. Hij vertelde me het verhaal herhaaldelijk toen ik klein was, alsof het een fabel of een favoriet spookverhaal betrof. Ik was dol op zijn trotse blik wanneer hij over onze vroegere grootsheid sprak. ‘Er kwamen twee mannen uit Washington hierheen. Ze zaten in de boomgaard met de hele familie eromheen terwijl de ene een perfecte Sweet Hush schilderde en de andere tientallen appels bestudeerde en aantekeningen maakte.’

Daarna opende papa dan ons eigen, heel oude exemplaar van het illustere boekdeel en las hij plechtig de bevindingen van de mannen voor, alsof hij uit de bijbel reciteerde: ‘De rijpe Sweet Hush-vrucht is dieprood van kleur, bijna bordeauxrood; de vrucht is gelijkmatig en rond van vorm, van gemiddelde grootte; de steel groeit dik en recht uit een scherpe, zwartachtige, egale holte; de onderkant is breed en zonder rimpels; het vruchtvlees extra knapperig en zeer wit. De appel rijpt van september tot december; laat zich uitstekend bewaren en behoudt zijn smaak bij het koken.’ Op dat punt pauzeerde papa altijd even, haalde een keer adem en declameerde dan het allerbelangrijkste gedeelte met een lage, lijzige stem. ‘De smaak is als die van pure verse honing vermengd met de fijnste rietsuiker. Een Sweet Hush heeft geen zure nasmaak. Elke hap lijkt te smelten op de tong. Een waarlijk spectaculaire appel.’

Waarlijk spectaculair. Stel je voor. Mannen van de overheid die zulke superlatieven gebruiken zonder dat ze zijn omgekocht.

Mama, die voor een klein deel Cherokee was, kwam naast papa staan en spuide het advies van haar Cherokee-grootmoeder. ‘De Sweet Hush is de beste appel voor alles wat je ziek maakt,’ placht grootje Halfacre te zeggen. ‘Omdat zoete appels de maag kalmeren, de darmen reinigen en het hart tot rust brengen.’ Jaren later zou ik met een zekere wrange smart terugdenken aan die woorden. Overleven als appelboer vergt namelijk lef, hart voor het werk en een sterke maag.

Als kind telde voor mij echter alleen het mirakel dat we geassocieerd werden met een van Gods fijnere gaven, die, tot mijn niet geringe trots, mijn naamgenoot was.

'Mijn eigen kleine bekroonde appel,' noemde papa me. 'Net als je moeder.'

Ik had mama's hoekige gezicht en lange neus met een verdikking aan het puntje, haar brede mond met neergaande mondhoeken en haar Cherokee-jukbeenderen, maar papa's krachtige kin en diepgroene ogen. Mijn roestbruine haar liet zich er door geen enkele knipbeurt of permanent van weerhouden ruig mijn gezicht te omlijsten, als de voorlok van een paard. De mensen zeiden nooit dat ik mooi was, maar wel dat ik een schoonheid was. Maar ja, dat zeggen ze ook van een albinokalf. Papa zei dat ik ogen had als groene appels. Ik richtte mijn rauwe, ongerijpte blikken op de wereld buiten Chocinaw County en daagde die wereld uit een hap uit mijn gelukkige, taaie zelf te nemen.

Tot dat eindelijk gebeurde.

Aan het begin van het appelseizoen in 1974, terwijl mama haar rug de vernieling in werkte tijdens haar baan als serveerster in de Dalyrimple Diner, goot ik cider uit de zilveren kan op de knoestige wortels van de eerste Sweet Hush-boom en huilde ik tot ik dacht dat mijn hoofd zou barsten. Papa was de zomer daarvoor gestorven tijdens het werk in de boomgaard terwijl mama zijn hoofd vasthield en ik hulp haalde, en ik zou hem altijd blijven missen. Ik was pas twaalf jaar en nog zo verliefd op mijn eigen vader dat mijn hele wereld om hem draaide. 'Op een dag zal Sweet Hush Hollow van jou zijn,' had hij tegen me gezegd, niet lang voordat hij stierf. 'Ik weet dat je ervoor zult zorgen dat het trots op je kan zijn. Je bent de vijfde Hush McGillen. Vergeet dat nooit.'

Ik moest iets doen, anders was onze boomgaard verloren. De roem en het fortuin van weleer waren niet meer dan een wegroestende Studebaker in de grote schuur en de restanten van een zilveren servies dat we hadden moeten verkopen. Nu begreep ik het.

Het enige wat ons nog restte waren onze appels.

Ik sleepte twee grote lege manden, een handvol papieren zakken, een kartonnen doos vol versgeplukte Sweet Hushes en mijn broertje Logan door de boomgaarden en over de lange zandweg van het huis naar McGillen Orchards Road. Ik zette mijn zelfgemaakte tafel neer en ging ernaast staan, met in mijn handen een groot bord dat ik had gemaakt van een stuk karton en rode muurverf.

DE ENIGE, DE ECHTE, DE WARE SWEET HUSH-APPEL
GEEN WORMEN, GEEN ROTTE PLEKKEN
55 CENT PER ZAK
2 ZAKKEN VOOR EEN DOLLAR

Het was me opgevallen dat er steeds vaker mensen uit Atlanta door Sweet Hush Hollow reden. Ze kwamen over het nieuwe stuk snelweg, namen de afslag naar de rijksweg en meanderden tussen de bergen door om van het uitzicht te genieten alvorens terug te keren naar hun huizen, hun verkavelingen en hun winkelcentra. Ik had het aantal stationcars uit Atlanta geteld die elke zaterdag en zondag in het hoge leverkruid vlak bij onze verweerde brievenbus parkeerden. De mensen stapten uit om foto's te maken van onze boerderij. Ik liep een keer naar de weg en keek vandaar naar de Hollow om te zien wat hen zo intrigeerde. Ik zag het brede dal vol rijen appelbomen, de ronde bergen erachter en de daken van onze boerderij en de schuren die op een schaduwrijk heuveltje tussen een bosje grote beuken zichtbaar waren. Ik zag alleen maar mijn thuis, waar ik zielsveel van hield.

Als ik het wilde houden, zou ik moeten zorgen dat het geld opleverde, zoals het vroeger had gedaan.

Binnen een half uur had ik mijn eerste klant. Ik zal haar nooit vergeten – een oude dame uit Atlanta met zilverkleurig haar die met haar zusters door de appelstreek reed in een Cadillac met een verbleekte bumpersticker met NIXON PRESIDENT erop. 'Waarom zijn dit de "ware" Sweet Hush-appels, liefje?' vroeg ze.

'Omdat, mevrouw, onze appels de enige Sweet Hush-appels zijn die boven de botten van zo'n honderd Yankeesoldaten groeien...' ik gebaarde theatraal naar de boomgaarden, 'die in 1864 aan de achterkant van de Hollow door de Rebellen werden gedood in de Slag van Dalyrimple.' Ik zweeg even om het maximale effect te bereiken. 'Mijn over-over-overgrootmoeder Hush McGillen de Eerste zei dat appelbomen niet geven om de doden. Dus plantte ze haar eerste bomen pal boven de graven van de dode soldaten. En sindsdien levert Sweet Hush Hollow de beste appels ter wereld. Omdat botten wortels zijn en wortels botten. Dat zegt mijn mama, en haar mama was deels Cherokee, en u weet dat indianen de geesten van de aarde kennen. Wat zij zeggen is waar.' Ik ademde diep in. 'Een dollar voor twee zakken appels, alstublieft. En een kwartje als u foto's wilt maken.'

De oude dame en haar zusters lachten en kochten mijn hele

doos appels. 'Ik zou al betalen om je sterke verhalen te horen vertellen,' zei ze. Ze legde even een hand op mijn roodbruine haar. Het was lang en er zat een onmogelijke slag in, en ik had het bijeengebonden met een elastiekje uit de zak van mijn overall. 'Je ziet eruit alsof je aan de aarde bent ontsproten in een boerenelfenkring. Als je zo knap blijft en je fantasie zo levendig blijft gebruiken, zullen de mensen altijd appels van je kopen.'

Toen ze was weggereden zette ik Logan in een kruiwagen en duwde hem, mijn wenkbrauwen fronsend en op mijn tong bijtend, het pad op om meer appels te halen. 'Logan,' zei ik, 'de mensen kopen appels als je hun er een verhaal bij geeft dat ze mee naar huis kunnen nemen.' Voortaan zou ik aan iedereen die stopte het schitterende, bizarre verhaal vertellen van de doden van de Burgeroorlog onder het hart van onze boomgaard. Want dat verkocht appels.

Twee uur later had ik veertig zakken appels verkocht en om en nabij de twintig dollar verdiend. Ik haalde bij elke gelegenheid de stapel bankbiljetten uit de zak van mijn spijkerbroek om ze met trillende vingers te tellen. In 1974 was het een fortuin.

Ik hoorde een motorfiets en keek de bestrate weg tussen de bomen en rododendrons op. Davy Thackery reed over een heuveltje. Zijn zus, Mary May 'Smooch' Thackery hield zich aan hem vast, haar donkerbruine Thackery-krullen wapperend in de wind. Sommige families slagen er nooit in het stempel 'respectabel' te verwerven. De Thackery's waren zo'n familie, al waren de meesten van hen aardig en kalm van aard en werkten ze hard om tot de middenmoot te blijven behoren. Ze stonden bekend – en werden eerlijk gezegd door velen bewonderd – om hun erfgoed van illegaal gestookte drank en hun wilde talent met snelle auto's. Het professionele stockcar-racen heeft immers zijn oorsprong op de plattelandswegen van het zuiden van de jaren veertig en vijftig, toen illegale stokers in opgevoerde sedans vol whisky de regeringsambtenaren het nakijken gaven. De Thackery's waren in dat opzicht een legende in Chocinaw County. De mannen van de fiscus hadden op Chocinaw Mountain nooit een Thackery te pakken gekregen, althans niet levend.

Davy grijnsde naar me vanonder zijn eigen meisjesachtige Thackery-krullen, en mijn hart ging sneller kloppen. Hij was pas dertien, een jaar ouder dan ik, lang en slungelig en snel met zijn vuisten als iemand hem lastigviel. Maar zijn ogen waren lief en blauw als hij naar mij keek en ik verlangde er hevig naar opnieuw lief te hebben en bemind te worden nu mijn vader er niet meer was. Davy's vader was ook jong gestorven, tijdens een stockcarrace op een zandweg, en daarna had zijn moeder hem en Smooch in de steek gelaten. Smooch was een meisje geworden dat het iedereen graag naar de zin wilde maken. Davy was een roekeloze, boze jongen geworden. Ze werden opgevoed door een ziekelijke grootmoeder in de stad. Ze kon Davy niet in de hand houden. Maar ik wel. Dacht ik.

'Ha, schoonheid,' zei Davy vrolijk. 'Wat haal je nou weer voor rare dingen uit?'

Ik bloosde. *Schoonheid*. Zijn vlotte babbel was mijn enige zwakte. 'Dat is de motor van meneer Jetter, dief.'

'Die domme ouwe baas zal hem het eerste uur niet missen.'

Smooch sprong bezorgd van de motor. 'Je zei dat je hem mocht lenen!'

Hij gaf haar een aai onder haar kin. 'Nou, zusje, dan heb ik dus gelogen.' Davy ging zijdelings op het leren zadel zitten en keek naar mijn gammele manden en dozen. 'Je mama heeft ons gestuurd om te kijken wat je aan het doen was. Iemand vertelde haar dat je appels verkocht als een zigeunerin. Ze is bang dat je omvergereden of neergeslagen zult worden. Ik heb gezegd dat ik op je zou passen.'

Ik haalde mijn bankbiljetten te voorschijn. 'Ik geloof dat ik me prima weet te redden, dank je wel.'

Smooch gaapte me aan. Haar ogen glommen. 'O, ik wou dat ik ook rijk was.'

'Mama kan een hoop boodschappen doen met dit geld.'

Smooch pakte mijn kartonnen bord op en bestudeerde het. 'Ik zou dat stukje over wormen en rotte plekken weglaten. Dat brengt de mensen op negatieve gedachten.'

'Ik maak straks wel een ander bord.'

'Laat mij het doen, alsjeblieft, alsjeblieft! Ik zal een nieuw bord voor je maken met mooie sierkrullen op de hoeken.'

'Oké, dank je.' Smooch had aanleg voor tekenen, en dacht er heel veel over na wat de mensen wilden horen. Ik had medelijden met haar en kon haar pr-adviezen wel gebruiken. Ik keek haar en Davy aan. 'Als jullie me vandaag helpen appels aan de mensen uit Atlanta te verkopen, geef ik jullie ieder twee dollar.'

'Ik doe mee!' zei Smooch.

Davy keek me alleen maar aan met zijn hemelsblauwe onruststokersogen. 'Ik zal je helpen omdat je het me gevraagd hebt. Maar ik ben niet van plan naar de pijpen van dat volk uit Atlanta te dansen. Dat zijn niets dan joden en nikkers en verwaande rijkelui.'

Dit was het soort moment waarop verstandige meisjes dom en blind worden. Ik had hem hard moeten aanpakken. Ik had moeten inzien dat er te veel woede in zijn visie op de wereld school, maar ik was toen al verliefd op hem, dus liet ik het voor wat het was. Maar ik wist dat woorden telden, dat ideeën telden, dat reputatie telde. Mijn moeder was voor een kwart indiaan en ik had zelf gehoord dat de mensen haar uitscholden en zeiden dat mijn vader niet met haar had moeten trouwen. Zelfs mijn eigen oom Aaron en zijn verdomde kinderen. Mijn eigen neefjes en nichtjes. 'Zou je toestaan dat de mensen mij uitschelden, zoals jij hen doet?' vroeg ik Davy somber.

Hij brieste. 'Als ik hoor dat iemand jou uitscheldt, sla ik hem verrot.'

'Alsjeblieft dan, Davy, alsjeblieft...' ik glimlachte, '... je bent zo'n aardige jongen. Gebruik die lelijke woorden dan zelf ook niet. Beloof het me.'

'Goed dan, goed dan. Als jij het niet wilt, zal ik het niet zeggen.'

'Mooi.'

'Tenminste niet als jij het kunt horen.'

Ik brieste en wilde net iets terugzeggen toen er een geel Volkswagenbusje de weg op kwam. 'Kijk vriendelijk,' beval ik.

Smooch, Davy en ik stonden in de berm. Smooch wuifde en ik hield mijn bord omhoog. De Volkswagen stopte. Er stapte een man uit met een stel camera's met lange lenzen erop. 'Man, o man, dit is echt het mooiste plekje in de bergen,' zei hij. 'Het heeft echt alles van dat terug-naar-de-natuurgedoe. De Hof van Eden. Ik kan de *chi* voelen, weet je wel. De goede energie. Wauw.' Hij had een snor en lange bakkebaarden. We gaapten hem aan. De mannen in Chocinaw County schoren zich altijd nauwgezet en hielden hun haar godvrezend kort.

'Die man is een hippie,' fluisterde Smooch.

'Die man is een klant,' pareerde ik.

Davy ging met gebalde vuisten voor Smooch en mij staan. Ik sprong voor hem, met mijn bord in de hoogte. 'Meneer, welkom op Sweet Hush Farms. Parkeren is gratis als u appels koopt, maar als u hier bent om foto's te maken, kost u dat een kwartje.'

'Afgesproken, mooie meid.' Grinnikend gaf hij me een kwartje en ik stak het in mijn zak. 'Mag ik dan nu een foto maken waar jij op staat?'

'Verdomme, nee,' zei Davy.

'Het is voor de krant in Atlanta.'
'De grote?' vroeg ik.
'Inderdaad. Ik ben fotograaf.'
'Dat verkoopt appels,' zei Smooch dicht bij mijn oor.
Ik knikte enthousiast. 'Ja, meneer, u mag een foto van me maken, maar alleen als mijn vrienden er ook op mogen.'
Smooch piepte verrukt. Davy bleef boos kijken tot ik mijn arm door de zijne haakte. Ik hield met mijn vrije hand het bord omhoog, maar Smooch nam het van me over. 'Ik hou het bord vast, en jij laat het geld zien,' fluisterde ze.
'Goed idee.' Ik trok de stapel bankbiljetten uit mijn broekzak en hield hem omhoog.
De hippiefotograaf lachte en begon plaatjes te schieten.
Die zondag zagen duizenden mensen onze kleurenfoto op de voorpagina van het katern 'Dixie Living' in de krant van Atlanta. Ik vertelde ma niet over de fotograaf. In Chocinaw County praatten nette meisjes niet met hippies.
Na de kerk kwamen de mensen naar de Diner met hun exemplaren van 'Dixie Living'. Ma bediende de lunchmenigte en had de krant nog niet gelezen. Davy, Smooch en ik hingen in de keuken rond en wisselden bezorgde blikken uit. Je kwam niet met je foto in de krant van Atlanta tenzij je slecht was, in de politiek zat, of allebei.
'Doris Settee McGillen, kijk hier eens, ben je doof, stom en blind?' zei een klant tegen ma. De vrouw hield lachend de krant omhoog. 'Je dochter heeft het aangelegd met de grote wijde wereld zonder het jou te vertellen. Wat gaat er toch in het hoofd van dat kind om?'
Ma bleef midden in het restaurant staan, haar slanke armen vol vuile borden, haar blauwe serveerstersuniform vol vetvlekken, haar lange zwartbruine vlecht opwippend toen ze haar hoofd boog om naar mijn portret in de grootste krant van de staat te kijken. Ze las de woorden eronder, bewoog haar mond zonder geluid te maken. *Het leven is zoet voor 'Sweet Hush' McGillen en haar appelhandeltje langs de weg.* Ma was stomverbaasd.
'Ik zit zwaar in de problemen,' fluisterde ik en Smooch kreunde.
Davy sloeg een arm om me heen. 'Ik sla iedereen verrot die jou "sweet" noemt.'
Ik leunde in de warme kromming van zijn arm en tuurde de keukendeur door naar ma. Langzaam hief ze haar kin op. Vet

droop van de vuile borden op haar witte tennisschoenen. Ze staarde naar de grinnikende buren in hun zondagse kleren die zich na de kerk een lunch van gebraden kip konden veroorloven en die nu naar haar opkeken vanaf hun tafeltjes. 'Ik ben niet blind,' zei ze luid. 'Ik zie dat ik een dochter heb die weet hoe ze appels moet verkopen. Ze is Hush McGillen de Vijfde, bezig haar naam te verdienen. En jullie zullen allemaal zien dat het nog niet gedaan is met de Sweet Hush-appel. Ik ben ervan overtuigd dat mijn Hush jullie dat zal laten zien.' Ma zweeg even. 'Nu moeten jullie me even verontschuldigen, want ik moet haar aan haar oren gaan trekken en tegen haar schreeuwen.'

Iedereen lachte en klapte. Ik was woedend. Ze lachten me uit. Op dat moment wist ik dat ik iemand zou worden, alleen al om het hun allemaal betaald te zetten. Ze zóúden me serieus nemen.

Ma en ik zaten die middag thuis met een ingelijst kiekje van papa op de oude houten tafel tussen ons in en de verbazingwekkende krantenfoto ernaast. Ze liet Logan paardjerijden op haar knie. Ze leek niet echt boos, eerder verbaasd over mijn ideeën. Het eerste vleugje van een bevrijdend gevoel verspreidde zich over mijn borst als de verwarmende mentholzalf waarmee ma me insmeerde als ik verkouden was. Ik legde mijn hoofd tegen haar schouder. Ze rook naar moedermelk en appels en Marlboro. 'Ik weet dat ik een vreemde vogel ben,' zei ik. 'Want dat zegt iedereen.'

'Nou, nou,' zei ma. 'Tja.'

Ze stak een sigaret op en trok haar T-shirt omhoog om Logan aan haar rechtertepel te laten sabbelen. Ze keek van papa's foto naar het krantenknipsel naar mij, verbond ons met elkaar in één zichtlijn, alsof ze hem wilde vragen wat voor McGillen-toverkracht hij twaalf jaar geleden in haar had geplant. Ze was pas zesentwintig en had donkere, vermoeide ogen. Je kon de Cherokee herkennen in haar hoge jukbeenderen en krachtige mond. Ze vloekte als ze dacht dat ik het niet hoorde, dronk bier als ze 's avonds dacht dat ik sliep, sloeg me of kneep mijn bovenarm blauw als ik straf verdiende. Ze zong solo's in de kleine gepotdekselde Gospel Church of the Harvest in Song, bad als een predikant maar werkte als een paard om eten op tafel te brengen. Ze rouwde om papa en ze was bang.

'Gisteren, toen je aan het werk was,' vertelde ik haar voorzichtig, haar reactie peilend, 'heb ik tweeënveertig dollar verdiend met het verkopen van appels langs de weg.' Ik haalde die geheime voorraad uit mijn broekzak en legde de biljetten en munten op de tafel. Ma's mond ging open en toen weer dicht.

Tranen rolden over haar wangen. 'Ik wil niet dat mijn kinderen moeten ploeteren voor hun eigen kost. Ik wil voor jullie zorgen zoals het hoort.'

'Ik ploeter niet.' Ik slikte moeizaam en leunde tegen haar aan. 'Ma, ik moet je wat vertellen. Ik ben voorbestemd om appels te verkopen. Ik kan het. Ik weet dat ik het kan. Want... ik heb het suikervel!'

Het suikervel. De meeste mensen zeiden dat het suikervel iets was wat de McGillens in hun glorietijd hadden verzonnen om hun eigen legendes nog wat aan te dikken. Maar de oude mensen in mijn familie beweerden dat suikervel echte magie was en dat iedere Hush McGillen er tot dusver mee behept was geweest. Mama hapte naar adem. 'Heb je jezelf getest?'

'Jazeker. Meer dan eens. Ik wilde je niet bang maken, dus heb ik het je niet verteld.'

'O, mijn hemel, je had wel doodgestoken kunnen worden.'

Ik knikte. Er was maar één manier om erachter te komen of iemand het suikervel had. Je ging naar buiten in het najaar, als de bijen en wespen rondzwermen, op zoek naar moeilijkheden met hun roodgloeiende angels vol gif, je zocht een van hun nesten op en liep erheen.

En dan stak je je hand naar ze uit.

'Ze streken overal op me neer, ma,' fluisterde ik. 'Ik wed dat ik er wel honderd op me had zitten. Maar niet eentje heeft me gestoken. Ze... ze likten aan mijn vel, ma. Echt waar. Ik heb het suikervel.'

'O, mijn God,' zei ma.

'Ma, ik ga ieder weekend een appelkraampje neerzetten en ik zal zorgen dat we rijk worden, en dan ga ik naar de universiteit om te leren nog meer appels te verkopen, en dan zal niemand me ooit nog uitlachen.'

'Beloof me dat. De universiteit. Beloof het.' Mama had alleen lagere school gehad. Ze was met papa getrouwd toen zij veertien was en hij dertig. Ik werd zes maanden na de bruiloft geboren. Ze had voor mij, en voor Logan, mooiere dromen. Universiteitsdromen. 'De universiteit,' herhaalde ze.

'Ik beloof het. Ik zweer het op de geest van papa.' Ik drukte zijn foto tegen mijn borst.

Ze omhelsde me en we huilden allebei. Toen duwde ze me van

zich af en keek me streng aan. 'Ik twijfel er niet aan dat jij de magie bezit, het suikervel. En ik twijfel er niet aan dat je appels kunt verkopen. Maar ik twijfel er evenmin aan dat wespen en bijen niet de enige wezens zijn die weten dat jij zo zoet bent als een appel. Hou die verdraaide Davy Thackery minstens een armlengte van je vandaan, anders neemt hij je alles af.' Ze schudde me zacht door elkaar. 'Beloof me dat!'

Ik keek haar verdwaasd aan. 'Maar Davy is goed voor me, en hij wil voor me zor...' Het rauwe ongeloof in de ogen van ma deed me mijn zin afbreken. 'Ik beloof het,' zei ik.

Ik meende echt dat ik mijn belofte niet zou breken.

En dat zij lang genoeg zou leven om daar getuige van te zijn.

Dat was niet zo. Een moeder kan je alleen maar beschermen tot ze je alleen laat en je jezelf moet beschermen.

2

De week voor mijn zestiende verjaardag overleed mama aan een infectie door een gescheurde appendix. Ik herinner me dat ik op de ijzige winteravond na haar dood onder de eerste Sweet Hush-appelboom zat, in het donker met een deken om me heen, een arm om Logan heen geslagen en de andere om de oude boom, alsof die onze surrogaatmoeder was geworden. Ik huilde tegen de oude boom, ik sprak tegen de oude boom, en in die diepe put van wanhopige eenzaamheid begon ik te geloven dat zij – ik noemde haar de Oude Dame – naar me luisterde en me antwoord gaf.

Hou je vast aan de aarde, Hush, hou je stevig vast aan mij en veranker je eigen wortels naast de mijne.

Dat zal ik doen, en ik zal nooit meer loslaten.

Machten waarmee ik nooit eerder te maken had gehad, dromden om me heen. Ik zat opeens in de kleine, met vurenhout afgetimmerde rechtszaal van de rechtbank van Chocinaw County terwijl advocaten debatteerden over mijn toekomst en die van mijn broertje en die van de boerderij in Sweet Hush Hollow.

'Edelachtbare, het is absoluut onmogelijk dat een kind dat nog zo jong is als Hush een welgelegen grote boomgaard en een huishouden naar behoren kan bestieren,' zei advocaat Mac Crawford namens een neef die papa altijd had veracht. *Aaron McGillen is een hebzuchtige klootzak*, heb ik mijn vader vele malen horen zeggen.

'Welnu, meneer Aaron McGillen is een handelaar met een goede reputatie en met een belang in de Pancake Diner-franchise langs de nieuwe snelweg, en hij is bereid de hele Sweet Hush Hollow van wijlen zijn neef over te nemen tegen een redelijke prijs, waar de jonge juffrouw Hush en haar broertje leuk van kunnen leven.'

Mijn advocaat, de oude en goedkope Fred Carlisle, die bourbon dronk in zijn kantoor dicht bij het gerechtsgebouw, en een slecht passend rood haarstukje droeg om een deuk boven in zijn grijzende hoofd te verhullen, kwam met artritisch melodrama overeind. 'Edelachtbare,' zei hij lijzig, 'Aaron McGillen pikt zelfs de fooien van zijn eigen serveersters in.'

De aanwezige McGillens en McGillen-verwanten knikten ernstig. Ik ondervond een hoop steun van mijn uitgebreide familie. Maar de rechter gromde, hij was niet onder de indruk, en ik verstijfde nog meer aan de tafel van de gedaagde. Ik werd bijna misselijk van de menthol- en bourbongeur van meneer Carlisle. Het zweet droop tussen mijn kleine borsten door en ik kreeg jeuk van de goedkope blazer en jurk die ik in de uitverkoop had gekocht. Achter me op een bank zat Logan tussen Smooch en Davy heen en weer te wiebelen. Mijn mollige, goedaardige kleine broertje fluisterde net iets te hard, zoals verveelde vijfjarigen dat kunnen: 'Hush? Kom nou! Hush! Ik wil naar huis!' Eindelijk draaide ik me om en fluisterde: 'Bubba Logan, ik doe mijn uiterste best om ons weer thuis te krijgen en te zorgen dat we daar kunnen blijven, precies zoals papa en mama dat gewild zouden hebben.' Dat bracht diverse van mijn vrouwelijke familieleden aan het huilen.

Rechter Redman, een statige oude man met een rood gezicht die tijdens het proces cigarillo's met filter rookte, wuifde de oude meneer Carlisle opzij en wees naar mij. 'Juffrouw McGillen, ik zou een dwaas zijn om een zestienjarig meisje het beheer van de Hollow in handen te geven, of niet soms?'

Ik ging staan. Met mijn handen boven op een kleine aktetas waarop ik bij de Vlooienmarkt in Dalyrimple had afgepingeld, zei ik heel duidelijk: 'Ja, edelachtbare, dat zou u zeker zijn als ik een gewoon zestienjarig meisje was. Maar aangezien ik niet gewoon ben, zou u een dwaas zijn als u het niet deed.'

De mensen gaapten me aan. Hij kneep zijn ogen tot spleetjes. Hij trok aan zijn cigarillo tot de as op zijn bureau viel. 'Vertel me dan eens hoe je deze dwaas wilt overhalen, juffrouw McGillen.'

Ik opende mijn aktetas, draaide die naar hem toe en gooide de inhoud op de tafel. Er vielen bundeltjes twintigdollarbiljetten uit. Aandelen dwarrelden tegen meneer Carlisles glas met verdacht naar menthol ruikend water. Obligaties vielen erbovenop. 'Dit zijn mijn bedrijfsmiddelen, edelachtbare. Verdiend met het verkopen van appels langs de kant van de weg gedurende de afgelopen vier jaar. Mijn moeder wilde niets van mijn verdiensten aannemen. Ze stond erop dat ik het merendeel spaarde. Dus deed ik dat.' Ik wees naar verschillende stapeltjes. 'Contanten, aandelen, obligaties. Een totale waarde van 5285 dollar en 27 cent, gebaseerd op de slotkoersen zoals die gisteren in de *Atlanta Journal* stonden, edelachtbare.'

Overal in de rechtszaal klonk gefluister. De rechter gebruikte zijn hamer. 'Juffrouw McGillen, je bent werkelijk verbazingwekkend. Dat zegt iedereen. En dat bestrijd ik ook niet. Maar je moet naar school en je moet voor je kleine broertje zorgen. Je mama wilde dat je naar de universiteit ging. Hoe wil je daarbij ook nog eens appels verkopen?'

'Ik ben een jaar eerder klaar met de middelbare school. Ik heb een beurs van de League of Farm Women en een van de Kiwani's. Genoeg geld om me door mijn eerste jaar op North Georgia College heen te helpen, terwijl ik hier blijf wonen. De oma van Smooch en Davy Thackery heeft beloofd op mijn broertje te passen als ik op school ben. En ik zal in staat zijn fulltime op de boerderij te werken.'

Mac Crawford snoof. 'Dit meisje heeft goede bedoelingen, edelachtbare, en niemand twijfelt eraan dat ze een voorbeeldige jonge burgeres is. Maar het is beslist niet verstandig, edelachtbare, om haar het beheer te laten voeren over meer dan tachtig hectare waardevolle boomgaarden. De Hollow is heilig voor de familie McGillen en zou aan de zorg moeten worden toevertrouwd van een volwassen mannelijke McGillen die...'

'Die zijn serveersters hun fooien afpakt!' zei meneer Carlisle weer. Iedereen lachte. De moed zonk me in de schoenen.

De rechter leunde op één elleboog en keek Mac Crawford aan. 'Vertel me eens, meneer Crawford, bent ú er ooit in geslaagd vijfduizend dollar te sparen?'

'Edelachtbare, dat doet er helemaal niet toe...'

'Nou, ik zou zeggen dat het er wel degelijk toe doet. Hoe zit het met u, meneer McGillen? Kunt ú me zoveel contanten en aandelen laten zien?' De rechter wees naar Aaron, die mager en ernstig in een net pak op de voorste bank zat. Ik had zijn naam aangestreept op een lijst die ik bijhield. Hij zou nooit meer een voet in de Hollow zetten als het aan mij lag.

Aaron schoof onrustig heen en weer. 'Ik heb investeringen,

edelachtbare. Geen grote kasgeldenstroom, maar een heel aardig inkomen.'

De rechter glimlachte. 'Misschien moet ik uw serveersters oproepen om te getuigen over uw managementtechnieken.'

De mensen bulderden van het lachen. Meneer Carlisle zei: 'Nou, nou, ik heb het toch gezegd!'

'Dit is toch zeker een grapje, niet?' zei Aaron stijfjes. 'Alleen een onbenul zou de Hollow in handen geven van een meisje van zestien dat niet eens een knecht heeft om haar te helpen de appels te plukken.'

'Noemt u mij een onbenul?' vroeg de rechter.

'O nee, nee, edelachtbare! Maar die arme jonge Hush heeft geen betrouwbare hulp...'

'Dat is een verdomde leugen! Ik ben haar hulp!' zei Davy luid. Hij sprong op als een soldaat die in de houding gaat staan. Zeventien jaar en bijna een meter negentig, mager als een lat, gekleed in jeans en leer, met lange wimpers en donker, weelderig Thackeryhaar, plus een fantastisch soort ruwe charme, maar veel hopeloze blabla. Hij trok met veel vertoon de halfbakken stropdas recht die hij over een geruit hemd onder zijn leren jack droeg. 'Ik ben een volwassen man,' verkondigde Davy, 'en ik neem die boomgaard verdomd serieus.'

De meesten van mijn verwanten rolden met hun ogen. De rest van het publiek lachte. Zelfs de rechter kon een glimlach niet onderdrukken. 'Meneer Thackery, ik ken u maar al te goed. Woorden zijn goedkoop en u strooit ze volop in het rond.'

Davy bleef heel stil staan. Voor één keer leek hij zijn arrogante houding te laten varen. Hij keek rechter Redman recht in de ogen – kalm, smekend, vol belofte. God helpe me, er voer een rilling van opwinding en bewondering door me heen. Op dat moment geloofde ik in Davy en werd ik verliefd op hem. Ik wist niet dat dat mijn lot zou bepalen. 'Edelachtbare,' zei hij met de rustige lijzige stem van een man, 'ik zweer met de hand op mijn hart dat ik me uit de naad zal werken voor Hush McGillen. Ik zal haar nooit de rug toekeren en ik zal nooit haar vertrouwen beschamen, en ik zal er altijd zijn als ze me nodig heeft. Ik weet dat ik heel wat moet bewijzen, en dat zal ik doen ook, omwille van haar. Maar alstublieft, edelachtbare, laat u haar de Hollow houden. Want ze zal doodgaan als ze die verliest. En als zij doodgaat, dan sterf ik ook.'

Ik kreeg kippenvel op mijn rug en tranen in mijn ogen. Ik veegde ze weg. Smooch gaapte haar broer aan alsof buitenaardse wezens hem hadden vervangen door een sentimentele vreemdeling. De hele rechtszaal was doodstil, vol ontzag.

Een lange askegel viel van de cigarillo van rechter Redman. Hij legde hem op de rand van een asbak, bracht zijn vingertoppen voor zijn lippen bij elkaar en sprak tussen zijn vingers door. 'Juffrouw Hush, mijn reputatie als niet-dwaas en niet-onbenul rust op je schouders. Als jij of je hulp hier het wagen die reputatie te schaden, dan sta je heel snel weer hier voor me. Heb je dat begrepen?'

Ademloos en vol verwachting stond ik daar. 'Ja, edelachtbare.'

'Goed dan.' Hij wierp Aaron McGillen een boze blik toe, knikte naar de verzamelde McGillens en hief toen zijn hoofd voor een ogenblik van echte redenaarskunst. 'Het beheer over het eigendom van Sweet Hush Hollow wordt hiermee in handen van juffrouw Hush McGillen gelegd!' Hij liet zijn hamer neerkomen.

De menigte applaudisseerde.

Ik draaide me om en keek in Davy's stralende ogen. Hij bloosde, fronste zijn wenkbrauwen en nam toen met een schouderophalen zijn normale houding weer aan. 'En, heb ik je uit de problemen gehaald of niet?' fluisterde hij. Ik raakte heel even zijn wang aan, waarop hij verrast inademde.

Ik was er op dat moment zeker van dat hij met alle vertrouwen en eer in de wereld van me hield.

Niemand geloofde echt dat ik de boerderij kon runnen. Ik was zo in verdriet en zorgen gedompeld dat ik nauwelijks opkeek – maar telkens als ik dat deed, was Davy daar. Een charmeur, een ouwehoer van de bovenste plank, die te hard reed en het lot tartte. De meeste mannen, vrouwen en kinderen konden niet anders dan zijn lach beantwoorden. Op de racebaan was hij toen al een idool. Vrouwen met hoog opgestoken haar droegen zijn nummer – 52 – op hun met lovertjes bezaaide T-shirts. Mannen sloten weddenschappen op hem af. Meisjes flirtten voortdurend met hem. Dat wist ik. Hij zei dat ze gewoon zijn fans waren. Ik geloofde hem.

Maar aan mijn zijde in de boomgaard werkte hij harder dan hij ooit had gedaan en ooit weer zou doen, hoewel hij in zijn vrije tijd deed wat hij het liefste deed en mij probeerde over te halen daaraan mee te doen. 'Ik hou niet van de racebaan,' zei ik botweg. 'Ik lees liever een boek.'

'O, verdorie, schoonheid,' zei hij lijzig, met slechts een licht sinistere zweem van droefenis in zijn ogen, 'met lezen kun je de jackpot niet winnen.'

'Niet alleen maar lezen. Studeren. Door te studeren kan ik meer geld verdienen dan alle jackpots in de wereld. Slim zijn levert geld op.'

'Je bent nu al slimmer dan alle andere meisjes. En knapper.'

Hij had altijd zijn woordje klaar.

Maar niet bij mij. Nog niet. Ik kon het risico niet lopen met hem tussen de lakens te belanden.

Nog niet.

'Ik zou een dwaas zijn als ik een meisje van zestien een bouwlening zou geven,' zei de directeur van de bank. Hij was een nieuwkomer in Dalyrimple en wist helemaal niets van de McGillens in het algemeen en mij in het bijzonder. Een grote bank uit Atlanta had dat jaar de Boerenbank van Chocinaw County overgenomen.

Ik gaf hem mijn beste antwoord. Dat had eerder gewerkt. 'Meneer, ik ben geen gewoon meisje, en de Sweet Hush is geen gewone appel, dus zou u wel dwaas zijn als u me die lening níét gaf.'

Hij gaapte me aan. 'Wat wil je dan precies gaan bouwen?'

'Een kleine appelschuur vooraan in de Hollow waar de mensen die voorrijden hem kunnen zien. Met een keuken voor het maken van allerlei soorten appelgebak, en een parkeerplaats met grind.' Ik zweeg even. 'En ik wil een groot bord met Sweet Hush Farms bij de ingang. Smooch Thackery gaat het voor me ontwerpen, maar ik heb een professional nodig om het voor me te maken.' Weer een korte pauze. 'En ik ga nog een bord bij de afslag van de snelweg zetten. Mijn moeders neef heeft daar een stuk land langs de weg en hij heeft me toestemming gegeven.'

'Een bord dat mensen uit Atlanta vraagt vijftien kilometer over Chocinaw Mountain te rijden om appels te kopen?' De bankier schudde het hoofd.

'Nee, meneer, niet om appels te kopen. Om de magie van Sweet Hush te kopen.' Ik vervolgde mijn betoog met een lange, rammelende uitleg over nostalgie en erfgoed en de Hollow en dode soldaten terwijl hij daar onnozel zat te glimlachen.

Toen ik was uitgepraat zei hij: 'Het spijt me, maar ik heb bewijs nodig dat je plan zal werken, juffrouw McGillen, en dat heb je niet.'

Ik stond op, zette een mandje Sweet Hushes op zijn bureau en zei: 'Ik zal zorgen dat u uw bewijs krijgt.'

Ik stond vastberaden tussen de bloeiende appelbomen. Smooch keek vol afgrijzen vanaf een afstandje toe, maar Davy stond met een bleek gezicht en een videocamera op zijn schouder maar een paar meter bij me vandaan. Hij had de camera 'geleend' uit de mediatheek van Chocinaw County High School. Met één vinger zette hij het felle licht aan. 'Geef hem van katoen,' zei hij.

Ik hield een microfoon in mijn rechterhand. Zweetdruppels liepen over mijn gezicht en bevlekten de oksels van mijn roodgeruite shirt. Ik glimlachte. 'Kom naar Sweet Hush Farms,' zei ik, 'zodat u kunt zien waarom Sweet Hush-appels zo lekker zijn dat ze de bijen betoveren.' Ik had besloten dat het geen zin had te zeggen dat het geen bijen waren, maar wespen. *Bijen* was een goed, generiek reclamewoord.

Met mijn rechtervoet duwde ik, buiten beeld van de camera, het deksel van een vijftienliterblik. Honderden woedende wespen zwermden eruit. Binnen enkele seconden zaten ze op mijn mouwen, mijn haar, mijn gezicht. Ik haalde nauwelijks adem. 'Laat me u alles vertellen over de McGillens van Chocinaw County en hun Sweet Hush-appels,' ging ik ten slotte verder, naar de camera starend terwijl de wespen over mijn wenkbrauwen kropen. 'En laat me u vertellen waarom u allemaal graag mij en mijn bijen zult komen bezoeken, en waarom u weer naar huis zult keren met de beste zuidelijke appels die bijen ooit hebben gekust.'

Ik ratelde verder terwijl de wespen over me heen kropen. Ik had geleerd ze te zien als een noodzakelijk kwaad – de doornen aan een roos, het vergif dat zelfs het zoetste fruit vergezelde – gewoon een van de prijzen die je in het leven moet betalen voor een goede appeloogst of aangelegenheden van het hart. En altijd was er pijn, zo erg dat ik dacht dat ik eraan dood zou gaan. Mama. Papa. Logan die om mama riep terwijl alleen ik er was. Te veel trots. Te veel verantwoordelijkheid. Zoveel van Davy Thackery houden dat ik niet gewoon kon nadenken als hij bij me was. Maar ik bleef op de been.

We brachten kopieën van de videoband naar alle tv-stations in Atlanta, samen met een door Smooch geschreven bloemrijk persbericht. Daarna wachtten we af.

Het werkte.

Ik werd door twee tv-ploegen geïnterviewd. De diverse zenders lieten filmpjes zien van mij met mijn 'bijen'. 'Hush McGillen en haar betoverde bijen' waren beroemd.

Dat weekend verkocht ik 1750 kilo appels en had ik bestellingen aangenomen om er nog eens bijna 1500 te versturen.

En ik kreeg mijn lening bij de bank.

'Dank u. En overigens, meneer, als ik mijn eerste miljoen heb verdiend, geef ik dat u in beheer. Maar wel op één voorwaarde.'

Hij kon alleen maar glimlachend het hoofd schudden. 'Vertel me welke, alsjeblieft.'

'Dat u het gebruikt om de Boerenbank van Chocinaw County hier terug te brengen. Want uit geld groeit geld, en ik wil al dat geldzaad hier houden, waar de kans het grootst is dat het de mensen ten goede komt om wie ik geef.'

Nadat hij me een ogenblik alleen maar had aangekeken, knikte de man. 'Ik geloof dat ik inderdaad een dwaas zou zijn als ik u die lening niet zou geven.'

Daarop schudden we elkaar de hand.

Davy en ik waren die winter in de boomgaard dode takken aan het wegsnoeien, toen hij van een ladder viel en bewusteloos raakte. Toen hij bijkwam, hield ik mijn vingers tegen de bloedende snee in zijn achterhoofd gedrukt. 'Hoeveel bier heb je gedronken voor je hierheen kwam?' vroeg ik.

Hij lachte. 'Niet genoeg om te zorgen dat ik terug stuiterde, verdomme.'

Ik leidde hem naar het huis, liet mijn dekking zakken, brak weer een van de regels die ik mama had gezworen niet te zullen breken: *Zorg dat je nooit alleen binnen bent met Davy Thackery*. Smooch had Logan eerder die middag meegenomen naar haar oma. Het was koel en regenachtig, en het rook naar de vroege lente, wanneer dieren gaan paren en de bijen op zoek gaan naar de gretige, vochtige bloesems van mijn bomen. Ik was me er goed van bewust dat Moeder Natuur bovenal aanmoedigde tot paren en overleven. 'Zet een raam open en laat me de frisse regen ruiken zodat ik weer bij mijn positieven kom,' kreunde Davy theatraal toen hij zich op de oude quilts van het krakende tweepersoonsbed van mijn ouders uitstrekte.

Ik gooide het raam open en liet de koude lucht als een beschermende mantel over me heen vallen. 'Ik wil geen bloed op mijn mama's mooie kussen.' Ik legde een handdoek onder zijn hoofd, ging toen op de rand van het bed zitten en keek naar hem met meer sympathie dan ik wilde toegeven. Hij was vuil, nat en verfomfaaid, net als ik. 'Heb je bier?' vroeg hij.

'Nee.'

'Heb je er bezwaar tegen dat ik een joint opsteek?'

'Ja.'

Hij kreunde. 'Dan moet ik hier maar gewoon blijven liggen met vreselijke pijn en hopen dat jij mijn ellende zult verlichten.'

'Dat betwijfel ik.' Maar ik veegde teder zijn handen en gezicht schoon met een warm, vochtig washandje. Hij werd stil en keek me met bijna gesloten ogen aan. 'Je bent veel te goed voor me,' fluisterde hij. 'Dat meen ik.'

'Omdat ik je nooit terug zal kunnen betalen voor alles wat je hebt gedaan om me te helpen.'

'Ik hoef niet te worden betaald.' Een vette leugen, maar wel effectief. Hij pakte me bij mijn polsen, streek met zijn vingers over mijn handpalmen en legde mijn handen op zijn borst. Ik huiverde. Alles leek grauw en ellendig, behalve de warmte van zijn handen. Hij trok me zachtjes naar zich toe. 'Arme Sweet Hush. Moe. Koud. Bezorgd. Kom hier. Leg je hoofd tegen mijn schouder, dan zal ik mijn armen om je heen slaan. Dat is alles. Ik zweer het je.'

Ik wist wel beter, maar ik was zo alleen, afgezien van hem, en hij was zo warm. Nog steeds op de rand van het bed gezeten, leunde ik tegen hem aan en legde mijn hoofd tegen zijn harde, magere schouder. Hij had sterke armen. Toen hij me dicht tegen zijn borst aan trok en één kant van de quilt over ons heen sloeg, zuchtte ik onbewust in de cocon van voelbare troost die de quilt samen met zijn omhelzing vormde. Toen hij mijn haar en mijn rug streelde – door mijn shirt heen – was dat een te prettig gevoel om erover te klagen. Toen hij zijn vingertoppen onder de band van mijn spijkerbroek stak en de zachte huid rond mijn navel streelde, werd ik helemaal vochtig en warm en ontspannen.

'Ik hou van je,' fluisterde ik.

'Ik hou meer van jou,' fluisterde hij terug.

En toen was ik verloren.

Een paar uur later, terwijl hij nog lag te slapen tussen vlekken sperma en bloed op de witte katoenen lakens die mijn vader en moeder hadden gedeeld, kleedde ik me aan en strompelde ik in de koude avondschemering de slaapkamer uit. Op de benen van een vrouw liep ik naar beneden, zette een pot koffie en ging op de rand van de veranda zitten met een oude keramische mok in mijn handen die zo heet was dat ik mijn vingers brandde. De grauwe winterse bergen vervaagden achter zilveren mistflarden en diepe, donkerpaarse schaduwen. De boomgaarden vormden een waterverfschilderij van naakte grauwe bomen. Ik beefde tot mijn tanden ervan klapperden.

Ik was een verstandige meid; ik hield mezelf voor dat ik geen fouten zou maken. In de herfst zou ik gaan studeren. Davy, die bijna klaar was met de middelbare school, zou voor me blijven werken. Ik zou met hem blijven slapen. Ik hield van hem, en hij hield van mij. Ik vond het fijn met hem naar bed te gaan. Hij deed me al mijn angsten, mijn zorgen en mijn werk vergeten.

Ik dwong hem condooms te gebruiken. Verder probeerde ik heel nauwgezet de vruchtbare dagen van mijn cyclus te berekenen. Hij mocht alleen op bepaalde dagen van de maand met me vrijen. Hij lachte en zei dat ik er krankzinnige bergbewonersmanieren op na hield, maar in werkelijkheid was ik in de oude pick-up naar een grote boekhandel in Atlanta gereden en had ik een of ander feministisch Moeder Aarde-boek over natuurlijke geboortebeperking gekocht; het enige wat ik me als extra beveiliging bij de condooms kon veroorloven. Ik gebruikte vaginale kruidendouches en deelde Davy zo goed mogelijk op mijn niet-vruchtbare dagen in.

Maar Davy was potent en ik was zorgeloos als het om de liefde ging.

Die lente, toen ik me realiseerde dat ik zwanger was, liet ik me op mijn knieën onder de takken van de Oude Dame zakken en hief ik mijn vuisten naar haar op. 'Waarom? Waarom geeft u me nog meer verantwoordelijkheid? Ik geef u alles, maar u geeft mij alleen maar nog een baby om groot te brengen! Ik moet al voor mijn broertje zorgen! Ik wil niet nog een kleintje.'

Ik vervloekte mijn eigen ongeboren kind, dacht na over manieren om abortus te plegen, maar gaf mezelf toen gelaten toe dat ik niet het lef had om het hellevuur te riskeren dat elke bergdominee predikte die ooit naar een gevallen vrouw had gewezen. Maar ik had het al gedacht en gewenst. Ik hief mijn hoofd op naar de appelboom en de blauwe voorjaarsbergen. 'Dood me dan maar en stuur me rechtstreeks naar de hel!' Er gebeurde niets. Ik werd niet geraakt door de bliksem, er stak geen plotselinge windvlaag op, niets. Ik strekte me uit op de met gras begroeide voorjaarsgrond, klauwde met mijn vingers in de aarde en snikte.

Zo vond Davy me. Met een bleek gezicht maar zonder er iets van te begrijpen hurkte hij naast me neer. 'Wat is er, schatje, wat is er aan de hand?' Ik ging zitten, veegde de tranen en het zand van mijn gezicht en werd zo koud als de grond. 'Je hebt me zwanger gemaakt, dat is er aan de hand.'

Ik zal nooit de blik vergeten die op zijn gezicht verscheen – hoopvol, angstig, maar daarna opgewonden, alsof ik hem een snellere auto of een sixpack bier had beloofd. 'We krijgen een kind!'

Hij probeerde me tegen zich aan te trekken. 'Je krijgt een kind van mij!'

'Daardoor raak ik alles kwijt. Rechter Redman zal me de boerderij afnemen. Hij zal zeggen dat ik onverantwoordelijk ben. En hij heeft gelijk.'

'Nee. Ik trouw met je! Snap je het dan niet? Ik hou van je! Jij houdt van mij! Alles is goed!'

Dat was waar, maar het was die dag een schrale troost. Eindelijk stond ik toe dat hij me tegen zich aan trok en klampte ik me wanhopig aan hem vast. Hoe kon ik van hem houden en me toch zo ellendig voelen? 'Je bent blij dat we samen een kind krijgen. Geef het maar toe,' zei hij dringend. 'Je bent hartstikke gelukkig.'

'Ja. Ja, dat ben ik.'

Ik omhelsde hem, maar het enige wat ik in mijn binnenste voelde groeien was die leugen. Zeg maar dag tegen je studie, dacht ik. Ik drukte mijn gezicht tegen zijn schouder en kreunde. Ik zou de rest van mijn tienerjaren thuis aan de keukentafel zitten zoals mijn eigen moeder, jong maar uitgeblust, met een baby aan mijn borst, en nergens anders heen kunnen dan naar buiten om appels te plukken.

De oude boom sprak tot me.

Zelfs het lekkerste fruit is niet altijd gemakkelijk te dragen.

Ik had de huwelijksplechtigheid met Euell Davis Thackery in het gerechtsgebouw gepland op een koude voorjaarsmaandag, en had niemand uitgenodigd behalve Smooch, twee oude McGillen-nichten die vonden dat ik niets verkeerd kon doen, en Davy's aardige, halfgekke oudoom Henry Thackery, een veteraan uit de Tweede Wereldoorlog met littekens aan de binnen- en buitenkant. Smooch was verrukt omdat ze mijn bruidsmeisje mocht zijn. 'O, nou worden jij en ik zusjes!' riep ze uit. 'Dan voel ik me niet meer zo alleen op de wereld!'

Davy droeg een nieuw blauw pak, glimlachte voortdurend, vertelde iedereen dat hij bijna barstte van opwinding, maar keek naar mij met een bezorgde blik in zijn ogen. Ik denk dat hij steeds heeft vermoed dat ik er spijt van had dat ik daar zat. Hij wilde het alleen nog niet toegeven.

Ik had een witte rok en een simpele witte blazer aangetrokken en hield, althans in het openbaar, vol dat ook ik gelukkig was. We gingen naar de vertrekken van rechter Redman voor de ceremonie. Hij joeg Davy naar buiten en deed de deur dicht. 'Ben je je verstand verloren, juffrouw Hush? Hij is geen knip voor zijn neus waard. Hij doet zich omwille van jou heel respectabel voor, en ik twijfel er niet aan dat hij voor je door het vuur zal gaan, maar ik zou geen weddenschap afsluiten op zijn vooruitzichten voor de lange termijn. Ik kan alleen maar aannemen dat je het niet erg vindt dat hij hasj rookt en bier zuipt en naar de crossbaan sluipt om met nietsnutten te vechten en met oude rammelkasten te racen?' De rechter zweeg even. 'En moet ik eraan toevoegen,' vervolgde hij zacht, 'dat hij een knappe jongen is die nooit erg zijn best doet de andere kant op te kijken als de meisjes naar hém kijken?'

Ik verborg mijn bevende handen achter een zelfgemaakt boeketje van gele narcissen. Die bloeiden zelfs met vorst op hun bloemblaadjes. Dat zou ik ook doen. 'De mensen roddelen nu eenmaal graag, en hij ís de knapste jongen in het hele district, en dat maakt de mensen natuurlijk jaloers...'

'Hush, je hebt maar één rotte appel in je mandje, en dat is hij.'

'Hij is er altijd om me te helpen en dat is altijd al zo geweest. Daar is niets rots aan.'

'Zal hij je steunen als je gaat studeren?'

'Ik heb besloten mijn studie een jaar of twee uit te stellen. Me op de boerderij te concentreren.'

Hij keek me scherp aan. 'Juffrouw Hush, ik heb twee kleindochters van jouw leeftijd; ik ben dus niet helemaal onbekend met de ontwijkende antwoorden en domme streken van de huidige generatie. Laat ik het dus maar botweg vragen: heb jij Davy Thackery's appeltaart in je oventje?'

Ik zakte in elkaar. 'Ja, edelachtbare.'

'O, heer.' Hij boog zijn hoofd als in gebed, zuchtte toen en wiegelde boos met zijn borstelige witte wenkbrauwen. 'Ik had aan het behouden van de boerderij de voorwaarde moeten verbinden dat je bij Davy Thackery uit de buurt bleef.'

'Nee, edelachtbare. Ik heb hem gekozen, en dat is dat. Hij zal me goed behandelen, en ik hem.'

'Hush, je kunt geen eerlijk man maken van Davy Thackery alleen door met hem te trouwen.'

'Ik trouw met hem omdat ik van hem hou. En ik ben geen dwaas. Ja, hij is de vader van mijn kind. Ik realiseer me dat meisjes tegenwoordig kinderen krijgen zonder te trouwen. Vrije liefde en zo, maar ik speel het spel niet volgens die regels. Ik zal doen wat ik moet doen om mijn goede naam in ere te houden. Dus, dat ik met Davy Thackery trouw moet voldoende antwoord zijn op eventuele vragen over mijn verantwoordelijkheidsbesef en mijn vermogen de boerderij als een volwassen vrouw te runnen.' Ik zei verder niets en wachtte gespannen af, doodsbang dat hij met nog meer argumenten zou komen. Alles wat hij al over Davy had gezegd gonsde door mijn hoofd als kwade bijen die ik niet kon temmen.

Hij zuchtte. 'Ik zal je de boerderij niet afnemen, juffrouw Hush. Je krijgt al genoeg problemen zonder dat ik daar nog wat aan toevoeg. Je trots zal je ondergang zijn, vrees ik.'

'Dank u,' fluisterde ik.

Hij schudde het hoofd. 'Dat is niets om me dankbaar voor te zijn.'

Een kwartier later trouwde ik, dankbaar of niet, met Davy.

In augustus was ik vijf maanden zwanger, zag ik eruit alsof ik een bowlingbal had ingeslikt en zoog ik voortdurend op in zout water geweekte Sweet Hush-appelschijfjes tegen de ochtendmisselijkheid die bijna vierentwintig uur per dag aanhield. Ik zweette me door die zomer heen in goedkope T-shirts en wijde korte broeken die ik bij de Chocinaw County Vlooienmarkt en Drive-In Bioscoop had gekocht. Bijna alles en iedereen in Chocinaw County diende minstens een dubbel doel, uit noodzaak en om praktische bergbewonersredenen. In de oude drive-inbioscoop werden elke vrijdagavond films gedraaid, meestal Disney-films, omdat verder overal vloeken of bedscènes in voorkwamen die met goed fatsoen niet in het openbaar vertoond konden worden. In de weekends verhuurde de eigenaar echter vlooienmarktkraampjes voor tien dollar – wat inhield dat je een paar opklaptafels tot je beschikking kreeg die in een parkeervak pasten. Ik hing mijn bordje met SWEET HUSH FARMS aan een luidsprekerpaal en verkocht appelgelei en appelgebak. Ik ruilde die appelproducten ook tegen babykleertjes en een wieg. Het hele district wist inmiddels dat ik zwanger was.

En toen kwam ik erachter dat Davy een vriendinnetje had.

Ik dreef haar op een zondagavond in het nauw achter de betonnen kraam van de drive-in toen bijna iedereen zijn waar al had ingepakt en naar huis was gegaan. Ik volgde de geur van haar goedkope parfum als een jachthond toen ze daar door het door een geel beveiligingslampje gekleurde warme duister flaneerde. Motten en kleine vleermuizen fladderden boven onze hoofden, zo laag dat ik zou zweren dat een paar vleermuizen op haar Farrah Fawcett-kapsel mikten. Farrah raakte destijds in Hollywood al uit de gratie, maar haar haarstijl zou in Chocinaw County nog jaren te zien zijn.

'Draai je om,' zei ik zacht. Het meisje droeg twee grote, volle papieren zakken. Ze had nep-merkjeans gekocht – nog strakker dan de broek die ze nu aanhad en die haar billen deed uitkomen als twee ballonnen die op het punt stonden te klappen. Ze draaide zich snel om, verrast om iemand te zien. 'O, mijn God,' zei ze.

'God is hier niet. Alleen ik en de woede van getrouwde vrouwen uit de hele wereld.' Ik hief de dienstrevolver die mijn vader in Korea had gedragen en drukte de loop precies tussen haar ogen. 'O, mijn God,' zei ze weer, waarna ze zacht piepend achteruit begon te lopen, haar aankopen tegen zich aan gedrukt. Ik volgde haar, en hield de loop van de revolver zo hard tegen haar voorhoofd gedrukt dat ik de afdruk ervan in haar huid kon zien.

'Hou je mond,' zei ik en tot mijn trots deed ze dat. Ik hield de revolver waar hij was terwijl zij zichzelf tegen de achterwand van de betonnen kraam drukte, tussen een afgedankt bord met DRINK COCA-COLA en een grote olieton vol half verbrand afval. 'Niet schieten, alsjeblieft, niet schieten,' jammerde ze.

'Blijf bij mijn man uit de buurt. Als iemand je ernaar vraagt heb je nooit met hem gerotzooid. Hij heeft je nooit zelfs maar een blik waardig gekeurd. Versta je me?'

'Alsjeblieft, doe het niet...'

'Als je hem ooit weer aanraakt, zal er nooit meer iets van je lichaam teruggevonden worden. Ik zal je in stukken snijden met een groot mes dat ik gebruik om appelhout mee te kappen en je karkas boven aan Castelberry Road aan de honden van Tom Willis voeren. Die honden zullen jouw naam janken als ze afgeslacht worden.'

Ze zakte door haar knieën. 'Ik zweer het, nooit meer, o, mijn God, niet doen, niet doen...'

'Goed, ik heb je woord. En nu wegwezen.' Ik liet het wapen zakken en ze rende weg. Terwijl ik haar in een kleine pick-up met roze stoelhoezen zag klauteren, stopte ik de revolver terug in een oude jutezak met potten appelconserven. Mijn hand beefde een beetje en een golf van misselijkheid steeg op naar mijn keel. Ik pakte snel een nat, in zout water geweekt appelschijfje uit een pot boven in de zak. Ik zoog er hard op en voelde me al snel iets beter.

Toen Davy die avond terugkwam uit North Carolina – waar hij en een stel maten af en toe aan motorraces meededen – trof hij mij op de oprit naar de boerderij aan. Hij had een opgevoerde roestrode Impala sedan om mee te racen. Het was de snelste auto in de wijde omgeving. Ik had de Impala op de oprit geparkeerd, omringd door balen hooi die ik met benzine had overgoten. Ik stond hem daar op te wachten in het licht van de koplampen van zijn truck, mijn gezicht gezwollen van het huilen, maar star van trots. Ik hield de benzine in mijn ene hand en een aansteker in de andere.

Hij stapte uit zijn truck. 'Wat voor de duivel...'

'Ik weet van je vriendinnetje.'

Davy zakte lichtelijk in elkaar. In dat eerste, vreselijk korte ogenblik zag ik hoeveel verdriet hij zichzelf had gedaan – hoe goed hij dat wist. Hij kon niet anders dan daar blijven staan met zijn handen smekend gespreid. 'Ze is lucht voor me. Ik geef geen donder om haar.'

'Waarom heb je dan onze geloften geschonden?'

'Omdat je mijn baby niet wilt hebben!'

'Waag het niet de zaak om te draaien...'

'Denk je dat je kunt doen alsof? Denk je dat ik niet weet hoe ongelukkig je bent sinds de dag dat je me vertelde dat je zwanger was? Ik dacht dat je er wel overheen zou komen, maar dat is niet gebeurd! Denk je dat ik niet weet dat je alleen maar met me bent getrouwd opdat de mensen niet zouden kletsen?' Hij schreeuwde, huilde. 'Weet je wel hoe laag ik me daardoor voel?'

'Ik hou van je! Maar ik kan het niet helpen dat ik niet zo snel een kind wilde! En dat ik niet zo jong wilde trouwen!'

'Je kunt niet echt van me houden en dat toch zo voelen!'

'Dat kan ik wel! Ik moet doen wat het beste is voor deze grond en deze appels!'

'Dat is het. Dat is het probleem. Je houdt meer van die verdomde appels dan van mij!'

'Ja, dat is waar!'

We verstarden allebei. Ik beet op mijn tong. Die woorden veranderden ons huwelijk voorgoed. Veranderden mij. Veranderden hem, veranderden ons. Op dat moment brak ik zijn hart, zoals hij het mijne had gebroken.

Ik liet de kan benzine en de aansteker vallen, liep naar het huis en deed de voordeur achter me op slot. Wekenlang lag ik 's nachts te huilen, maar dat vertelde ik niet tegen Davy. Hij sliep in de schuur tot ik hem in september nodig had om me te helpen met de oogst.

'Ik zal nooit meer een ander meisje aanraken,' beloofde hij. 'Ik bied je mijn excuses aan.'

'Ik aanvaard ze.' We waren koel en formeel tegen elkaar. Ik geloofde hem niet, en daar had ik alle reden toe, maar ik had hem nodig om me te helpen de appels te plukken.

En er was een kind op komst.

3

Ik had gelogen over de datum waarop ik uitgerekend was om te verdoezelen dat ik op mijn trouwdag al twee maanden zwanger was. En dus was ik alleen op de regenachtige novemberavond dat onze zoon geboren werd. Smooch wist de waarheid over de datum en hield Logan die week bij zich, al was ze doodsbang. Davy wist ook dat het zover was, maar kon het toch niet laten naar de racebaan te gaan met zijn oude, piekfijn opgeknapte Impala. 'Het gaat om de Mudcat Five Relay,' zei hij. 'Ik maak kans om flink te winnen... twee-, misschien wel driehonderd dollar. We hebben dat geld nodig. Als ik straks de jackpot win, dan ga ik een go-cart kopen. Je zult het zien... ons kind zal met go-carts racen voor hij kan lopen.'

'En als het een meisje is?'

Davy snoof. 'Meisjes kunnen ook racen. Ze zal verdorie het eerste meisje op het NASCAR-circuit zijn. De eerste vrouw die de Daytona 500 wint als het aan mij ligt.'

Het ligt niet aan jou, dacht ik bij mezelf, maar ik zei verder niets. Ik zou hem nooit vragen thuis te blijven omdat ik bang was dat de baby kwam. Ik bekende nooit mijn angst of behoefte tegenover Davy. Ik probeerde mijn gigantische buik niet te zien, niet te denken aan de baby die erin zat. Of het nou een jongen of een meisje was, ik wilde zo snel mogelijk van die dikke buik af, zodat ik weer normaal aan het werk kon. 'Er moet nog achthonderd are appels geplukt worden. Ik heb iemand die ze allemaal afneemt als we ze volgende week in kratten hebben zitten. Appels brengen geld op de bank. We moeten rekeningen betalen. Blijf thuis. Pluk appels.'

'Appels kunnen wachten. Het leven is te snel voor appels.'

'Ik zei: *blijf thuis om te werken*. Ik meen het!'

'Ik ben gewoon maar een knecht voor je, nietwaar?' Hij verhief zijn stem. 'Dat is de enige reden waarom je je door mij hebt laten aanraken. Om te zorgen dat er meer appels geplukt werden.'

'Als jij meer appels had geplukt en met je handen van mij was afgebleven, was er nu geen baby op komst geweest die we ons niet kunnen veroorloven. Een baby voor we achttien zijn en we de eindjes aan elkaar kunnen knopen.'

Zijn blauwe ogen werden ijskoud. 'Ik knoop de eindjes al aan elkaar sinds de dag dat mijn ouweheer de pijp uit ging en dat kreng van een moeder van me Smooch en mij in de steek liet. Jij had het veel beter dan ik, dus zeur niet. En je vond het goed dat ik met mijn handen aan je zat. Ik heb je niet gedwongen. Zeg het nou maar gewoon: ik ben niet pienter genoeg of deftig genoeg om de vader te zijn van Hush McGillens baby. Vooruit, zeg het dan. Je houdt niet van me en je wilde dat je abortus had laten plegen. Zeg het.'

'Vertel mij niet wat ik moet doen. Ga mijn huis uit. Ik praat niet meer met je. Ik ben van plan te gaan studeren en aan prettige dingen te denken en van alles over de wereld te leren... ook al zal ik nooit ergens anders wonen dan in deze wilde, oude, door geesten bezochte Hollow. En ik ben van plan te zorgen dat er geld op de bank komt en dat ik mooie dingen om me heen heb, en het respect van dit hele district – nee, de hele staat – te winnen voor mij en elke McGillen die nu zo arm is als een kerkrat. Net als vroeger. En dat zal ik doen met of zonder je hulp... zelfs als ik mijn broertje Logan en mijn eigen jankende baby alleen groot moet brengen.'

'Zie je nou wel, verdomme? Je geeft net zo weinig om mijn kind als mijn verrekte moeder om mij en Smooch gaf.'

'Praat niet tegen me als een dokwerker. Ik ben een McGillen, geen hoer langs de kant van de weg. Ik krijg die baby toch, niet dan? Ik had hem weg kunnen laten halen, maar dat heb ik niet gedaan! Ik heb eergevoel!'

'Flauwekul! Alleen omdat je te bang bent voor wat de mensen zullen denken!'

'Wat de mensen denken is belangrijker dan de waarheid! Ik ben een McGillen! Ik heb een reputatie hoog te houden!'

'Wat? God heeft de McGillens heus niet direct na Adam geschapen, ongeacht wat jij zegt! Je bent armer dan welke Thackery dan ook en je ziet eruit als een koe. Je moet een lening afbetalen en we zijn nog niet eens begonnen met de bouw van die appelwinkel of hoe je het ook noemen wilt... en wie kan daar voor opdraaien, terwijl jij met onze baby bezig bent? Ik! Ik ben degene die nu en voor altijd voor je zal zorgen!' Hij sloeg zichzelf tegen de borst. 'Ik. Euell Davis Thackery. En ik verwacht een beetje respect!'

'Jij, voor mij zorgen? Nee, je zult voor je sixpack bier en je hasjpijp en je auto's zorgen. En voor je vriendinnen! Ik zorg wel voor mezelf!' Ik draaide me om en wilde weglopen. We waren op dat moment in de bouwvallige keuken, een vertrek dat zelfs door de oude stenen haard niet warm te krijgen was. Ik had de deur naar de tochtige gang bereikt toen Davy riep: 'Ik kan je in elk geval nog wel de stuipen op het lijf jagen.' Daarna pakte hij een paar goedkope benzinestationglazen van de serviesplank en gooide ze achter elkaar naar me toe. Het eerste glas spatte uiteen tegen de stenen van de haard en overdekte me met scherpe scherven. Ik schreeuwde en hief allebei mijn handen. Het tweede glas kletterde kapot tegen de harde eiken deurstijl en ik kreeg een splinter net onder mijn rechteroog.

Het was alsof hij me met een scheermes gesneden had. Ik drukte een hand tegen mijn gezicht. Het bloed gutste over mijn wang. Ik draaide me naar hem om – zwanger, bloedend, bevend.

'O, God,' zei Davy en hij stapte op me af. 'Hush, schatje, o, God, dat was niet de bedoeling...'

'Ga mijn huis uit. Eruit. En laat God erbuiten. Die luistert toch niet.'

'Je bent gewond. Laat me...'

'Ga weg of ik zweer je dat ik je eigenhandig vermoord. Niemand behandelt mij op die manier. Niemand – jij noch iemand anders – bedreigt Hush McGillen.'

Zijn gezicht werd lijkbleek en hard. 'Hush Thackery,' corrigeerde hij met zachte stem.

'Alleen op de huwelijksakte. Donder op.'

Ik liep naar boven en sloot mezelf op in de slaapkamer. Hij schreeuwde hees: 'Ooit zul je in me geloven!' en smeet daarna de voordeur achter zich dicht. Het huis beefde. Het was verwaarloosd en ik had geen geld om het te repareren. De vloerplanken waren aangetast door termieten, de deuren hingen scheef aan hun hengsels, het dak lekte. Ik bleef een uur op bed liggen, met een washandje tegen de lelijke snee onder mijn oog en mijn andere hand op mijn enorme buik. Ik staarde verbitterd naar een groter wordende watervlek in het plafond.

Je kunt hier blijven liggen bloeden en wachten tot de zaak om je heen in elkaar stort, of opstaan en appels gaan plukken.

Ik bedekte de wond met een gaasje dat ik op zijn plaats hield met een stuk industrieel grijs plakband, trok een legerjas van Davy uit de tweedehandswinkel en een grote gele regenjas aan, bond mijn vaders oude slappe vilthoed op mijn hoofd vast met een van mama's sjaals, en waggelde naar buiten in de grijze koude regen. Woede en pure vastberadenheid gaven me energie. Ik reed met de pick-up door de boomgaarden naar het laatste gedeelte met ongeplukte appels, parkeerde de auto onder een boom en hees mezelf op de laadbak. Op die manier kon ik staand bij bijna alle lagere takken.

En mijn hemel, ik begon appels te plukken.

Vier uur later was de pick-up bijna vol. Dat was geen geringe prestatie, gezien het feit dat de zijwanden van de laadbak anderhalve meter hoog waren. Ik stond op de laadklep, reikte en plukte en kreunde van inspanning. Naast me lag een berg appels die bijna tot mijn schouders reikte. De wond in mijn gezicht klopte en er liep waterig bloed vanonder het verband. Ik was zo moe dat ik me verslikte in mijn eigen gal. Mijn rug deed zeer, mijn enkels waren gezwollen en er drukte een gewicht als van een bowlingbal onder in mijn buik.

Toen de eerste wee kwam, zakte ik door mijn knieën en viel ik achterover tegen mijn stapel appels. Op een kussen van rijpe Sweet Hush-appels lag ik daar te hijgen en greep ik naar mijn buik. De pijpen van mijn overall waren plotseling doorweekt. De pijn zwakte af en ik kroop bibberend uit de laadbak van de pick-up. Ik strompelde naar het portier aan de bestuurderskant. Ik stond met één voet op de treeplank toen ik door de tweede wee op handen en knieën neerviel. Ik kroop onder de laadklep, uit de regen en ging languit liggen.

Twee uur later, toen het donker inviel, slaagde ik erin te gaan zitten, de knopen van mijn overall los te maken en het zachte blauwe denim tot op mijn knieën omlaag te trekken. Met een zakmes sneed ik de zijkanten van mijn witte slipje open en trok het uit. Daarna zette ik me schrap tegen een van de achterwielen van de pick-up en begon huiverend van de kou te schreeuwen terwijl de baby uit me gleed.

'Je zult me niet kapot krijgen! Als je dat maar weet!' riep ik keihard tegen een onbekend lot, terwijl ik met mijn handen in de natte aarde klauwde. Duisternis en regen vielen over me heen; mijn haar hing in drijfnatte, verwarde slierten rond mijn gezicht en ik begon te snikken toen een laatste hevige wee me bijna uit elkaar scheurde.

En toen was het voorbij. Ik was leeg, hapte naar adem, viel bijna flauw, maar ademde weer alleen voor mezelf, na negen maanden dubbele dienst. Ik knipperde en veegde de regen uit mijn ogen. Iets nats en warms roerde zich tussen mijn dijbenen. Ik boog voorover en reikte ernaar. Mijn handen vormden een schild rond het natte gezichtje en kwetsbare hoofdje van mijn baby. Hij dreinde.

En op dat moment werd ik getransformeerd. Wat nog restte van mijn meisjesachtigheid, ellende en zelfmedelijden, vloog heen toen een golf van liefde en toewijding me overspoelde. Het vage licht hulde ons beiden in schaduw; hij was net zo alleen en behoeftig als ik, en dat verbond hem met mij. Het einde van een natte dag in november in een besloten dal in de Appalachen kan iemand ervan overtuigen dat hij de enige mens op aarde is. Maar ik was niet langer alleen; ik had dit verbazingwekkende kleine persoontje, deze vrucht die ik had gebaard in mijn eigen boomgaard, op mijn eigen grond, onder een van de kinderen van de eerste boom. Uit een willekeurige en niet-perfecte kruising was perfectie voortgekomen, net als een Sweet Hush. Ik trok de regenjas als een tent over ons heen, bond met een schoenveter zijn navelstreng af en sneed die toen door met mijn zakmes. Ik nam mijn zoon in mijn armen en hield hem dicht tegen me aan.

'Ik wil je wel hebben, en ik hou wel van je, en het spijt me zo dat ik ooit iets anders heb gezegd,' snikte ik. 'En je leven zal wel fijn en rijk zijn en vervuld van alles wat ik heb moeten missen. Dat beloof ik je. Dat beloof ik je!'

Tegen de tijd dat Davy laat die avond eindelijk thuiskwam, dronken, stoned, onder de modder en zwaaiend met twee briefjes van honderd dollar, zat ik boven in bed op oude lakens die besmeurd waren met mijn bloed, onze zoon slapend tegen mijn borsten. 'Ik heb het je gezegd, ik heb je gezegd dat ik zou thuiskomen met de jackpot...' begon Davy toen hij vuil en doorweekt de kamer binnenstormde, druipend van roetkleurig regenwater. 'Ik heb het je...'

Zijn stem stierf weg. Hij bleef midden op de linoleumvloer staan, staarde naar me in de schaduwrijke ruimte die alleen werd verlicht door een kleine open haard en een kerosinelamp naast het bed, omdat de stroom een week daarvoor was afgesneden. Het jaar

1979 naderde, maar ik had voor mijn eigen warmte en licht gezorgd. Meer dan eens waren er mannen op de maan geland, overal op aarde begonnen computers te gonzen, en we betraden het tijdperk van de welvarende babyboomers die afhankelijk waren van Volvo's en platen van Bon Jovi. Maar ik had mijn zoon gebaard zonder medicijnen, dokters of een ziekenhuis, precies zoals mijn pionierende voorouders hadden gedaan. Een zware maar trotse prestatie. Ik leerde die avond het een en ander over mijn eigen kracht. En ik wist wat echt was.

Ik keek naar mijn man als een moederdier in haar winterhol – dat zelfs het mannetje niet vertrouwde dat dit jong in haar had geplant – heel stil, haar jong beschermend. Mijn gezicht deed bijna net zo zeer als de rest van mijn lijf. Langzaam kwam Davy op zijn tenen naar het bed gelopen, stak zijn bemodderde vingers uit en trok de quilt een heel klein stukje opzij. Toen hij onze zoon zag, slaakte hij een zachte kreet van ontzag en kwam naast me zitten alsof zijn benen dienst weigerden. Met zijn vingers raakte hij het gezichtje van de baby aan. Tranen stroomden over zijn modderige wangen. 'We hebben een kind,' fluisterde hij. 'Ik heb een zoon.'

Nee, hij is van mij. Ik heb hem helemaal alleen op de wereld gebracht, wilde ik zeggen, maar de tedere blik in Davy's ogen weerhield me daarvan. Ik moest nog belangrijke gevechten leveren voor mijn kind, en ik zat vast aan de vader van dat kind. Davy wilde zijn zoon. Ik kon hem wel aan, maar ik zou de gevechten met zorg moeten kiezen. 'We zullen de kleine jongen naar jou vernoemen,' zei ik. 'Davis junior. Maar op één voorwaarde.'

Davy werd heel stil en zijn donkere, dronken ogen boorden zich diep in de mijne. 'Zeg het maar.'

'Je moet zweren op het hoofd van je zoon. Zweren! Dat hoe je je leven ook leidt... wat je ook doet als je niet hier op de boerderij bent... hij nooit reden zal hebben zich te schamen. Dat hij nooit anders dan het beste over je te horen zal krijgen.'

Woede, verdediging en teleurstelling verschenen op Davy's gezicht, maar hij was niet gek. Hij verzette zich niet. Hij kende zijn eigen zwakheden en mijn kracht. Hij bezegelde mijn verwachtingen wat hem betrof... en zijn eigen verwachtingen wat hem betrof. Davy legde zijn modderige hand op het hoofdje van onze zoon. 'Ik zweer het.'

Toen legde hij zijn hoofd tegen het mijne en huilde hij.

En ik ook.

'De volgende fase in de appelhandel van Sweet Hush Farms gaat beginnen,' verkondigde ik. Het was een winderige dag in april het jaar daarna; de vruchtbare lucht troostte me en wond me op. Logan en Smooch zaten stoïcijns op goedkope tuinstoelen, zij een nerveuze, energieke tiener, hij een mollige zesjarige met roestbruin haar en groene ogen met mijn mooie, vrolijke baby, zijn neefje Davis, op zijn schoot. Davy senior was ergens aan het racen. Vier van mijn sombere, beleefde oudere McGillen- en Thackery-familieleden zaten in hun eigen tuinstoelen. Ik hief de zilveren kan en goot een ceremoniële scheut appelcider tegen de vurenhouten wand van een klein, op een schuur lijkend gebouw dat omringd was door een parkeerterrein van rode klei en vers granietgrind. Het gebouw was laag en eenvoudig; een metalen ventilator markeerde de plek waar de kleine keuken erop wachtte dat er appeltaarten en appelbeignets en andere soorten bakproducten bereid zouden worden. De andere kant van het gebouw zou een winkel worden, waar appels en appel-kunstnijverheid verkocht zouden worden. Omapoppetjes van gedroogde appels. Vingerhoedjes van appelhout. Kaarsen met appelgeur.

Ik legde mijn plannen uit aan mijn vriendelijke maar bezorgd kijkende familieleden, en deed daarbij mijn best mijn geveinsde kalmte te bewaren en niet zoals Smooch te gaan handenwringen. Ik was jong genoeg om de dochter of zelfs kleindochter van deze mensen te zijn. 'Ik vraag jullie om voor me te werken,' gooide ik eruit. 'Eerst parttime, later fulltime. Ik heb deze lente en zomer geen geld voor salarissen, maar als de oogst goed is, betaal ik jullie alles in de herfst uit, plus een bonus.'

Stilte. Ik was pas zeventien. Ze hadden echte banen nodig, niet de belofte van toekomstige loonbriefjes. 'Ik weet dat het dit jaar een groot risico is, en ik begrijp het als jullie zeggen dat je het niet...'

'Zul je ons rijk maken of alleen maar trots?' Gruncle Thackery was opgestaan. Hij was toen pas achter in de vijftig, maar tuurde en liep krom als een oude man, die veeleer gebukt ging onder zijn eigenzinnige aard dan onder zijn jaren.

Ik knipperde met mijn ogen. 'Pardon?'

'Rijk of alleen maar trots?'

'Niet rijk, Gruncle. Maar wel welgesteld. En trots, jazeker, zoals onze families dat vroeger waren.'

'Dan zal ik voor je werken. En de anderen ook.'

Alsof ze op zijn teken hadden gewacht, stonden ook de anderen

4

Drieëntwintig jaar later

Op een koele ochtend in september, op de eerste dag van wat een normaal appelseizoen voor Sweet Hush Farms had moeten zijn, knielde ik in het hart van mijn boomgaarden neer, me er niet van bewust dat de volgende minuten mijn simpele, alledaagse zorgen zouden worden vervangen door een uitzonderlijk drama. We leven meestal in rustige tijden, totdat een tragedie of overwinning alles overhoop gooit wat we dachten te weten over onszelf en de mensen en plaatsen waarvan we houden. Sweet Hush Hollow was nog steeds een van die plaatsen.

Het was dat najaar vijf jaar geleden dat Davy gestorven was. En ja, ik rouwde om hem. Maar door de jaren heen had hij me nog veel meer verdriet gedaan dan in het begin, en ik ging gebukt onder de geheimen die ik stil moest houden over ons leven samen. Ik was de gerijpte incarnatie van het harde, ambitieuze meisje dat tot alles bereid was om iemand te worden, dat meer van appels hield dan van haar eigen man, en daarom rouwde ik om Davy, al kan ik niet zweren dat ik hem miste.

We hadden Sweet Hush Farms samen opgebouwd, zeiden de mensen, en dat klopte als ik dacht aan Davy's gewoonte om op te komen dagen als ik hem nodig had – meestal tenminste – en te doen alsof hij hard werkte. Het is triest om het te moeten zeggen, maar er waren mensen die in de beginjaren geen zaken met me zouden hebben gedaan als mijn man er niet bij was geweest. Toen

Davy zichzelf oppoetste tot iets wat voor een zakenman kon doorgaan – en zelfs investeerde in een plaatselijke truckdealer als de partners ermee instemden dat hij zijn naam op de zijkant zette – meenden de mensen dat hij werkelijk de boekhouding van de boerderij deed, de nieuwe promotiestunts bedacht en leiding gaf aan de werknemers. Dat was echter niet zo en dat wisten we allebei.

Ik had bijvoorbeeld Smooch naar een marketingopleiding gestuurd op de universiteit in Atlanta, en zij deed onze pr. Ik had een McGillen-neef aan een boekhoudcursus geholpen en hij hield de boeken voor me bij. Een Halfacre-neef, van de familie van mijn grootmoeder, had zichzelf alles geleerd over het postorderbedrijf, en had onze verzendafdeling opgezet. En Davis, mijn eigen briljante zoon, was al vroeg een pientere kleine zakenman en computerprogrammeur gebleken. Hij had een voorraadadministratiesysteem ontwikkeld waarmee hij prijzen had gewonnen.

Wat mezelf betreft, ik had gewerkt als een paard en alles gedaan wat er op de boerderij gedaan moest worden, terwijl ik aan de avondschool een doctoraal in bedrijfseconomie haalde. Ik reed anderhalf uur door de bergen naar North Georgia College in Dahlonega, met Davis naast me. Tegen de tijd dat hij tien was, had mijn zoon zoveel colleges met me gevolgd dat ik hem beloonde met een certificaat: DOCTORAAL IN HET TOEKIJKEN HOE MAMA LEERT.

'Ik vind de universiteit leuk,' verkondigde hij plechtig. 'Als ik groot ben, ga ik naar Harvard.'

Dat zei hij toen hij tien was. En hij meende het. En nu zat hij al vijf jaar op Harvard. Ik was erg trots. Hij en zijn vader hadden buiten hun liefde voor auto's weinig met elkaar gemeen gehad, godzijdank. Geen vader en zoon waren nader tot elkaar geweest boven een snelle motor of een opgeknapt chassis.

En nooit was een zoon meer aanbeden. Ongeacht alles wat ik verder ook kon zeggen over de steeds slechter wordende staat van mijn huwelijk met Davy. Hij was te allen tijde een liefdevolle en toegewijde vader en ik heb er nooit aan hoeven twijfelen dat hij de grond aanbad waarop Davis liep.

Hij gaf me echter niet de kans te vergeten dat ik onze zoon aanvankelijk niet had gewild. Die rauwe wond heelde nooit. Omwille van Davis verborgen we het en wonderlijk genoeg heeft hij nooit vermoed dat we achter gesloten deuren ruzieden, dat we in ons brede bed vaak zo ver mogelijk uit elkaar sliepen en dat zijn vader elk jaar verder weggleed in een eigen leven op de racebanen, in de bars en casino's ver weg van de Hollow. Want als Davy Thackery thuis was zag iedereen – inclusief onze eigen zoon – alleen maar een gelukkig gezin.

Toen Davy overleed, dacht ik dat Davis zichzelf het graf in zou rouwen. Niets wat ik deed hielp. Slechts één regel hield Davis in die moeilijke tijd op de been: een korte maar liefdevolle regel die zijn vader er zijn hele leven had ingehamerd.

Laat je moeder nooit in de steek. Ooit zal ze je nodig hebben.

Davis had de pijn en het sarcasme in de woorden van zijn vader niet opgemerkt. En Davy, dat moet ik hem nageven, had het nooit op die manier tegen onze zoon gezegd.

Nu, badend in lange ochtendschaduwen die zich langzaam terugtrokken, als zachte vingers in de aarde, schonk ik appelcider uit mijn kleine zilveren kan op de grootmoederwortels van de Oude Dame. Ik drukte mijn voorhoofd tegen mijn ene vuist en bad stilletjes voor de ziel van mijn overleden echtgenoot en mijn eigen ziel. Ik bad dat onze zoon onze geheimen bespaard zouden blijven, en ik bad om vergiffenis. Toen hief ik mijn hoofd en opende ik mijn ogen. 'Alsjeblieft, laat dit het beste seizoen tot dusver worden,' besloot ik. Een oud ritueel, een klein gebedje, een ceremonie.

Wat mezelf betreft, daar was niets ceremonieels aan. Als eigenaar, directeur en hoofd-appelpoetser van een familiebedrijf dat twee miljoen dollar per jaar omzette, was ik gekleed voor zwaar werk. Mijn standaard appelseizoenuniform bestond uit een spijkerbroek, een rode pull-over met een klein wit appellogo van SWEET HUSH FARMS op de rechterborst geborduurd, en wandelschoenen met dikke zolen. De komende maanden zou ik achttien uur per dag op de been zijn. Aan mijn rode gevlochten ceintuur droeg ik een mobiele telefoon, een zakcalculator en de sleutels van een ouderwetse ijzeren kluis die ik op een liefdadigheidsveiling had gekocht van de Bank van Chocinaw County. Er zijn twee soorten ondernemingen in kleine zuidelijke stadjes: de een is persoonlijk, de andere is nog persoonlijker. Mijn medehandelaren waren welvarend, mijn buren waren welvarend. En ik was dat ook.

In mijn zak had ik een doosje natuurlijke energiepillen van de Mother Nature Health Food and Christian Gifts Store in Dalyrimple. Ik was vorige maand veertig geworden en beter voor mezelf gaan zorgen. Geef me voldoende ma huang-extract en goede filterkoffie en ik had genoeg aan zes uur slaap per nacht tot oudjaar. Dan ging de hele zaak op slot en kroop ik in bed met de boekhouding van het afgelopen seizoen, een fles chardonnay en een shiatsu-massagekussentje. Ik legde die pulserende elektrische vriend onder mijn nek, onder mijn onderrug en op plaatsen waar eenzame jonge weduwen in fatsoenlijk gezelschap niet over praten. Ik zou herstellen van de inspanningen van de herfst en plannen gaan maken voor het volgende jaar. Ik maakte altijd plannen voor het volgende jaar.

Maar op het moment stonden ruim achthonderd hectare aan appelbomen vol rijpe vruchten op me te wachten als roodgroene markeringstekens op de landkaart van mijn leven. De helft van de oogst zat al in koelruimtes in de voorraadschuren; de andere helft zou de komende maanden worden geplukt door ploegen McGillens en Mexicanen. De Mexicanen zouden een plekje vinden in Chocinaw County, net zoals de Cherokees en de Schotten dat hadden gedaan, de Engelse Dalyrimples en Thackery's, de Afrikanen die waren gekomen als slaven maar waren gebleven als boeren, en elke andere soort of gezindte waaruit onze gemeenschap was samengesteld. Ik nam de mensen niet aan omdat het werk te zwaar zou zijn voor een McGillen; het was werk dat ik al deed sinds ik oud genoeg was om in een boom te klimmen.

Een zachte herfstbries leek de oude appelboom naast me met haar oude takken te doen knikken alsof ze het zich herinnerde. Ik klopte op de stam van de Oude Dame. De wind geurde naar open haard en houtrook, naar rijpheid. De grote boerderij – die ik in zijn vroegere luister hersteld had – stond stevig en comfortabel op een verhoging aan de overkant van de kreek, die uitkeek over de rest van het brede dal dat de Hollow vormde. Onder mijn voeten rustten nog steeds de botten van de soldaten die daar in de strijd gevallen waren, lang voor de eerste Sweet Hush-boom haar wortels er liefdevol omheen wikkelde. Ze wachtten in galant stilzwijgen.

Over een paar uur zou ik de poorten openen en zou de eerste van meer dan twintigduizend herfstbezoekers arriveren. Zo'n dertig werknemers – de meesten familie – zouden voldoende geld in hun en mijn zakken steken om het weer een jaar te redden. Na belasting en onkosten bleef er van de twee miljoen dollar een bescheiden bedrag over, dat ik altijd dun uitsmeerde. Mijn eigen deel maakte me bemiddeld, niet rijk. Maar gezien mijn jeugd was bemiddeld voor mij voldoende.

Nog een gebed. Daarmee nam ik een behoorlijk risico. 'Geef me de kracht om mijn zegeningen te verdienen. En laat Davis nog twee semesters op Harvard vol maken, en laat me dit seizoen genoeg geld verdienen om voor de rest van zijn laatste jaar te betalen zonder weer een hypotheek te moeten nemen op de voorste boomgaard.'

Familie en thuis, liefde, dood en trots. Nog altijd betekenden appels dat alles en nog meer voor me. Ze waren niet alleen de vrucht van de verleiding, maar ook het rijpe resultaat van mijn geplante dromen en geoogste angsten. Ik had de beste appels en de beste reputatie als moeder, weduwe, zakenvrouw en McGillen in Chocinaw County, Georgia. 'Hush McGillen Thackery,' zeiden de mensen, 'is al tijdens haar leven een legende.'

Daarbij was de wens trouwens de vader van de gedachte. De mensen wilden iets wat of iemand die groter was dan hun eigen ellende om naar op te kijken. Daarom hebben we acteurs en politici en predikanten. Maar zoals de meeste legendes was ik gewoon van vlees en bloed, en ik wenste vurig dat ik mijn eigen schaamte voor mezelf kon houden. Dankzij mijn zorgvuldige en harde werk geloofden de mensen een hoop mooie verhalen over mij en de mijnen, maar soms komen we onszelf tegen. Op zo'n dag vormt onze legende een aanwijzing voor wie we werkelijk zijn.

Mijn leven was op zo'n dag aanbeland.

Ik haalde de mobiele telefoon van mijn ceintuur, keek op mijn horloge, keek toen naar de telefoon en wachtte. Er was nog één traditie nodig om mijn ritueel te completeren. Davis belde me altijd vanuit Massachusetts op om me een goede eerste dag van het seizoen te wensen. De telefoon ging. Hij rinkelde overigens niet, maar speelde de eerste noten van een oud liedje uit de jaren veertig, 'Don't sit under the apple tree with anyone else but me'. Dankzij Smooch zou niemand ons ooit beschuldigen van subtiel adverteren. We hadden door ervaring geleerd dat appels, net als bijna alles wat belangrijk was in het leven, beter verkochten met een sausje van nostalgie en overdrijving.

Ik bracht snel de telefoon naar mijn oor. 'Hoe is het met mijn grote, pientere Harvard-stu...'

'Moeder, wacht even, ik moet even een bocht nemen. Ik zit op de Chocinaw.' Wind ruiste op de achtergrond en ik hoorde het gonzen van een krachtige motor.

Ik sprong snel overeind. 'Wat is er aan de hand? Waarom ben je niet op de universiteit?'

'Dat leg ik je later uit. Ik ben op weg naar de Hollow, misschien nog tien minuten van huis verwijderd. Ik zit al sinds gisteren in de auto. Veertien uur. Ik breng een verrassing voor je mee.'

'Waarom ben je van Harvard weggegaan? Luister, maar, wat... Davis, wat ter wereld...'

'Hallo, mevrouw Thackery!' riep een stem. Een vrouwelijke

stem. 'Davis, zeg tegen je moeder dat ik me erop verheug haar te ontmoeten, en...'

'Eddie, kruip terug onder die deken!'

'Ze weten toch al dat ik in deze auto zit. Je kunt ze niet meer voor de gek houden door me onder een deken te verbergen.'

Ik kneep zo hard in de telefoon dat mijn knokkels er pijn van deden. 'Euell Davis Thackery junior,' zei ik langzaam. 'Waarom verberg je een meisje?'

'Moeder, ik kan het uitleggen... wacht even.' Ik hoorde dat hij zich omdraaide, hoorde het suizen van lucht en een zachte kreet van het onbekende meisje dat Eddie heette. 'Ze zitten weer vlak achter ons,' zei ze. 'Harder.'

'Nee, nee,' zei ik. 'Verdorie, Davis...'

'Moeder, wacht op ons bij de poort en zorg dat je klaarstaat om die te sluiten zodra we binnen zijn.'

'Wie zit er achter jou en dat meisje aan?'

'Kan nu niet praten! Moet autorijden! Ik hou van je, moeder!'

Klik. Ik hield de zwijgende telefoon in mijn hand en staarde ernaar. Mijn benen begonnen te bibberen. Het volgende moment rende ik naar het huis, de zilveren kan en al mijn beschermende gebeden en tradities achterlatend bij de voet van de oude boom.

Moeder, ik heb een verrassing voor je.

Ik had mijn zoon geleerd me moeder te noemen in plaats van mama of ma, en ik noemde hem Davis, nooit Davy, zoals zijn vader hem noemde, die zelf Big Davy werd genoemd. Zijn vader was nooit volwassen geworden. Mijn zoon wel. Ik accepteerde geen compromissen. En geen onplezierige verrassingen.

Ik sprong in een grote rode vrachtwagen die we gebruikten voor kleine leveringen aan winkels in de omgeving. HET IS PAS EEN APPEL ALS HET EEN SWEET HUSH IS, luidde de kreet op de vrachtwagen onder een wit logo met een appelboom. Ik reed te snel het erf af en stuiterde over de veldstenen randen van bloembedden vol irissen en daglelies die al oud waren geweest toen ik nog jong was. De oprijlaan slingerde zich enkele honderden meters tussen onze voorste boomgaarden door alvorens een breed open stuk te bereiken waar de schuren stonden.

Mijn eerste kleine gebouw was nog steeds een cadeauwinkeltje, maar de keuken en grote winkel waren verhuisd naar veel grotere gebouwen, en in de diverse winkels waren nu ook kristallen en zilveren snuisterijen, gouden sieraden, fijn linnengoed en andere huishoudelijke voorwerpen te koop... allemaal met appels als onderwerp. Verspreid over het terrein stonden opslagplaatsen met klimaatbeheersing en een rustiek paviljoen voor onze buitenverkoop en voor bluegrass-muziek. Dat alles was omringd door honderden vierkante meters parkeerplaatsen met grind en zorgvuldig authentiek gemaakte hekken.

De hobbelige zandweg ging over in het parkeerterrein en kwam aan de andere kant weer te voorschijn als een vrouw na een metamorfose, glad en geasfalteerd, ging dan een heuveltje op tussen een laan van appelbomen en geknipte buxushagen tot hij aankwam bij een mooie, dubbele witte poort bij de tegenwoordig netjes bestrate McGillen Orchards Road. Ons rood met witte bord prijkte tussen twee grote grijze pilaren van gestapelde stenen.

SWEET HUSH FARMS, DAGELIJKS GEOPEND VAN 10 TOT 6, 1 SEPTEMBER TOT 31 DECEMBER. HET IS PAS EEN APPEL ALS HET EEN SWEET HUSH IS. WWW.SWEETHUSHAPPLE.COM

Ik trok mijn mobiele telefoon van mijn ceintuur terwijl ik het hangslot van de poort haalde en één kant openzwaaide, naar een plek starend waar de openbare weg verdween tussen grote sparren en dennen en laurierbossen, glad geworden door stroompjes water die van de kale rotsen aan de voet van Chocinaw Mountain sijpelden. 'Ik heb je hier in de Hollow nodig,' sprak ik in de telefoon. 'Nu. Er zijn problemen.'

'Kom eraan. Tien minuten.' De lage mannenstem stelde geen vragen en ik schakelde mijn telefoon uit. Mijn kleine broertje, nu sheriff Logan McGillen, ging met woorden om als met diamanten – hij had genoeg aan een paar goede. Voor Logan was het leven eenvoudig en gemakkelijk samen te vatten. Ik had hem grootgebracht om onze wereld te beschermen, en dat deed hij.

Ik wachtte.

Wachten is het moeilijkste van alles, voor een moeder.

Op de Chocinaw raasde Davis – een vierentwintigjarige laatstejaars student economie aan Harvard, wat inhield dat hij pienter genoeg was om te weten wat de prijs van zijn eigen keuzes was – de helling af in de zwarte Trans Am uit 1982 die hij en zijn vader liefdevol hadden herbouwd, met een opgevoerde motor erin, toen Davis zestien werd. De Trans Am was alles wat een snelle auto hoorde te zijn, tot aan het nummerbord met 2FAST erop. Davis had een oude foto van Davy en hemzelf in het dashboardkastje liggen. Onder het vet, hun armen om elkaars schouders geslagen, stonden ze grinnikend naast het toen uit elkaar gehaalde karkas van de Trans Am. Die auto was een product van vader-zoonliefde. Hij zou Davis en zijn mysterieuze meisje niet in de steek laten.

Achter hen verdwenen drie grote zwarte terreinwagens in een bocht op de berg. Davis gooide zijn mobiele telefoon naast zich neer. 'Mijn moeder weet dat we eraan komen en ze zal onze kant kiezen!'

Het meisje keek vanonder een deken op de achterbank van de Trans Am naar zijn achterhoofd. 'Davis, je hebt haar niet eens verteld wat "onze kant" is. Ze is vast doodsbang.'

'Mijn moeder, bang? Dat nooit. Ik heb je gezegd dat mijn moeder nergens van schrikt. Ze zal klaarstaan om ons te verdedigen.'

'Het enige wat ze weet is dat haar zoon als een krankzinnige komt aanrijden en dat hij een vreemde bij zich heeft.'

'Ik heb een neef die een stripper mee naar huis bracht van een rondreizende kermis. Dit is niets.'

'Je logica is erg geruststellend. Luister, ik blijf hier niet langer achterin zitten. Ik ben niet van plan op deze manier bij jouw voorouderlijk huis aan te komen, zodat je geschokte en verbaasde moeder me weggedoken achter in je auto ziet zitten, naast je cd's van Garth Brooks en een doos beschimmelde donuts.'

'Blijf daar. Het is veiliger achterin. De donuts fungeren als kleine airbags.'

'Ik zou liever met mijn gezicht door de voorruit vliegen als we als Thelma en Louise van een van die kliffen stuiteren. Dat klinkt zoveel dramatischer op CNN dan dat ik ben platgedrukt tussen de voorstoelen en de kofferbak, vind je niet?'

Edwina Margisia 'Eddie' Jacobs – een rechtenstudente aan Harvard, wat inhield dat ze pienter genoeg was om beter te weten of in elk geval te begrijpen waarom ze beter zou moeten weten – was gewend aan limousines en jachten, autocolonnes en tanks en zelfs, tijdens een recente trip met haar moeder door het Midden-Oosten, de ceremoniële kamelenkaravaan van een sjeik. Eddie kroop onder de goedkope Mexicaanse deken uit die Davis de avond tevoren, nadat ze Massachusetts hadden verlaten, had gekocht bij een groot benzinestation langs de snelweg. Ze droeg suède schoenen van tweeduizend dollar met gouden gespen.

Davis greep het stuur stevig vast. 'Eddie, verdomme, laat dat...'

'Leid me nou niet af, anders val ik op je schoot en dan stuiteren we straks echt van die helling af.'

Ze kroop tussen de kuipstoelen van de Trans Am door terwijl Davis de auto door een bocht stuurde die vlak langs een ravijn vol rotsblokken en reusachtige rododendrons liep. De eerste herfstkleuren verschenen al in de beboste dalen die aan de linkerkant van de Trans Am voorbijraasden, en rechts van hen rees het scherpe graniet van de berg omhoog als een bemoste muur. Zijn vader had hem geleerd in de bergen te rijden; hij wist dat één verkeerde beweging aan het met leer overtrokken stuur Eddie en hem fataal kon worden.

Eddie liet zich in de passagiersstoel zakken en deed haar gordel om. Davis keek naar haar. 'Hoe is het met je maag?'

Ze legde een hand op haar buik. 'Niet goed.' Haar sproetige gezicht werd nog bleker, maar ze duwde lokken schouderlang kastanjebruin haar naar achteren en dwong zich tot een glimlach. 'Dit is de eerste keer dat ik in een achtbaan zit zonder de mannen in het zwart bij me om me te beschermen. Ik vind het heerlijk. Zelfs al moet ik straks overgeven.'

'Hou je vast.'

'Maak je geen zorgen. Ik weet hoe je je schrap zet in een op hol geslagen koets.' Ze glimlachte naar hem. 'Ik wilde dat ik nu meteen de liefde met je kon bedrijven. Je ziet er wild uit.'

Hij schonk haar een gespannen glimlach. 'In mijn kamer staat een bed vol handgemaakte quilts en donzen kussens. We kleden ons uit en graven onszelf in als konijnen.'

'Beloofd?'

'Beloofd. Zo simpel is het leven in de Hollow.'

Ze hoorden een geluid achter hen. Eddie draaide zich om in haar stoel en keek ongerust door de achterruit. De zwarte terreinwagens kwamen nog geen honderd meter achter hen een bocht om. 'Houston, we hebben een probleem. Ze komen weer dichterbij.'

Davis keek in de achteruitkijkspiegel. Vergeet de perfecte cijfers en de prijzenkast vol trofeeën van Chocinaw County High School en de onberispelijke staat van dienst aan Harvard. Hij stamde af van een lange lijn van Thackery's die een uitdaging op wielen niet konden afslaan. Niemand kreeg een coureur uit Chocinaw County te pakken. Tenminste niet levend.

Hij dacht aan zijn vader. En schakelde terug.

Eddie schudde haar hoofd. 'Heb het lef niet om het nu op te geven! Je hebt me verteld dat niemand op Chocinaw Mountain sneller is dan jouw familie.'

‘En ik heb ook gezegd dat ik zou zorgen dat jou niets overkwam.’ Hij trapte zachtjes het rempedaal in. ‘Het spel is uit. Kijk hoe ver we gekomen zijn. Helemaal vanuit Boston. Dat had niemand verwacht. Mijn moeder zal het me nooit vergeven als ik een stommiteit uithaal. Ik zal het mezelf nooit vergeven. Ik zou je niet eens durven vragen me te vergeven. Dat is het enige wat ertoe doet.’

‘Je hebt me verteld dat je moeder de sterkste vrouw is die je kent. Je hebt gezegd dat ze ons recht om ons eigen leven te leiden zal ondersteunen. Wat denk je dat ze ervan zal vinden als we bijna voor haar deur de moed opgeven? Wat voor meisje zal ze denken dat je hebt meegebracht? Een verliezer!’ Eddie greep zich vast aan de zijkanten van haar stoel. ‘Ik geef het niet op. Ik hou van je, Euell Davis Thackery junior, en ik vertrouw je mijn hele toekomst toe! Je hebt gezegd dat je vader je harder heeft leren rijden dan welke man ook in het hele district. Rijden!’

De geurige herfstwind floot door het open zonnedak van de auto als een verzetslied dat alle zielen aanriep van alle mannen en vrouwen die ooit de Chocinaw hadden getrotseerd om zich in de vruchtbare dalen eronder te vestigen. Davis slikte de brok in zijn keel weg, keek weer naar Eddie en besloot dat een man zijn vrouw niet kon teleurstellen op de Chocinaw.

‘Ik hou ook van jou! Druk je schattige kontje stevig in die stoel!’

Eddie hapte naar adem toen hij het gas helemaal intrapte en een kreet slaakte. De Trans Am raasde over de oude berg omlaag. Davis reed met een behendigheid waar zijn vader bewondering voor gehad zou hebben. De wagen reed honderdveertig tegen de tijd dat ze een mooi houten bord passeerden dat hen verwelkomde in CHOCINAW COUNTY, HET THUIS VAN DE BEFAAMDE SWEET HUSH-APPEL. De banden piepten toen Davis de schaduwrijke tweebaansweg insloeg die Sweet Hush Hollow in leidde. Hij stoof voorbij een groen metalen bordje MCGILLEN ORCHARDS ROAD en daarna een wit metalen bordje dat vermeldde dat het tevens STATE ROUTE 72 was, en ten slotte een tweede groot houten bord dat door het staatsbosbeheer was neergezet.

U RIJDT NU DE PITTORESKE SWEET HUSH APPEL-WEG OP.

Davis joelde weer. Hij had het gehaald. Hij bracht zijn vrouw thuis, naar een erfgoed van vertrouwen, opoffering, zwaar werken en de lekkerste appels uit het zuiden aller tijden. Thuis, waar ze zou kunnen leven als een gewoon meisje, voorgoed thuis, thuis waar ze zou worden verwelkomd door zijn moeder, de beroemdste

Hush van allemaal sinds Hush de Eerste een Schots presbyteriaans gebed zei en een appelzaailing boven de botten van dode soldaten in de wilde Hollow plantte.

Ik. Die stond te wachten.

Die nergens voor was gewaarschuwd.

Ik hoorde het lage grommen van de Trans Am die de weg op draaide. Ik was zo gevoelig als een moederpoes… ik herkende het geluid van mijn kitten. Met mijn handen om de bovenrand van de poort geklemd zei ik een gebed voor de lage auto, ook al had ik een hekel aan dat verdraaide ding. Ik had niets tegen racen, ik had er alleen iets op tegen dat mijn zoon voor mijn ogen doodging. De Trans Am kwam in zicht; hij reed minstens honderdtwintig en de achterkant zwenkte licht uit. Ik drukte mijn nagels in de poort en zette me schrap. *Hij is ook de zoon van zijn vader.*

Davis zag er kalm en vastberaden uit. Hij had de ramen van de Trans Am open… altijd al dol geweest op de berglucht. Zijn korte, donkere haar wapperde in de wind, maar verder duidde niets aan hem op chaos. Mijn zoon. Systematisch. Pienter. Gevoelig. Eerlijk. Zachtaardig. Aanbeden door de meisjes en respectvol jegens hen, zoals ik hem had geleerd en zijn vader hem had laten zien, althans in het openbaar. Een sterk leider. De beste student van de staat.

In zijn laatste jaar op de middelbare school was hij tot Jonge Ondernemer van het Jaar gekozen. Ik zweer bij God dat ik geen druk op hem heb uitgeoefend om bovenmatig te presteren. Goed, misschien had hij aangevoeld dat ik wilde dat hij verstandiger beslissingen nam dan ik had gedaan. Hoe het ook zij, hij was mijn fantastische zoon.

Wees alsjeblieft voorzichtig. God, zorg alsjeblieft dat hem niets overkomt. Toen hij nog klein was had ik ooit eens een lijstje gemaakt getiteld: DINGEN DIE IK NIET ZOU OVERLEVEN. Boven aan het lijstje stonden de woorden *Zien dat Davis iets ergs overkomt.* Specifieker wilde ik niet zijn. Een of ander bijgeloof vertelde me dat het ongeluk bracht om je grootste vrees op papier te zetten.

Het meisje (op dat moment dacht ik nog aan haar als 'het verdomde meisje dat mijn zoon in de problemen had gebracht') zat rechtop in de passagiersstoel, hield zich met beide handen vast aan het dashboard en keek recht vooruit; ook haar gezicht stond kalm. Net als het zijne. Ergens moest haar moeder dezelfde grootste vrees hebben opgeschreven.

Davis remde vakkundig, stuurde de Trans Am door de poort, bracht hem slippend tot stilstand, sprong uit de auto en kwam naar mij toe met een glimlach rond zijn mond. Hij was lang en slank, donker en knap als zijn vader, en gekleed in een kaki broek, degelijke schoenen, en een gekreukt overhemd met manchetknopen van onyx. Ik knipperde verbaasd met mijn ogen. Mijn bescheiden, spijkerbroeken dragende zoon, met onyx manchetknopen? 'Zo'n aardige volwassen jongeman,' zeiden de mensen al toen hij nog een kind was. Maar wanneer was hij echt een volwassen man geworden? Ik had plotseling een volwassen zoon. Ik kende vrouwen van mijn leeftijd die nog baby's hadden. Krankzinnige vrouwen, maar toch. 'Vertel,' zei ik.

'Moeder, er is niets om je zorgen over te maken. Eddie en ik zitten niet echt in de problemen. We zijn hier om iets duidelijk te maken. Het gaat om een principe.' Hij omhelsde me in het voorbijgaan en reikte naar de geopende poort. 'Laat me dit even dichtmaken. Heb even geduld met me en hou een oogje op de weg. We gaan stelling nemen.'

'Het is moeilijk om stelling te nemen ten aanzien van een principe als je niet weet waar het over gaat. Heb je de wet overtreden?'

Hij lachte gespannen. 'Nee.'

'Is het een researchproject voor een bepaalde les?'

Hij lachte weer en schudde zijn hoofd. 'We gaan niet uit rijden voor het vak economie.'

'Dus je hebt je leven en dat van die... Eddie... geriskeerd om iets duidelijk te maken. Wat dan? Te hard rijden en lessen missen en hier opduiken met problemen aan je broek op de belangrijkste dag van het seizoen?'

Hij fronste zijn voorhoofd. 'Ik heb mijn leven niet...'

'Probéér niet eens te rechtvaardigen dat je de Chocinaw af bent komen racen. Waag het niet. Je vader is op die berg gestorven.'

Hij zweeg. Slikte. Zelfs vijf jaar na Davy's dood kostte het ons nog moeite over hem te praten. God wist dat ik mijn redenen had om het onderwerp te mijden.

'Mevrouw Thackery?' onderbrak het meisje ons. Ik draaide me om en zag haar kalm naast de Trans Am staan. Lang en slank, met goudbruin haar en een knap gezichtje met een goede beenderstructuur, maar ziekelijk bleek en met grote, bezorgde blauwe ogen. 'Davis is mijn beste vriend en ik vertrouw hem mijn leven toe. Hij zit niet in moeilijkheden, dat beloof ik u. Hij is mijn held.'

Ik wist niet meteen wat ik daarop moest antwoorden. Uiteindelijk: 'Heb je de hulp van een held nodig?'

Ze leek plotseling nog vermoeider en begon heen en weer te wiegen. 'Een beetje wel, ja.' Davis haastte zich naar haar toe en sloeg zijn arm om haar schouders. Ze sloeg de hare om zijn middel en klemde zich aan hem vast.

Ik staarde naar hun omhelzing. 'Mijn zoon heeft je ziek gemaakt van angst, volgens mij.'

'Nee, hij is fantastisch voor me geweest.' Ze draaide zich om en keek omhoog, schonk Davis een bewonderende blik die alarmbellen bij me deed afgaan. Ik wilde beslist dat een meisje zoveel van hem hield als van het leven zelf, en dat hij evenveel van dat meisje hield. Ik wilde dat zijn vrouw de dochter werd die ik altijd had gewild, maar met Davy senior nooit had durven krijgen. Ik wilde ooit kleinkinderen. Alleen niet voor mijn zoon veertig was, een bedrijf had dat in de Fortune 500 stond en een Nobelprijs had gewonnen. 'Ik ben bang dat we nog aan elkaar voorgesteld moeten worden,' zei ik langzaam. 'En ik moet echt weten wat er aan de hand is.'

Davis fronste zijn voorhoofd. 'Ik zal je alles uitleggen, geef me alleen wat tijd.'

Eddie knikte. 'Ik verzeker u, mevrouw Thackery, dat we dit doen om iets belangrijks duidelijk te maken. "Plant je dromen met passie, en je wortels zullen je in elke storm stevig vasthouden..."'

'Een boek over Johnny Appleseed. Ik las het aan Davis voor toen hij klein was. Ik heb die uitspraak voor hem in hout uitgesneden voor aan zijn slaapkamermuur.'

'Houtsnijwerk is uw hobby. Ja. Davis heeft me alles over u verteld. En over zijn fantastische vader, moge hij rusten in vrede.' Ze sloeg een kruis. *Katholiek*, dacht ik. Heeft mijn zoon een exotisch katholiek meisje mee naar huis gebracht? Ze had waarschijnlijk streng katholieke ouders. Mooi zo. Ze zouden haar mee naar huis sleuren, waar dat ook was. 'En u kunt trots op hem zijn, mevrouw Thackery. Davis heeft heel hard zijn best gedaan om te leven naar de overtuigingen die u en zijn vader hem hebben bijgebracht.'

Stom. Net als mijn zoon geloofde ze in de fantasieën die ik had geschapen. Ik wendde me tot Davis. 'Wat heb je precies gedaan? Zeg het. Nu!'

'Daar is geen tijd voor. Onze achtervolgers zijn er. Stel je op rond de wagens.' Hij slaagde erin nog een keer te lachen toen hij de weg op keek. Drie grote, zwarte terreinwagens raasden de bocht om. Ze kwamen onze weg op en kwamen piepend, in perfecte formatie, tot stilstand. Alle portieren gingen open en meer dan een dozijn mensen – voornamelijk mannen, maar er was ook een vrouw bij – stapten uit. Ze probeerden een nonchalante indruk te maken in gekreukte sportbroeken en golfshirts. Zelfs de vrouw. Allemaal droegen ze schoudergordels met wapens erin.

'Federale agenten,' zei Davis. 'Eddie heeft bodyguards. Ik leg het je straks verder uit.'

Federale agenten? Bodyguards? Langzaam liet ik mijn handen zakken, ik stond tegenover een gewapende ploeg in golfshirts. Gewapende golfers.

'Alsjeblieft, blijf allemaal kalm,' zei Eddie. Davis hield beschermend zijn arm om haar heen. Zij hief haar kin. 'Lucille, het spijt me dat ik jou en je mensen dit heb aangedaan, maar ik kon niet anders.'

'Eddie, we zijn altijd redelijk tegenover je geweest.' Aldus sprak Lucille. Ze was lang en gespierd, halverwege de dertig misschien, met blond haar tot op de schouders en sproeten en lachrimpeltjes. 'Ik weet waarom je van streek bent, maar dit is niet de juiste manier om het aan te pakken.'

'Lucille, het is precies de juiste manier om het aan te pakken. Mijn moeder luistert naar daden, niet naar woorden. Nu zal ze luisteren.'

'Wees nou redelijk. We vragen om een helikopter en brengen jou en je vriend meneer Thackery naar een veilige locatie, en dan praten we. Je moeder heeft haar afspraken in Engeland uitgesteld. Je vader zit naast een telefoon in Tel Aviv te wachten. Ze willen heus wel luisteren.'

Ik fronste mijn voorhoofd. Engeland? Tel Aviv? Helikopters? Wie waren haar ouders? Stewards op internationale vluchten?

Eddie verstijfde. 'Mijn vader wil luisteren, maar mijn moeder zal elk flintertje privacy dat ik nog heb verwoesten. Er is geen excuus voor wat ze me heeft aangedaan. Geen enkel.'

'Luister, Eddie, het is niet aan mij om daarover met je te discussiëren...'

'Breng jij ook verslag aan haar uit? Ben jij een van haar spionnen?'

'Nee. Je hebt mijn woord.'

'Op het moment is er maar één persoon die ik geloof.' Ze keek naar Davis. 'En het spijt me verschrikkelijk wat mijn moeder je heeft aangedaan.'

'Laat maar. Ik kan wel tegen een stootje. Dit gaat om jou. Doen wat voor jou het beste is.'

'Nee, voor ons.'

Hij kuste haar. In mijn hoofd gingen alarmbellen rinkelen. 'Ho,' zei ik. 'Neem me niet kwalijk, maar wat heeft je moeder Davis aangedaan?'

Davis schudde zijn hoofd. 'Het gaat om een principe. Er is me geen feitelijke, persoonlijke schade berokkend. Ik kan het wel aan.'

'Mooi. Vertel me dan maar wat ze heeft gedaan, dan zal ik je helpen.'

'Davis, laat mij maar,' zei Eddie. 'Het spijt me het te moeten toegeven, maar mijn moeder bespioneert me. Ze is daarmee begonnen toen ik naar Harvard ging en nu heeft ze dossiers vol informatie over al mijn beste vrienden. Ook over Davis. We hebben dat gisteren ontdekt.'

Ik drukte een vuist tegen mijn maag. Er kwamen wel honderd brandende vragen bij me op, maar Eddie had zich al van me afgewend en keek Lucille aan. 'Ik wijs bij deze alle verdere diensten van jou en je bureau af. Ik ben wettelijk volwassen en ik heb het recht formele bescherming te weigeren.'

'Het spijt me, Eddie, maar we zijn wat dat betreft net als de belastingdienst. Je kunt niet zomaar zeggen dat we je met rust moeten laten.'

'Dan zeg ík het je,' waarschuwde Davis.

Lucille kwam iets dichterbij.

Ik ging voor haar staan, leunde over mijn poort en stak mijn hand op. 'Welk gedeelte van het woord privé-terrein begrijpt u niet?'

Ze bleef staan, keek me dreigend aan.

'Moeder,' zei Davis vol genegenheid.

'Dank u, mevrouw Thackery,' fluisterde Eddie. 'Davis zei al dat u ons zou verdedigen.'

'Ik verdedig mijn poort.' Lucille en ik bestreden elkaar zwijgend.

Zij knipperde als eerste met haar ogen. 'Mevrouw, u hebt geen idee waar u mee te maken hebt.'

'Mijn zoon zegt dat hij geen wet heeft overtreden.'

'Niet precies, maar...'

'Heeft Eddie de wet overtreden? Wat... is ze ontsnapt uit een getuigenbeschermingsprogramma? Is haar vader een ondergedoken maffiabaas?'

'Nee, maar...'

'Een ondergedoken maffiabaas,' herhaalde Eddie zachtjes en ze begon bijna te lachen.

'Nee, maar...'

'Dan kan het me niets schelen wie jullie zijn. U komt mijn terrein niet op.'

Lucille keek nu nog ongelukkiger. 'Feitelijk hebben we het gezag om tussenbeide te komen als wij menen dat de situatie dat rechtvaardigt.'

Ik was een koppige McGillen van geboorte en een vechtlustige Thackery door mijn huwelijk. Er kwam een gezang in me op: *Ik heb deze boerderij gered met zwaar werk en zonder hulp van de overheid; ik ben een taaie eenachtste Cherokee-bergboerin wier grootvader zelfmoord heeft gepleegd omdat overheidsdienaren zijn drankdistilleerderij geconfisqueerd hadden.*

'Er liggen twee dozijn dode Unie-soldaten in mijn appelboomgaard die de fout begingen om tijdens de Burgeroorlog Sweet Hush Hollow binnen te vallen.'

Lucilles ogen werden koud. 'Is dat een dreigement?'

'Nou en of.'

Davis ging voor me staan. 'Ik rij met Eddie naar het huis waar mijn familie al meer dan een eeuw woont...' hij gebaarde met zijn hand naar achteren, waar de grote boerderij in de verte tussen de boomgaarden door te zien was, '... en daar blijft ze.' Hij draaide zich om en pakte Eddie bij de arm. 'Ga mee,' zei hij vastberaden.

'Eddie, het is mijn taak om achter je aan te komen,' waarschuwde Lucille. Ze legde haar handen op mijn poort.

Ik pakte mijn telefoon en toetste een nummer in. 'Smooch? Bel Asia Makumba en vraag haar mij meteen te bellen.'

'Oké. Is er iets aan de hand?'

'Niets wat niet met een beetje media-aandacht op te lossen is.'

'Hè? Ik ben er over een uur om de radiospots voor de openingsdag met je door te nemen...'

'Laat Asia me meteen bellen. Ik bel jou straks weer. Ik zit ergens middenin.'

Ik verbrak de verbinding. 'Asia Makumba. Meisje van hier. Heette vroeger Alice. Alice Jones. Is getrouwd met een Nigeriaan en besloot haar Afrikaanse afkomst te eren. Heeft haar naam veranderd. Werkt nu voor een van de grote tv-zenders in Atlanta. Onderzoeksjournalist. Ik heb zo'n idee dat uw mensen geen prijs stellen op camera's en publiek.'

Lucille werd rood van boosheid. Ik leunde over het hek en wenkte haar met mijn vinger. Toen ze zich naar me toe boog, sprak ik heel zacht. 'Stuur alle anderen in uw ploeg van mijn poort weg, dan laat ik u binnen. Alleen u. Afgesproken?'

Seconden tikten voorbij. Lucille verroerde zich niet, dat moest ik haar nageven. Mijn telefoon zong. Ik hield hem tegen mijn oor. 'Asia?'

'Wat is er aan de hand? Wat kan ik voor u doen, mevrouw Thackery?' Een baantje in mijn boomgaarden had Alice/Asia door haar universitaire studie heen geholpen.

'Ik heb een verhaal voor je. Hier. Ik geef je Lucille even. Ze is een soort federaal agent die op het punt staat...'

Lucille stak plotseling haar handen op. *Overgave.*

'Asia, ik bel je later terug. Misschien is het toch niet de moeite waard.'

'Goed... maar weet u het zeker?'

'Nee, maar ik bel je weer als het nodig is.' Ik hing de telefoon weer aan mijn ceintuur. 'Dat is er van de wereld geworden. Om iets gedaan te krijgen moet je regeringsmensen dreigen met televisiemensen.'

'Goed dan, mevrouw Thackery, u wint,' zei Lucille langzaam, en ze keek me met een zeker respect aan. 'Mijn mensen zullen aan de overkant van de straat wachten tot ze uw toestemming krijgen om binnen te komen.'

'Goed.' Ik deed de poort voor haar open en wendde me toen tot Davis en Eddie. 'Lucille komt binnen. Alleen Lucille.'

Lucille stuurde haar ploeg het gemaaide onkruid aan de overkant van de weg in, kwam toen terug en ging de poort door. Ik deed de poort achter haar op slot. Eddie zag er opgelucht uit. Het was me duidelijk dat ze op Lucille gesteld was en haar niet nog meer verdriet wilde doen.

'Dank u, mevrouw Thackery. Davis zei dat we op u konden rekenen. Hij had gelijk.'

Davis knikte. 'Bedankt, moeder.'

Ik wierp hem een blik toe die maakte dat hij zijn hoofd boog. Ik moest een bedrijf runnen. Ons inkomen en dat van het merendeel van onze familieleden hing daarvan af. Tien van zijn McGillen-neven en -nichten gingen studeren met mijn geld als ruggensteun en Davis' voorbeeld als inspiratie. 'Ik wil antwoorden, en snel.'

'Ik neem het je niet kwalijk dat je van streek bent, en ik weet dat het appelseizoen begint, dus ik zal het nu kort houden.' Hij schraapte zijn keel. 'Ik wil je graag voorstellen aan Edwina Margisia Nicola Jacobs. Eddie, dit is mijn moeder, Hush McGillen Thackery.'

Eddie stak haar hand naar me uit. 'U herkent me wel, nietwaar, mevrouw Thackery? Ik zie het aan uw gezicht. Het is waar. Dus u begrijpt waarom ik me in een moeilijke positie bevind? Mevrouw Thackery. Ik ben Eddie Jacobs!' Ze bestudeerde mijn gezicht. 'Eddie. Jacobs.'

'Eddie Jacobs,' herhaalde ik met enige verwarring, maar ik schudde haar de hand. Haar handpalm voelde klam aan. Ze begon te wankelen.

Davis pakte haar vast. 'Ssj. Je kunt je nu ontspannen. We zijn thuis. De Hollow is de veiligste plek op aarde.'

Haar lange broek met wijd uitlopende pijpen waar overal gaten in zaten wapperde in de bergbries en eindigde boven voeten in kennelijk dure schoenen met gouden gespen. Ze sloeg haar hand voor haar mond. 'Ik denk dat ik weer moet overgeven. Dit is niet de waardige kennismaking met je moeder die ik voor ogen had.'

'Ik bel een dokter,' zei Lucille.

'Nee. Er is niets met me aan de hand.'

'Je hebt buikgriep. Of voedselvergiftiging.'

Davis schudde het hoofd. 'Ze heeft alleen wat rust nodig. Het is een lange nacht geweest.'

Eddie keek me vermoeid aan. 'Mevrouw Thackery, het spijt me, ik lijk wel een vreselijke slappeling.'

Ik legde een hand op haar arm. 'Rustig maar. We nemen je mee naar het huis en dan krijg je wat gezouten schijfjes Sweet Hush van me. Dat brengt je maag wel tot rust.' Ik draaide me om naar Lucille. 'En jij, Lucille, bemoeit je nergens mee.'

Lucille fronste haar voorhoofd. 'U hebt geen flauw idee, is het wel? U snapt helemaal niet wat hier aan de hand is.'

'Laat iemand het me dan vertellen. Nu meteen!' Ik keek naar Davis.

Hij slikte, hief formeel zijn hoofd en trok Eddie wat dichter tegen zijn borst. 'Eddie en ik hebben elkaar deze zomer op Harvard ontmoet. Sindsdien gaan we met elkaar om. In het geheim. Ze is eerstejaars studente in de rechten.' Hij zweeg even. 'En haar vader is de president.'

Niet erg onder de indruk trok ik een wenkbrauw op. Ik was immers ook president – van Sweet Hush Farms Inc. 'De president waarvan?'

Davis wachtte een seconde, lang genoeg om het moment wortel te laten schieten in ons leven. 'De president van de Verenigde Staten,' zei hij.

5

In het oog van een tornado krijg je geen tijd om na te denken voordat de wind je door je eigen schoorsteen naar buiten zuigt. De wereld buiten de Hollow – een wereld die ik elk najaar bij mij thuis uitnodigde, zij het alleen op míjn voorwaarden – drong plotseling zonder uitnodiging bij ons binnen.

Het merendeel van mijn familieleden vond dat Al Jacobs niet knap genoeg was om president te zijn. Of niet hard genoeg. Of niet pienter genoeg. Of niet genoeg 'zoals wij', wie 'wij' dan ook precies mochten zijn. Hij was advocaat voor de armen geweest in Chicago, daarna rechter, daarna congreslid, daarna senator, en ten slotte de eerste katholieke president sinds Kennedy – en de enige president van Pools-Amerikaanse afkomst. Zijn verkiezing had de grappen over domme Polen in hun vroegere glorie hersteld. Er waren geen bewijzen dat Al Jacobs tot het stereotype behoorde, maar wie een hekel aan hem had trok zich daar niets van aan.

'Het land heeft zo'n verdraaide stomme Pool gekozen,' had Aaron McGillen uitgeroepen tijdens een familiereünie in het voorjaar na de verkiezing.

Ik had me boven het buffet van gebraden kip tot Smooch gewend. 'Neef Aaron bemant zo te zien nog steeds een buitenpost langs de weg naar Stommiteit.'

Cartoonisten tekenden de spitse kin van Al Jacobs vaak als de bek van een meeuw, en zijn dikke, grijzende haar als een Einsteinkapsel. 'Roosevelt zag er niet uit als een groot denker,' klaagde Gruncle, zijn favoriete president verdedigend. 'We waren bereid voor Roosevelt te sterven, maar is er ook iemand bereid te sterven voor Jacobs? Zou Al Jacobs mannen inspireren arme Duitse vrouwen te doden in naam van de oorlog? Ik denk het niet.' Gruncle, oudoom Henry Thackery, inmiddels stokoud maar nog altijd gekweld door herinneringen aan de oorlog en zijn aandeel daarin, kon sinds Franklin Delano Roosevelt voor geen enkele president sympathie opbrengen.

Het hielp ook niet bepaald dat Al Jacobs op de affiches stond als *Al*, en zijn belangrijkheid reduceerde met de onwillekeurige bekendheid van zijn naam. Zijn feitelijke naam was echter Aleksandr, volgens de familietraditie, en dat was voor veel Amerikanen niet te pruimen, laat staan dat ze het konden spellen. Zijn geïmmigreerde voorouders hadden Jakobek geheten toen ze met de boot naar Ellis Island kwamen, en hadden dat een tijdje voor Gruncles oorlog veranderd in Jacobs – volledig geamerikaniseerd, vechtend voor hun nieuwe land, werkend als monteurs en slagers en secretaresses, werkend aan hun eigen Amerikaanse droom tot ze de gewone, solide Al voortbrachten. Al Jacobs. Goeie ouwe Al Jacobs. Net zo Amerikaans als kielbasa en appeltaart. Naar mijn mening had hij de presidentsverkiezingen gewonnen omdat hij vriendelijke, donkere ogen had en een soort fatsoen uitstraalde dat niemand kon negeren, of je hem nou mocht of niet. De meeste inwoners van Chocinaw County, veelal stoere overlevers en felle conservatievelingen, hadden een hekel aan zijn zachte liberalisme.

Wat zijn vrouw, Edwina Habersham Jacobs betrof, zij was ofwel het antwoord op de gebeden van de moderne vrouw of een rijke vrouw van de oostkust met een grote mond en een navenant achterste die haar feminisme verborg onder haute-couturekleding en de belofte van een vriendin-van-de-werkende-moeder-campagne die haar vijanden geen moment serieus namen. Haar familie was hierheen gekomen met de Mayflower en sindsdien altijd rijk geweest. Ze was in de jaren zeventig de beste geweest van de rechtenopleiding van haar jaar, had daarna een reputatie opgebouwd als harde openbaar aanklager van het OM in Chicago, wat iedereen die beweerde dat Al en zij weekhartige socialisten waren, hooglijk verbaasde. Haar bewonderaars vonden dat ze de stijl en klasse van Jackie Kennedy had, alleen in een grotere maat broek. Verdorie, geen enkele vrouw, zelfs de First Lady niet, kon voorkomen dat ze werd beoordeeld naar het formaat van haar achterwerk. Ik keek vaker dan ik zou willen toegeven in de spiegel naar mijn eigen maat 40.

Tijdens Als campagne kreeg de natie voor het eerst een duidelijk beeld van Edwina. Klein, peervormig en helblond nam ze zonder zelfs maar één keer nerveus met haar ijsblauwe trotse Pilgrim-ogen te knipperen, het podium over tijdens het nationale congres van haar partij. 'Ik ben niet alleen hier om u te vertellen dat mijn man de beste president aller tijden zal worden,' verkondigde ze. 'Ik ben hier om u te vertellen dat ik de beste *First Lady* aller tijden zal worden.'

De gedelegeerden op het partijcongres juichten vol overtuiging. Toen de rest van het land een paar keer had geslikt vanwege haar opvallende openhartigheid of ongelooflijke brutaliteit – het was maar hoe je het bekeek – eiste ze als Patton in geïmporteerde pumps onze aandacht op. Maanden achtereen verdrong ze supermodellen van de covers van de tijdschriften. Ze noemde haar eigen voorwaarden voor interviews bij alle grote tv-zenders. De media volgden haar als verliefde puppy's.

Volgens de peilingen zouden de meeste Amerikanen – inclusief velen van haar eigen partij – haar nog niet met asbesthandschoenen willen aanraken. Te grote mond. Te ambitieus. Niet bescheiden genoeg. Medelevend keek ik toe toen ze haar imago probeerde op te krikken door zelfgemaakte koekjes aan te prijzen. 'Ik maak ze naar mijn favoriete recept, het zijn kaneel-notenrotsjes,' zei ze tegen Jane Pauley van *Dateline*. 'Zo noemen Al en ik ze.'

De beste van de opleiding rechten, vreselijk pienter, stuurde vanaf de eerste dag de politieke carrière van haar man, maar ze moest dat met die koekjes doen opdat de mensen haar als vrouw zouden vertrouwen. Ik zag in haar ogen hoe zwaar die beslissing haar gevallen was. Ik had zelf vaak genoeg met koekjes voor de dag moeten komen.

'Ik neem aan dat ze die dingen weg heeft gegooid zodra ze de kans kreeg,' zei ik een keer tegen Smooch. 'Heb je ooit meegemaakt dat iemand een man vroeg om te bewijzen dat hij koekjes kan bakken, alleen maar omdat we hem dan niet meer als een bedreiging zouden zien?'

'Maar die koekjes spreken wel tot de verbeelding van de voetbalmoeders die statistisch gezien voor haar man zullen kiezen,' maakte Smooch me duidelijk. 'Dat zei mijn hoogleraar marketing. En wat is er mis met koekjes bakken? Ik zou best koekjes willen bakken als een man me dat vroeg.' Er welden tranen op in haar ogen. 'Maar ik kan niet eens een goede man vinden om mee te trouwen, laat staan om koekjes voor te bakken.'

Ik zei verder niets over het onderwerp, maar dacht er het mijne van. Edwina Jacobs zou doen wat ze moest doen om haar man en haarzelf in het Witte Huis te krijgen. Ze zou met haar vijftig-en-nog-wat jaren zelfs doen alsof ze een lief klein meisje was, als het moest.

Ze hield haar act niet lang vol. Op een winderig podium voor een menigte in Des Moines, Iowa, hing Edwina te dicht bij een microfoon die verondersteld werd uit te staan toen ze tegen een van haar assistentes zei: 'Dat secreet van de *L.A. Times* is hier. Zeg tegen haar dat ik, als ze het waagt mijn dochter nog één keer te kwetsen door haar "een uitgemergelde sul" te noemen, haar kop van haar romp trek en haar luchtpijp als toilet gebruik.'

God, MSNBC, en iedereen die verder meeluisterde hoorde elk elegant obsceen woord dat ze zei.

Ja, ja.

In het hele land werd de daaropvolgende twee weken nergens anders over gepraat. De andere kandidaten en hun echtgenotes hadden geen schijn van kans in de strijd om de aandacht van het publiek. De vrouw van een van de presidentskandidaten zag nog wel kans Larry King te verzekeren dat ook zij 'af en toe wel eens *verdorie* of *verdraaid* zei', en vervolgens begon elke rechtschapen flapuit in het land te debatteren over de waarde van krachttermen en Edwina Jacobs' potentiële invloed op onze dierbare kinderen. Goed, Edwina Jacobs was dus geen lieve, koekjes bakkende echtgenote of ingetogen Jackie Kennedy. Ze bood haar excuses aan, maar je kon zien dat ze dat tandenknarsend deed.

Er gebeurde iets heel vreemds. Ze steeg grandioos in de peilingen. De mensen besloten voor een poosje dol op haar te zijn. Bij God, ze was een vechter. Een vrouw die opkwam voor haar kind en bereid was daarvoor mensen te bedreigen. Ze zou echt voor de kinderen van anderen opkomen. Ze begreep het. Ze was een werkende moeder.

Dankzij haar won Al Jacobs de voorverkiezingen in Iowa, en de rest is geschiedenis. Ik heb niet op hem gestemd, maar ik ga nooit stemmen als er presidentsverkiezingen zijn. Ik beschouwde mezelf als een onafhankelijke vrouw met vrijheidsgezinde neigingen, wat inhield dat er meestal weinig van mijn gading bij zat. Nadat Ross Perot het had verbruid had ik de hoop op onafhankelijke nationalistische kandidaten opgegeven.

Maar als ik was gaan stemmen, zou ik op Edwina hebben gestemd.

Gedurende de hele campagne was er één ding waar niemand iets tegenin kon brengen: Al en Edwina Jacobs hadden als ouders fantastisch werk geleverd. Hun dochter Eddie – de uitgemergelde sul – steunde hen met de volle overtuiging en oprechtheid van een padvindster die haar best doet overgebleven koekjes te verkopen. Er rustte geen enkele smet op haar reputatie als fantastische dochter, toegewijd studente en fatsoenlijk burger. Ze dronk niet, rookte niet, gebruikte geen drugs, en vertelde andere meisjes dat het oké was om je benen bij elkaar te houden.

Iedereen had moeten weten dat ze alleen wachtte op de beste kans om uit de band te springen, en dat een vrouw met Edwina's persoonlijkheid het soort moeder was dat haar dochter ernaar zou doen verlangen via de eerste de beste uitgang te ontsnappen.

Ik vond het alleen jammer dat Eddie mijn zoon had uitgekozen om dat met haar te doen.

Eddie gaf over in de gootsteen in de keuken. Ik voerde haar in zout water geweekte appelschijfjes, zoals ik had beloofd. Beleefd at ze de knapperige gezouten schijfjes op. 'Holistische geneeswijze is heel bewonderenswaardig en praktisch. Davis heeft me verteld dat uw grootmoeder van moederskant een Cherokee was met de naam Fruit Halfacre. Ik heb echt bewondering voor de tradities van de inheemse Amerikanen.'

'Dank je.' Mijn grootmoeder Fruit was een taaie oude dame geweest die 's ochtends een glas sterke, zelf gestookte drank en een flinke pruim tabak nam, beslist geen appelschijfjes. Ik rookte een spekstenen pijp die ze me had nagelaten. Maar daar zei ik niets van tegen Eddie. Nerveus at ik zelf ook diverse medicinale appelschijfjes, terwijl ik met mezelf overlegde of het argwaan zou wekken als ik om zeven uur in de ochtend een glas wijn nam.

Binnen vijf minuten lag onze weggelopen *First Daughter* met haar hoofd op haar armen aan mijn antieke vurenhouten oogsttafel te slapen. Davis boog zich over haar heen en streelde zacht haar goudbruine haar. 'Rust maar, schatje,' fluisterde hij. 'Ik ben vlakbij.'

Ik gebaarde hem me te volgen. We gingen tegenover elkaar in het koele ochtendlicht van de grote eetkamer zitten, een vertrek met mooie vloerkleden, een plafond met oude parellijsten en wit behang met fijne goudkleurige appelblaadjes in reliëf, een kamer vol kristal en porselein en antieke meubels die ik door de jaren heen had vergaard, zuurverdiend stuk voor zuurverdiend stuk. Er zou nooit een appelgroothandelaar of vip van een winkelketen aan mijn tafel zitten die dacht dat de McGillens van Chocinaw County niet hun vroegere glorie hadden herwonnen, of dat ik een boerentrien was die een paar appels te koop had. Bij God, ze namen mij en mijn mooie porselein serieus. Ik keek mijn zoon aan boven een kristallen schaal vol mooie houten appels die ik in de werkplaats had uitgesneden met mijn grootvaders gereedschap.

'Laat me even iets duidelijk maken,' zei Davis. 'Ik hou van haar. En zij houdt van mij.'

Ik had die aankondiging zien aankomen, maar hij kwam niettemin hard aan. Ik kon niets beters verzinnen dan: 'Wat heeft liefde ermee te maken?'

'Ik hou van haar zoals pap van jou hield. Hij leefde voor jou. Hij zou al het mogelijke gedaan hebben om voor je te zorgen als je van streek was of hem nodig had.'

Hij had geen idee. 'Waartegen probeer je Eddie te beschermen, behalve tegen een bemoeizieke moeder?'

'Ze is een gevangene in haar eigen leven. Doodsbedreigingen, scheldbrieven, stalkers... noem het maar op. Als ze ergens alleen in een eetcafé of een boekhandel of schouwburg komt, begint de een of andere schreeuwlelijk haar ouders af te kraken. Je kunt je niet voorstellen hoe haar leven is. Hoe de wereld is, voor de dochter van een president.'

'Dus je hebt medelijden met haar en denkt dat je voor haar kunt zorgen zonder de hulp van een hele troep getrainde professionals die hun leven voor haar zouden geven als dat nodig is. Dus heb je ervoor gekozen hen opzij te zetten en het allemaal zelf te doen. Klinkt heel verstandig.'

'Zo eenvoudig is het niet.'

'Je had haar kunnen aanraden met haar ouders te praten. Je had mij kunnen vertellen dat ze je vriendin was, dan had ik met haar over haar problemen kunnen praten.' Ik keek hem triest aan. 'Waarom mocht ik het niet weten van jou en haar? Moet ik soms ook spionnen inhuren om de belangrijkste dingen in het leven van mijn zoon te weten te komen?'

'Eddie was bang dat er iets over ons bekend zou worden. De vorige kerel met wie ze uitging kwam op het omslag van de *Enquirer* terecht.'

'Denk je dat ik geen geheim kan bewaren?'

'We wilden gewoon privacy.' Hij zweeg even. 'Ik weet hoe het is om op te groeien als het middelpunt van de belangstelling, met allerlei verwachtingen.'

Ik was even heel stil. 'Wat?'

'Ik wilde niet dat jij en honderd McGillens en Thackery's zouden gaan discussiëren over de vraag of ze wel goed was voor mijn toekomst.'

'Is je leven zo geweest, vind je?'

'Ik zeg alleen dat ik begrijp onder welke druk ze staat.'

'Ik begrijp het. Je vertrouwt je eigen moeder dus ook niet.'

'Moeder.'

'Ze is jong. Ze weet nog niet wat ze wil. Evenmin als jij dat nu weet.'

'O, je gaf me een bankrekening en een computer op mijn tiende en leerde me je te helpen deze zaak te runnen. Pap gaf me een geweer en een crossmotor en leerde me voor mezelf op te komen. Jij vertelde me dat ik een genie was. Hij vertelde me dat ik een man was. Geen van jullie zei ooit dat ik te jong was om voor mezelf te zorgen.'

'We logen.'

Hij stond op. 'Wil je dat Eddie en ik weggaan?'

'Nee, natuurlijk niet. Dit is je thuis. Ze is jouw... gast. Mijn gast.'

'Goed. Vraag me dan alsjeblieft niet elke beslissing die ik neem uit te leggen.'

Ik stond ook op, woedend. 'Je studie gaat voor en problemen met meisjes komen als tweede. Het kan me niet schelen dat Eddies ouders de president en First Lady van de Verenigde Staten zijn – wat mij betreft waren ze de koninklijke Wazoes van Wazoeland. Ik wil niet dat je je toekomst in de waagschaal stelt en onze familienaam door het slijk haalt. Ik heb veel te hard gewerkt om hem zuiver te houden.'

'Wat heeft dát nou te betekenen?'

Ik begon aan een lange tirade over de gemene roddels over presidenten en hun familieleden. Waren de media niet massaal uitgetrokken om alle pindaverwanten en ieder onkies verhaal over de mensen rond Jimmy Carter boven tafel te krijgen? En kijk eens wat de Clintons hadden moeten doorstaan. En de Kennedy's, niet te vergeten. En het alcoholprobleem van Betty Ford – breed uitgemeten in het nieuws. En de ik-zal-je-wel-krijgen-moederklucht van Patty Davis. En haar moeders astrologiegeheimpje trouwens ook nog. Ik stond daar over dat alles tegen mijn zoon te schreeuwen, want hoe meer ik erover nadacht, hoe meer ik me realiseerde dat de mensen alle roddels en toespelingen over de presidentiële huishoudens wílden weten, tot in hun slaapkamers toe. En ik werd doodsbenauwd.

'Moeder, rustig nou maar,' zei Davis grimmig tegen me. 'Ik begrijp niet wat dat met ons en onze familie te maken heeft. We hebben niets te verbergen.'

'Ik wil gewoon niet... jouw hoofd op het omslag van de *National Enquirer* zien als het vriendje dat Eddie Jacobs heeft ontvoerd,' besloot ik mat.

'Denk je dat de goede naam van onze familie bij mij niet veilig is?'

'Ik wil gewoon dat je teruggaat naar school en volgend voorjaar afstudeert en kansen krijgt die ik nooit heb gehad.'

'O? Mijn moeder is de beste appelteler en de succesvolste zakenvrouw van de hele staat,' antwoordde Davis schor. 'Ze maakte haar familienaam weer befaamd, hoewel iedereen had gezegd dat haar dat niet zou lukken. Mijn vader hield van haar en geloofde in haar en deed zijn uiterste best haar te helpen haar droom waar te maken.' Davis zweeg, schraapte zijn keel en pinde me vast met de hartverscheurend mooie blauwe ogen van zijn vader. 'Het zou me een eer zijn zo'n succesvol leven te leiden als jullie. Omdat jullie me geïnspireerd hebben en jij dat nog steeds doet. Maar dan wel op mijn eigen voorwaarden.'

Ik verbeet de behoefte te gaan huilen. Tranen, zo had ik door de jaren heen geleerd, voedden alleen de grond die er behoefte aan had. 'Goed dan, vertel me wat er nu gaat gebeuren.'

'Eddies ouders sturen een familielid om haar terug te halen. Ik ben niet van plan dat toe te staan. Ik zou je steun op prijs stellen.'

'Wie is die mysterieuze man of vrouw?'

'Hij heet Nick Jakobek.' Davis zweeg even. 'En hij heeft al eens een man gedood om Eddie te beschermen.'

6

Nick

Ik was veertien toen ik in 1972 in de smerige gang voor het mortuarium van een ziekenhuis in Mexico-Stad kennismaakte met mijn oom, John Aleksandr Jacobs, de toekomstige president. De *policio* had het lichaam van mijn moeder daarheen gebracht nadat ze een overdosis heroïne had genomen. Julia Margisia Jacobs was zachtaardig en mooi geweest, maar makkelijk te breken. Ze wist niet wie mijn vader was, alleen dat hij een van de jongens moest zijn geweest met wie ze tijdens haar eerste jaar aan de universiteit van Illinois was uitgegaan. Margisia Jacobs, het eerste meisje in de geschiedenis van de familie Jacobs in Amerika dat naar de universiteit ging.

'Iedereen was zo trots op me,' vertelde ze me vaak huilend. 'Tot ik uit de gratie raakte omdat ik zwanger was van jou.'

Ze zag nooit in hoe dat overkwam op mij, haar zoon. Ik lag 's nachts in bed te zweren dat ik elke ademteug die ik nam waardig zou zijn. Mezelf voor te houden dat ik het recht om te leven moest verdienen. Mezelf voor te houden dat ik het waard was dat ze van me hield als ik haar van zichzelf kon redden. De Mexicaanse diplomaat en drugsverslaafde die mijn moeders laatste vriendje was geweest, noemde haar Dreaming Margarita. Ze vertelde me dat haar broertje Al, vroeger in Chicago, haar Margee had genoemd. Tegen de tijd dat ze stierf noemde ik haar niets meer. Het deed te veel pijn om haar moeder te noemen. Ze was opgehouden die rol te spelen zodra ik oud genoeg was om voor mezelf te zorgen. Ze dacht dat ze voor me zorgde, en realiseerde zich niet dat de rollen waren omgedraaid. Ik zorgde zo goed voor haar als zij me toestond en ik heb haar nooit gekwetst, maar ik noemde haar ook nooit moeder.

En tegen het eind merkte ze dat niet eens meer.

Ik zat die avond laat met handboeien vastgeketend aan een stalen bank in het ziekenhuis, met bloed aan mijn handen en kleren, mijn knokkels gezwollen en gekneusd, mijn hoofd gebogen. Ik staarde naar de vloer tussen mijn gympen en probeerde nergens aan te denken. De gang was leeg. Mijn moeder was bekend geweest als de verslaafde Amerikaanse minnares van de diplomaat. Ik had hem behoorlijk pijn gedaan.

Ik hoorde voetstappen op de tegelvloer, maar keek niet meteen op. Ik had heel wat jaren doorgebracht op straat en ik kon inschatten hoe dichtbij de problemen waren op basis van geluid en geur, en zelfs de manier waarop de lucht aanvoelde, zoals een hond. Toen de schoenen met harde zolen dichterbij kwamen, liet ik een ijspriem uit de mouw van mijn jas in mijn hand glijden, en terwijl ik de scherpe punt verborgen hield in mijn handpalm hief ik mijn hoofd op. 'Blijf daar,' zei ik in het Spaans.

De man bleef staan en zag er net zo geschokt uit als ik geweest moet zijn. Ik wist op het eerste gezicht, puur instinctief, dat hij voor mij kwam. Hij was jong, misschien pas een paar jaar afgestudeerd, maar zag er verdomd serieus uit. Hij had donker haar en donkere ogen, net als mijn moeder en ik. Hij had de bouw van een middengewicht bokser, of een honkballer. Zijn handen waren groot maar schoon, net als zijn broek en overhemd, waarop hij een brede rode stropdas droeg die bij de kraag scheef zat. Hij was meer dan een meter tachtig lang – mijn lengte, maar ik was nog in de groei. Zijn gezicht zag er gewoon en pienter en eerlijk uit. Het verbaasde me dat ik dat dacht. Eerlijk.

Terwijl ik daar verbijsterd naar hem zat te kijken, kwam hij naar me toe en liet zich vlak voor mijn knieën op zijn hurken zakken. Ik ging snel rechtop zitten en sloot mijn vingers om de verborgen ijspriem. *Was hij soms een slangenbezweerder of zo?* 'Je luistert verdomme niet,' zei ik in het Engels.

'Ik hoor wat ik wil horen. Voor mij telt maar één ding: ik heb je eindelijk gevonden.' Hij zweeg even, slikte. 'En je moeder.'

'Ik ken jou niet.'

'Maar ik denk dat ik jou wel ken. Je lijkt op haar. Jij moet Nick zijn. Je noemt jezelf Nicholas Jakobek. Jakobek is een oude familienaam. De naam die de familie van je moeder uit Polen meebracht.'

Ik zei niets. Wist niet wat ik moest zeggen. Mijn moeder en ik waren heel vaak verhuisd. Wat mij betrof had ik buiten haar geen familie die me iets kon schelen. Ik had de naam Jakobek aangenomen omdat zij dat leuk vond. Ik vond het elegant en romantisch klinken.

'Blijf daar,' herhaalde ik, luider nu, en ik hief een hand op, waarin de ijspriem flitste.

'Indrukwekkend. Ik had er vroeger ook zo een.' De vreemdeling sprak met zachte stem. 'Mijn vader vond hem in mijn sokkenla. Hij gooide hem weg en liet me een maand lang na school kippenkarkassen schoonmaken in zijn slagerij. "Hier," zei hij. "Wil je bloed zien vloeien, lummel? Snij de darmen dan maar uit de kippen." Hij zag eruit als John Wayne. Ik hield van mijn vader, maar was ook doodsbang voor hem.' De vreemdeling zweeg weer even. 'Hij heeft de verdwijning van je moeder nooit kunnen verwerken. Hij is jong gestorven.'

Ik haalde diep adem. Mijn ribben deden pijn. Ik kon niet huilen waar hij bij was. 'Wie ben je, verdomme?'

Hij aarzelde, slikte weer. 'Ik ben het kleine broertje van Margee Jacobs. Ik ben je oom. Oom Al.'

Al Jacobs mocht er dan gladgeschoren en puur Amerikaans uitzien, hij aarzelde geen moment om een politieman om te kopen, die vervolgens mijn handboeien losmaakte. Ik stond daar in het mortuarium terwijl een verveeld kijkende bewaker het lichaam van mijn moeder, dat in een laken gewikkeld op een rammelende brancard lag, naar ons toe haalde. Toen de man het laken weg wilde trekken, zei ik in het Spaans: 'Raak haar niet aan.' Hij keek naar Al, die in onwennig Spaans zei: 'Doe wat mijn neef vraagt, alstublieft.' De man stak zijn handen op en liep achteruit.

Ik bleef dicht bij de brancard staan met mijn vuisten tegen mijn dijbenen geklemd, en daagde zonder me te verroeren iedereen uit om mijn moeder aan te raken, smeekte haar niet dood te zijn, mij niet in zak en as te laten zitten. Smeekte haar me niet bij die broer van haar achter te laten, de oom die na al die jaren op was komen duiken.

'Nick, mag ik alsjeblieft naar haar gezicht kijken?' De woorden kwamen naar me toe als door een donkere tunnel. Mijn pas ontdekte oom praatte tegen me, zijn stem zacht en schor. We waren alleen in het mortuarium, de enige twee levende zielen. Mijn moeder had me over hem verteld wanneer ze nuchter was. Hij was nog een kind toen ze uit Chicago wegliep, maar ze hadden elkaar na gestaan. Ze had van hem gehouden.

'Nick, alsjeblieft, het is jouw keus,' vervolgde hij. Hij praatte tegen me met respect. Hij vroeg me om toestemming.

'Ze is je nooit vergeten,' zei ik tegen hem. 'Je mag wel naar haar kijken.' Ik liep naar een muur en ging op mijn hielen zitten met mijn rug tegen de koude wandtegels.

Ik hoorde het laken ritselen, en daarna zijn zachte gesnik toen hij naast haar opgeblazen lichaam stond te huilen. Ik keek niet op, bleef naar de vloer staren, wreef met mijn bebloede handen in mijn ogen. Na een poosje hield hij op met huilen. Ik hoorde zijn voetstappen. Hij liet zich naast me op zijn hielen zakken en we keken samen zwijgend naar de vloer. Uiteindelijk zei hij: 'Ik weet dat je denkt dat je nergens familie hebt, maar dat heb je wel. Ik wil dat je bij mij in Chicago komt wonen.'

Ik wilde zeggen dat hij een achterlijke weldoener was en dat ik zijn liefdadigheid niet nodig had. Ik had moeten zeggen dat ik geen idee had hoe mensen als hij leefden, en dat zijn familie opzettelijk iets gedaan moest hebben waardoor mijn moeder van huis was weggelopen toen ze zwanger was van mij. Aangezien hij zo onnozel was geweest me uit de klauwen van de *policio* te halen, kon ik dit ziekenhuis uit lopen wanneer ik wilde en in de Mexicaanse nacht verdwijnen. Hij zou me nooit meer vinden als ik dat niet wilde. Het dreigement vormde zich als bloed op mijn tong en ik wilde het al gaan uiten.

Hij hield zijn rechterhand op. Mijn ijspriem lag erin. 'Onderschat me niet,' zei hij, 'dan zal ik jou ook niet onderschatten. Je hebt één kans om uit de Mexicaanse gevangenis te blijven. Het deert hun niets dat je pas veertien bent. Als je er zelfs maar over nadenkt weg te lopen, word je gearresteerd. Hou je rustig en volg me. Ik neem je mee naar Amerika. We gaan naar huis. Naar Chicago. Dat of een Mexicaanse gevangenis? Aan jou de keus.'

Ik slikte mijn trots in, pakte het wapen terug dat hij me had ontstolen, verborg het in een broekzak, stond op en liep naar mijn moeders lichaam. Voorzichtig dekte ik haar gezicht weer toe, stopte het laken in rond haar dode, donkere haar, raakte het nog een keer met mijn vingertoppen aan en fluisterde zwijgend iets tegen haar.

Ik wilde de wereld voor je redden, maar ik kon het niet.

‘Er is iets wat ik je moet vertellen over mijn vrouw, Edwina,’ zei Al, de eerste keer dat we op een besneeuwde winterdag hun grote appartementencomplex in Chicago binnenstapten. ‘Ze heeft een beetje een obsessie voor uiterlijkheden.’

‘Ja, ik ook,’ gromde ik. Ik volgde hem langs een portier die naar me staarde toen we een lift in stapten. Ik droeg een plunjezak gevuld met mijn aardse bezittingen. Niet veel, inclusief een paar coyoteschedels die ik bewaarde als talismans tegen mijn eigen eenzaamheid. Ik hoefde niet in de spiegel te kijken om te weten dat ik groot en mager en alledaags was op mijn veertiende, met acnelittekens op mijn wangen en een boksersneus en stiltes zo diep dat veel mensen dachten dat ik niet kon praten. Al daarentegen was een gedegen, kraakheldere burger. Hij praatte voortdurend en had een mooie leren weekendtas bij zich met zijn initialen erop gestikt. De lift ging naar boven.

‘Wat bedoelde je over je vrouw?’ vroeg ik ten slotte. Hij wees naar zijn tas. ‘Die kreeg ik vorig jaar van Edwina voor mijn zesentwintigste verjaardag. Hij kostte duizend dollar. Ze had er voor zichzelf precies zo een gekocht. Ik zei: “Schatje, we zijn beginnende openbare aanklagers in dienst van het openbaar ministerie. De mensen zullen denken dat we steekpenningen van de maffia aannemen.” Ze antwoordde: “Lieverd, de maffia kan zich dit leer niet veroorloven.” Haar familie is rijk. De Habershams. Van de Maryland Habershams. Ze zitten in de scheepvaart.’ Hij glimlachte, zij het met een grimmige blik in zijn donkere ogen. Ja, we hadden beslist dezelfde ogen. ‘De eerste Habershams kwamen in 1620 met de Mayflower naar Amerika. Ze waren erg Engels. Edwina stamt af van een hertogin.’

Ik wist niet waarom hij me dat allemaal vertelde. Ik gaf hem telkens weer de het-kan-me-geen-donder-schelenbehandeling, maar hij wist me toch steeds weer te verlokken om te blijven luisteren. ‘De Mayflower,’ herhaalde hij.

Ik haalde mijn schouders op. ‘Hoe zit het dan met de Jacobsen? Hoe is onze familie uit Polen hier terechtgekomen?’

‘Op een stoomboot in 1902, een dek lager dan de geiten en kippen. Onze beroemdste voorvader was geloof ik een stratenmaker die Ludwig heette.’

‘Waarom is Edwina dan met je getrouwd?’

‘Omdat ze gelooft dat ik briljant en eerzaam en bijzonder ben, en dat we samen de wereld zullen redden. Tjonge, dat ze daar is ingetrapt.’

De wereld redden. Ja hoor. Mexicaanse politieagenten omkopen om *mij* te redden was één ding. Maar de wereld redden? Nee. Daar was hij te soft voor. Dat was mijn pakkie-an.

'Welnu, over Edwina,' ging hij verder. Terwijl de lift naar boven ging, vertelde hij me dat ze elkaar tijdens hun rechtenstudie hadden ontmoet. Er waren in 1970 in hun klas maar vijf vrouwen afgestudeerd. Al Jacobs was de enige kerel die Edwina Habersham serieus nam en zich niet door haar bedreigd voelde. Ze was rijk, welbespraakt en pienter – ze hoorde tot de besten van de klas. Hij presteerde 'laag-gemiddeld', zei hij diplomatiek. Toen een van hun professoren haar een kloterige lesbienne noemde, had Al gedreigd hem een klap te verkopen. Edwina had Al verdedigd voor de raad van bestuur van de school, en had gewonnen.

'Die avond hadden we ons eerste afspraakje,' zei Al. 'Het was liefde op het eerste pleidooi.'

Plotseling stonden we voor de deur van zijn appartement en werd ik door irrationele paniek bevangen. Ik dacht erover Al weg te duwen en naar de brandtrap te sprinten. Hij was pas zevenentwintig – verdorie, hoe kon ik hem serieus nemen als mijn oom? En zo te horen was Edwina geen gemakkelijke vrouw. 'Wat zei ze dan toen je haar over me vertelde?' vroeg ik. 'Laat me eens raden. Ze zei dat ze niet wilde dat dat stuk tuig van een neefje haar mooie leventje in de war kwam schoppen.'

Al legde een hand op mijn schouder. Ik verstarde. Zijn ogen boorden zich diep in de mijne. Ik had hem eindelijk kwaad gemaakt. 'Ben je van plan ons te beroven?'

'Verdomme, nee.'

'Zul je weigeren te gaan douchen?'

'Wat?'

'Ons vermoorden in onze slaap?'

Ik duwde zijn hand van me af. Ik was woedend. 'Val dood, man! Nee! Denk je dat ik zoiets zou doen? Ik mag dan verdomme niet zo'n studiebol zijn als jij, maar ik heb mijn eigen eer...'

'Kalm, Nick. Ik stel alleen maar vragen. Als je niet van plan bent om moeilijkheden te veroorzaken, waarom zouden we dan niet blij zijn dat je hier bent?'

'Ik... wat? Maak het niet zo ingewikkeld, man! Luister, het enige wat ik kan doen is je mijn woord geven. Graag of niet.'

'Oké, graag dan. Ik geloof je op je woord dat je eerlijk en betrouwbaar bent. Waarom sta je dan tegen me te schreeuwen?'

Ik keek hem narrig aan. 'Omdat je spelletjes met me speelt, en daar goed in bent.'

'Ik ben blij dat je hier bent. Echt.'

'Ja, nou, maar zodra jij van gedachten verandert, ben ik weg.'

'Ik verander niet van gedachten. Dus je zult gewoon hier moeten blijven en kijken of je kunt bewijzen dat ik een sukkel ben, nietwaar?'

Ik wist niet wat ik daar op moest antwoorden, schuifelde een beetje ongemakkelijk heen en weer. 'En Edwina dan? Je kunt me niet wijsmaken dat je deftige vrouw me hier wil hebben. Dat bedoel ik.'

'Je kent haar niet. Wees tegen haar ook gewoon eerlijk. Hou je handen schoon en stel je open, en zeg niet hardop "verdomme" tenzij je het haar ook wilt horen zeggen.'

Ik staarde hem aan. Hij deed de deur van het slot en duwde hem open. 'Schatje,' riep hij, 'we zijn er.'

Ik volgde hem naar een luxueus ingerichte woonkamer met oosterse tapijten en volle boekenkasten, goudgerand meubilair en schilderijen van halfnaakte Europese vrouwen omringd door cherubijntjes. Midden in de kamer stond Edwina Habersham Jacobs, klein en stevig en helblond, me met enigszins samengeknepen ogen aan te kijken, als een Perzische kat die een vogel bestudeert. Ze droeg een wit broekpak met wijd uitlopende pijpen en een goudkleurige ceintuur rond haar billen. Ik moest wel bewondering hebben voor een vrouw die de nadruk durfde te leggen op haar dikke billen. Tegelijkertijd kromp mijn maag verder samen, omdat ik niet meer dan een koele behandeling van haar verwachtte. Hoeveel rijke vrouwen zouden het neefje van hun man uitnodigen bij hen te komen wonen?

'Welkom thuis!' Ze gaf Al snel een kus en begon toen mij te bestuderen. 'Goed gedaan. Ik zie dat je onze gewapende *bandido* hebt weten over te halen zich bij onze bende aan te sluiten. Ik ben trots op je.'

'Hij heeft een hoge verdedigingsmuur, maar ik weigerde op te geven.' Al pakte me bij een arm beet. Ik was te verrast om me los te trekken. Was het ook haar idee om mij hierheen te halen? 'Edwina, mag ik je mijn neef voorstellen, de heer Nicholas Jakobek? Nick, mag ik je mijn vrouw voorstellen, Edwina Habersham Jacobs? Oké, jullie hebben fatsoenlijk kennisgemaakt. Vlieg elkaar nu maar naar de keel.' Hij deed een stap terug. Ik stak haar mijn hand toe. Ze sloot haar sterke korte vingers rond de mijne met de greep van een vrachtwagenchauffeur en bleef me ondertussen met haar kalme kattenogen analyseren. 'Nicholas,' zei ze.

'Edwina,' zei ik, met een knikje naar de cherubijnschilderijen. 'Von Hosterlitz, nietwaar?'

'Nee maar, inderdaad.'

Ik schudde een lange smalle koker van mijn schouder en legde die op mijn plunjezak. Ze keek ernaar. 'Je kapmes?'

'Mijn fluit.'

Alle lucht in het appartement leek door haar brede neus te worden opgezogen. Al sloeg een hand voor zijn mond en begon te kuchen. Ze bekeek me van de neuzen van mijn oude westernlaarzen tot mijn zelfgeknipte donkere haar, dat ik op schouderlengte droeg. Plotseling pakte ze een van mijn gekneusde handen vast en bestudeerde de tekenen van het gevecht. 'Je bent te slim om je zo stom te gedragen. We zullen je betere manieren moeten leren om te vechten voor datgene waarin je gelooft.'

'Sommige mensen begrijpen maar één ding.' Ik hield mijn gezwollen vuist omhoog.

Zij en Al wisselden een blik die zei dat ik weliswaar ruw materiaal was, maar met een dieper gewortelde filosofie dan ze hadden verwacht. 'Laten we het daar een andere keer maar over hebben,' zei Al.

Met Al in de achterhoede ging Edwina me voor naar een kamer vol tierelantijntjes die eruitzag alsof er alleen meisjes sliepen. 'Mijn moeder en zusters slapen gewoonlijk hier als ze blijven logeren, maar nu is het jouw kamer. We zullen hem zo snel mogelijk opnieuw inrichten.' Ze wees naar mijn plunjezak. 'Heb je daar iets in zitten wat je vanavond aan de muur wilt hangen, zodat het wat minder meisjesachtig lijkt?'

'Schedels.'

Ze hoefde geen tel na te denken. 'Van mensen?'

'Coyotes. Ik heb ze in de woestijn gevonden.'

'O, goed. Ik zal mijn binnenhuisarchitect zeggen dat hij aan een "zuidwestelijke" stijl moet denken. Of misschien aan een "heidens offer".'

Ik schaamde me en zei niets. Achter me hoorde ik Al gedempt proesten, waarna hij luid begon te lachen. 'God, jullie zijn niet te geloven. Het spijt me. Sorry, Nick. Het is niet netjes van me.' Zijn lachen ging over in een pijnlijke kreun en vervaagde toen. 'Sorry. O, God, het spijt me zo van je moeder. Mijn zus. Margee. Sorry. Margee. Een offer. Dat was ze. Een offer aan haar eigen slechte impulsen en aan sociale stigma's die nergens op sloegen.' Hij verborg zijn gezicht in zijn handen. 'Had ik haar maar eerder gevonden. Nick, het spijt me. Je had hulp nodig met haar en kreeg die niet. Ik ben blij dat je hier bent, maar ik vind het zo erg dat zij er niet bij is.' Edwina liep naar hem toe en sloeg haar armen om zijn nek. Hij trok haar tegen zich aan en een poosje hielden ze elkaar vast. Ik was gewoon een vreemdeling die niet kon huilen, niet om hulp kon vragen, niet wist hoe dat moest. Ik stond daar buiten hun kringetje van troost en benijdde hen.

'Kom hier,' zei Al plotseling. Hij veegde zijn gezicht af en stak zijn hand naar me uit. Ik kreeg de kans niet terug te wijken. Hij sloeg een arm om me heen en bleef met de andere Edwina vasthouden. 'Als hier iemand sympathie verdient, ben jij het, Nick, niet ik.'

'Ik wil verdomme geen sympathie.' Mijn stem brak, maar ik bleef staan.

Al pakte me alleen maar nog steviger beet en knikte naar Edwina. 'Vertel Nick eens hoe het er bij ons aan toe gaat, en hoe wij willen dat de wereld wordt.'

Ze knikte. '*Allen voor één en één voor allen*. Zo simpel is het, Nicholas.' De zegening, de regels, de verwachtingen. Als ik wilde blijven, moest ik mijn aandeel leveren.

Ik haalde mijn schouders op. 'Als jou dat blij maakt, kan ik de coyoteschedels wel in een la bewaren.'

Ze glimlachte magertjes. 'Als je dat maar doet.'

Al en Edwina stelden me voor aan Edwina's familieleden, de Habershams. 'Noem het maar de buitensteedse try-out voor je sociale debuut,' zei Edwina wrang. 'Met andere woorden, als je van plan bent de klootzak uit te hangen, wil Al dat je eerst op míjn familie oefent.'

We vlogen naar Maryland. Al kocht een pak voor me. Ik gooide het weg in het toilet op het vliegveld en trok een spijkerbroek aan en een gerafeld spijkerjasje met *Diablo* op een van de schouders. Al keek even moeilijk, maar dwong zich toen tot een glimlach. 'Geen probleem. Ik geloof rotsvast in het afwerpen van tradities en het aanhouden van je eigen stijl.'

Edwina maakte het me minder gemakkelijk. 'Je bent ons tweehonderd dollar schuldig voor dat pak.'

'Alsof jij het geld nodig hebt. Ik had niet om dat pak gevraagd. Het is niet mijn stijl. Ik wil niet worden opgetut omdat Al zich anders voor me zou schamen.'

'Luister, Diablo, het is maar dat je de stormen van de dynamiek in dit gezin begrijpt; Al kocht dat pak voor je omdat hij dacht dat jíj je er beter in zou voelen. Hij deed het voor jou, begrepen? Niet voor zichzelf.'

Ik wist niet wat ik daarop moest zeggen en deed alsof het me niets kon schelen.

De Habershams stelden niets voor. Ze wierpen allemaal één blik op me, scheten in hun zijden onderbroeken en stortten zich op hun martini's. Zo kwam het toen tenminste op me over. Ik was inderdaad een klootzak en ik deed mijn best om hard te lijken; sprak zelfs met een sinister vleugje van de *barrio* in mijn stem, waardoor ik alleen maar klonk als Cheech Marin in een belabberde marihuanafilm.

Edwina dronk tijdens de vlucht terug naar Chicago twee gintonics, en zoog zelfs de gin uit de olijven. 'Ik zou zeggen dat het goed gegaan is.'

Al keek naar buiten en zei niets.

Ik voelde me slecht, maar zou dat natuurlijk nooit toegeven.

De familie Jacobs kwam daarna. Al hemelde me op alsof ik een kostbare schat was die hij op zolder had gevonden. Wat een lef. De meeste Jacobsen waren middenklasse-types uit het Midwesten, recht voor z'n raap, ofwel erg conservatief of erg katholiek of beide, en ik had al snel in de gaten dat Al het buitenbeentje was. Niet conservatief, bedoel ik. En ook niet bepaald godsdienstig, althans niet openlijk. Ik bewonderde Al wel omdat hij met een uitgestreken gezicht naast me bleef staan in de zaal van een hotel in de stad waar hij dat feestje gaf voor mijn zogenaamde thuiskomst. Maffe Al en Diablo.

Deze keer hield ik wel het pak aan. Edwina dwong me. Maar het hielp niet.

De helft van de Jacobsen zag eruit alsof ze bang van me waren; de andere helft huilde en bad en dankte diverse heiligen omdat die Al hadden geholpen mij te vinden. Hoe dan ook, het kon mij niet bekoren. Maar ik hield mijn mond en verpestte Als feestje niet door die ene vraag te stellen waarop ik een antwoord wilde: *Waarom kon mijn moeder op niemand van jullie bouwen?*

Uiteindelijk zette een kromgebogen oud vrouwtje in zwarte gabardine en met een hoed met bloemen op haar hoofd me klem. 'Je haat en vreest ons allemaal,' fluisterde ze met een zwaar Pools accent. 'Lieg niet tegen me, want ik zie het.'

Na een ogenblik waarin ik mijn mogelijkheden overdacht knikte ik. Ze pakte mijn handen beet met haar blauwgeaderde klauwen en drukte een rozenkrans met zwarte kralen in mijn handpalm. 'Deze heb ik helemaal uit het oude land meegebracht. Hij is van mijn moeder geweest en daarvoor van haar moeder. Ze bevatten de gebeden van onze familie. Je moet vertrouwen hebben in onze familie – in jouw familie,' fluisterde ze, 'en als je de moed hebt verzameld om de waarheid te horen over je arme moeder, vraag het dan aan mij. Vraag het niet aan de anderen. Ik ben de enige die het weet.'

Ze was mijn oudtante Sophie, de laatste van de Jakobek-immigranten.

En ze had gelijk. Ik was destijds zo bang dat ik de moed niet had het haar te vragen.

En trouwens, ook later niet.

Nobele arrogantie is een harde noot om te kraken.

Al was van het rustige, serieuze type, maar Edwina was een zevenklapper. Nuffig en ijdel en zelfvoldaan. Maar geen geouwehoer en geen verborgen agenda's. Ze schreeuwde tegen me in het Latijn en ik leerde voldoende Latijn om terug te schreeuwen. Ze sleepte me mee naar de rechtbank om een oogje op me te houden, dus was ik er de eerste vijf maanden van mijn leven in Chicago getuige van hoe zij en Al hun werk deden. Ze hadden een missie. Ze kwamen op voor idealen die ertoe deden – waarheid, gerechtigheid, de Amerikaanse manier van doen, wat dat ook mag betekenen in de loopgraven van het echte leven.

Je moet je Edwina voorstellen in de rechtbank, gekleed in keurige jasjes met grote strikdas en van die rokken tot halverwege de kuiten die vrouwen in de jaren zeventig droegen. Ze zag eruit als een strenge blonde bibliothecaresse, maar ze was fantastisch. Met haar adellijke Maryland-accent deelde ze zo snel complexe aanklagersklappen uit dat de mensen niet wisten wat hen overkwam. Ik vond het heerlijk om kloterige verdedigers naar haar te zien gapen. Die stommeriken maakten nooit een schijn van kans. Al was op zijn eigen manier net zo indrukwekkend. Hij zette zijn eindpleidooien om in toespraken ten behoeve van de mensheid. Aan het eind van een typische rechtszaak wisten de juryleden misschien dan wel niet zeker of woekeraar Lonnie tien jaar cel verdiende omdat hij iemands knieschijven had gebroken; ze wisten verdorie wel dat elke Amerikaan een grondwettelijk recht had op een leven, vrijheid en een paar knieën die alleen de goede kant op konden worden gebogen.

Elke avond na het eten zat ik met Al en Edwina aan hun vergulde eettafel, waar ze de zaken bespraken die ze hadden gewonnen en verloren. 'Wat vind jij ervan, Nick?' vroegen ze me steeds en uiteindelijk begon ik hun, zo beleefd als ik kon, te vertellen dat ze naïef waren en geen idee hadden hoe slecht de meeste mensen werkelijk waren. De meeste mensen, zei ik, verdienden erger dan wat ze kregen.

'Nicholas zou iedereen ophangen,' zei Edwina vaak. Ze vond mijn filosofie – oog om oog, tand om tand – wel grappig.

Al niet. 'De beschaving is gebouwd op hogere normen dan wraak. Mensen met een goed geweten moeten die normen hoog houden, ook als hun emoties hun anders adviseren. Ook als het onderwerp van hun ethische overweging het niet verdiend heeft. De maatschappij als geheel verdient beter dan onze basale instincten.'

Waarop mijn basale antwoord altijd luidde: 'Sommige klootzakken zijn gewoon slecht, en die moeten gedood worden.' Dat zette Al altijd aan tot een heftige kruistocht om mijn hogere bewustzijn tot andere overtuigingen te brengen. Ik liet hem maar praten. We waren opgegroeid aan verschillende kanten van het riool dat door de levens van fatsoenlijke mensen stroomt. Ik zei het nooit, maar mijn motivatie kwam altijd voort uit simpele ellende.

Als ik alle mannen had gedood die van mijn moeder een verslaafde society-hoer hadden gemaakt, zou ze nu misschien nog leven.

Al en Edwina geloofden in het 'systeem' – dat vage systeem volgens welk mensen met elkaar instemden over alles wat goed en heilig was. Ze geloofden in elkaar. Ze geloofden zelfs in mij, al maakte ik het hun niet gemakkelijk.

Op een dag hing ik achter in een bijna lege rechtszaal terwijl Edwina een jury ervan probeerde te overtuigen dat ze een loser die het leuk vond zijn vrouw te slaan moesten veroordelen. Ze hield een van haar feministische hoera-hoera-toespraken. Achter me hoorde ik een kerel mompelen: 'Ja, bla bla bla. Die slapjanus van een echtgenoot van je zou jóú eens een paar keer tegen je dikke kont moeten slaan, dame.'

Ik draaide me om en zag een vlezige pad die wat op een verslaggeversblocnootje zat te krabbelen. Hij voelde mijn blik en keek op met een glibberige uitdrukking in zijn ogen. 'Had je wat, lummel?'

'U hebt het over mijn oom en tante.'

'O? Hé, dat wil zeggen dat jij Al Jacobs waardeloze bastaardneefje bent.' Hij glimlachte. 'Ik heb over je horen praten, joch. Het smerige familiegeheimpje van deugdzame Al Jacobs. Is je moeder niet in Mexico de pijp uit gegaan met een naald in haar arm en een rijke Mexicaan tussen haar benen?'

Ik sloeg hem op zijn gezicht. Er stroomde bloed tussen zijn tanden door en een van zijn voortanden viel uit zijn mond. Hij rolde met zijn ogen en klapte met zijn voorhoofd tegen de rugleuning van de bank waarop ik zat. Edwina, de rechter, de juryleden, de gerechtsdienaren, de vrouwenmepper, zijn advocaat en de echtgenote kwamen allemaal dichterbij. Ze wisten niet wat er gebeurd was.

'Haywood Kenney,' fluisterde een van de juryleden. 'Misdaadverslaggever van de *Tribune*. Misschien is hij dood.'

'Ik hoop het,' fluisterde een ander jurylid. 'Hij woont in hetzelfde appartementencomplex als ik. Een echte zak.'

Haywood Kenney lag met zijn hoofd tegen een oudere zwarte man die toevallig naast hem zat. De oude man duwde Kenney van zich af. 'Valse blanke,' zei hij.

'Wat is hier gebeurd?' vroeg de rechter. Hij porde Kenney met zijn hamer. 'Kenney, ik wil geen bloed in mijn rechtszaal.' Hij mocht Kenney ook niet.

Ik keek recht in Edwina's bezorgde ogen en stond op het punt te bekennen dat ik de klootzak had geslagen, toen de oude man zei: 'Hij viel flauw, edelachtbare. Ik heb het zien gebeuren. Hij viel gewoon voorover, met zijn gezicht op de leuning. Die jongeman probeerde nog hem op te vangen, maar het was al te laat.'

De rechter keek mij, de oude man en Kenney scherp aan. 'Klinkt redelijk,' zei hij. 'Er is geen lid van de pers dat het meer verdient dan hij.' Edwina knikte.

'Stilte,' zei de rechter. 'Laat iemand zijn pols controleren.'

Edwina drukte haar vingers tegen zijn keel. 'Hij overleeft het wel.'

'Jammer,' zei de oude man.

Toen Kenney bijkwam, wierp hij een lange, wazige blik op de waarschuwende gezichten van de onvriendelijke rechter, de gniffelende gerechtsdienaren, de koppige oude man, Edwina en mij, raapte toen zijn tand op en hield zijn bloedende mond dicht. Maar op een dag, niet lang daarna, liep hij mij en Edwina in de gang van een rechtbank voorbij met de woorden: 'Wacht maar af. Ooit zal ik jou en Al en dat liefdadigheidsgeval van een bastaardneefje van jullie krijgen.'

Edwina trok een wenkbrauw op. 'Je bent bijna net zo angstaanjagend als de boze heks van het westen. "Ik zal je krijgen, Dorothy, en je hondje ook." Hoe dan ook, ik heb geen idee waar je het over hebt, meneer Kenney, maar de volgende keer zul je meer dan één tand moeten laten repareren.' Daarna liep ze weg, mij achter zich aan sleurend.

'Ik geloof dat het tijd wordt dat we erop aandringen dat je je energie ergens anders benut dan in de rechtszaal,' zei Al. 'Edwina kan wel op zichzelf passen en jij moet iets te doen hebben dat opbouwender is dan verslaggevers bewusteloos slaan. Er zijn te veel Haywood Kenneys in de wereld om jezelf erop toe te leggen hun tanden te herschikken.' Hij zei dat alles met een arm om mijn schouder en voegde er toen aan toe: 'Dus is het tijd, kerel, dat we je opsluiten. We sturen je naar de middelbare school.'

Dat hield ik niet vol – ik had nooit langer dan een paar maanden op een echte school gezeten en sinds we naar Mexico waren verhuisd helemaal niet meer. 'Ik kap hiermee,' zei ik na de eerste week tegen mezelf en ik nam de bus naar het zuidelijke deel van de stad, loog over mijn leeftijd en kreeg een baantje als vilder van stierenkarkassen in een vleesverwerkend bedrijf. Al was woest toen hij erachter kwam.

'Je hebt tegen me gelogen. Doe dat nooit meer. Sorry, kerel, maar je moet naar school.'

'Ik hoef niet in een klaslokaal te gaan zitten luisteren naar leraren die nooit ergens zijn geweest en niets anders hebben gedaan dan hun eigen rotzooi opruimen. Je kunt me niet als een aap in een kooitje zetten.'

'Laat dan voordat je arrogantie je kijk op het leven grondig verstoort, jezelf in elk geval testen, zodat we weten in hoeverre je in staat bent je eigen bananen te tellen, meneer Aap.'

'Kom maar op.'

Ik liet me testen. Ze wisten niet dat mijn moeder, als ze nuchter was, me in contact bracht met pientere, hoogopgeleide mensen, en dat ze me stimuleerde van hen te leren. Bovendien hield ik van lezen. En had ik veel opgestoken van behulpzame vrouwen, maar dat laatste zou ik Al en Edwina natuurlijk niet vertellen. Een hoogleraar wiskunde aan de Universidad del Sol had me algebra en trigonometrie geleerd en me toen mee naar bed genomen. Ik was twaalf toen ze een man van me maakte, zogezegd. Bij God, ik wist hoe je een vergelijking moest oplossen in bed. Sommige lessen vergeet je nooit meer.

Ik maakte de tests dus, en iedereen was geschokt. Ik was goed genoeg om les te krijgen op universitair niveau, vooral in wiskunde.

‘Onze tieneraap heeft een behoorlijk stel hersenen,’ zei Edwina tegen Al, terwijl ze mij met een vinger porde, als om te kijken of er apenvacht onder mijn kleren zat. Daarna vroeg ze aan mij: ‘Goed dan, wat wil je worden als je later groot bent, aapjongen?’

‘Ik heb geen idee.’

‘Je zult door koeien te villen ook geen ideeën krijgen.’

‘Ik ben niet zoals jij en Al. Ik weet niet hoe ik de wereld moet redden zoals jullie dat voor het OM doen.’

‘Je weet niet eens hoe je de koeien moet redden.’

Dat was waar, maar ik kreeg mijn diploma voor de middelbare school zonder ooit weer in een klaslokaal te hoeven zitten, en ik weigerde te luisteren toen ze me aanmoedigden een paar universitaire cursussen te proberen. Ik werkte bij de vleesverwerking en bleef op mezelf, spaarde geld, stond erop Al en Edwina huur te betalen, maakte hen woedend maar won evengoed schoorvoetend hun respect, zoals zij het mijne wonnen. Ik leidde een verborgen leven tussen hun grote kring intelligente vrienden en verfijnde interesses en de donkere, met bloed besmeurde wereld van mijn werk, waar zelfs de gemeenste kerels aan de lopende band me met rust lieten nadat ik een paar tanden had uitgeslagen.

Hij is hopeloos gewelddadig en op zichzelf, zei iedereen tegen Al. *Je zult nog eens spijt krijgen van je liefdadigheid.*

Waarom heb je nog steeds die lelijke coyoteschedels in je ladekast liggen? vroegen Edwina’s elegante zusters me nerveus. Edwina had hun mijn schedels laten zien zonder mijn toestemming. Destijds zag ik dat als een ernstige inbreuk op mijn vertrouwen in haar en Al.

Omdat zij de enige familieleden zijn die ik echt kan vertrouwen, zei ik.

Ik was zeventien en werkte nog steeds in de vleesverwerking, ik had geen grote plannen en kon nog steeds niet beslissen wat of wie ik wilde worden. Al en Edwina hadden hun pogingen me milder te maken, me op te poetsen of me ervan te overtuigen dat ik het grote geheim van gemoedsrust misschien zou kunnen ontdekken in een klaslokaal, bijna opgegeven. Ik had een hoop geld gespaard zonder er echt een doel voor te hebben. Ik kocht alleen een nieuwe fluit en een 35mm camera met donkere-kameruitrusting. Ik maakte foto’s van gebouwen en runderkarkassen en knappe meisjes en mannen aan de lopende band die me dreigden mijn ballen af te zullen snijden als ik *nog één keer met die verrekte camera kwam aanzetten*, wat de hobby een gevaarlijk tintje gaf en dat sprak me wel aan.

Maar diep in mijn hart haatte ik mezelf, en haatte ik de duistere leegte van de onzekerheid die me maar niet wilde vertellen waar ik thuishoorde. Dus ik was van plan de wereld te redden ter ere van mijn moeder? Hoe? Wanneer? Verdorie, tot dusver had ik nog niks gedaan. Ik had de melodramatische hints van oudtante Sophie weggewuifd, maar diep vanbinnen wilde ik het wel degelijk weten.

En toen kregen we dat telefoontje.

Sophie lag op sterven en ze wilde me zien.

Dus ging ik.

Ik zat naast haar bed terwijl een achterkleindochter om ons heen bleef hangen, en bezorgd van mij naar Sophies verschrompelde gezicht keek. Alsof ik de oude dame iets zou aandoen.

Sophie keek haar eindelijk aan met alle afkeer die ze kon opbrengen. 'Ga de kamer uit, je hindert me,' beval ze. 'Denk je soms dat ik bang ben van Nicholas? Doe niet zo belachelijk.'

De achterkleindochter zuchtte en deed de deur achter zich dicht.

Sophie en ik keken elkaar even aan. 'Dank u,' zei ik nors.

'Je hebt mijn rozenkrans aan je spiegel hangen. Ik heb het aan Aleksandr gevraagd. Hij heeft het me verteld.'

Ik klemde mijn handen om mijn knieën. 'U zei me dat ik vertrouwen moest hebben in onze familie. Dat probeer ik nu al drie jaar, maar ik hoor er nog steeds niet bij.'

'Maar je wílt er wel bij horen. Je bent loyaal tegenover Al en Edwina. Dat kan iedereen zien.'

Ik haalde mijn schouders op. 'Zij accepteren mij, ik accepteer hen.'

'Dat is niet genoeg. Stel de vraag die je het meeste vreest. Stel je hart open.'

'Wat is er werkelijk gebeurd, waardoor mijn moeder hier is weggegaan?'

Sophie dacht even na, hief toen een kleine, uitgedroogde hand en legde die over een van de mijne. 'Je moeder en Aleksandr zijn opgevoed door hun vader en ze waren dol op hem, maar hij was erg streng.'

Ik knikte. 'Al heeft me over hem verteld.' Mijn grootvader was al jaren dood toen Al me vond. Al zei dat hij een fantastische man was geweest, had zijn portret in de woonkamer hangen, en zei dat de oude man de moed had gehad naar zijn overtuigingen te leven.

'Iedereen heeft geprobeerd haar te vinden toen ze was weggelopen,' ging Sophie verder. 'Haar neven en nichten, die arme, bezorgde Aleksandr, en alle andere familieleden. Ze hebben jarenlang gezocht. Niemand kon begrijpen waarom ze dacht dat ze geen andere keus had dan weg te lopen en nooit meer thuis te komen met haar baby. Zonden zoals die van haar worden gemakkelijk vergeven door aardige mensen. Wij zíjn aardige mensen. We hielden van Margisia. *Waarom, waarom, waarom was ze weggelopen?* vroeg de hele familie zich af.'

'Mijn moeder zei alleen dat ze niet terug kon. Dat ze zwanger was geraakt zonder echtgenoot en dat ze wist dat ze thuis niet meer gewenst was.'

'Arme Margisia.' Sophie zweeg even om op krachten te komen. 'Wat ik je nu ga vertellen, weet niemand behalve ik. En ik laat jou de keus of je het aan Aleksandr en de anderen vertelt. Het zou Aleksandrs hart breken, en ik weet dat wat ik ga zeggen jou ook pijn zal doen, maar de pijn die je zou voelen als je je familie haar verdriet kwalijk blijft nemen, zou veel groter zijn.'

'Vertel het me,' zei ik.

Sophie sloot haar ogen, opende ze toen weer en keek me met harde, trieste vastberadenheid aan. 'Haar vader zei dat ze niet terug naar huis mocht komen tenzij ze haar baby weggaf. Hij schold haar uit, zei dat ze haar leven had verpest. Zei dat ze zijn hart had gebroken en dat hij haar nooit zou vergeven. Hij zei dat hij nog liever haar kind in de rivier zou gooien dan een bastaard onder zijn dak groot te brengen. Hij zei dat als ze de baby niet weg wilde geven, ze maar moest vertrekken en nooit meer terugkomen. Ik weet het. Ik was erbij toen hij die vreselijke woorden tegen haar zei.'

Ik bleef lange tijd met gebogen hoofd zitten. Ik zei niets, wilde ook niets voelen, want op dat moment wist ik hoeveel mijn moeder had opgeofferd om mij te kunnen houden, hoe beroerd ze het er verder ook van had afgebracht. In zekere zin wás ik als kind weggegeven en het deed pijn om de waarheid te horen. Toen ik Sophie weer aankeek, hijgde ze lichtjes, maar keek ze me scherp aan. 'Nadat je moeder was verdwenen, heeft je grootvader haar naam nooit meer uitgesproken. Hij werd verteerd door spijt. Niemand behalve ik weet dat hij aan een gebroken hart is gestorven.'

'Iedereen in de familie eert de herinnering aan hem. En in Als ogen was hij bijna een god.'

'Ja. Nu is het aan jou om te beslissen of je Aleksandr de waarheid vertelt, of dat je hem eigenlijk wel iets moet vertellen. Maar

geen bittere gevoelens meer tegenover deze familie, oké?'
Ik stond op, boog me over haar heen alsof ik een buiging voor haar maakte en hield haar frêle hand vast. 'U bent mijn oudtante Sophie,' zei ik simpelweg, 'en ik vertrouw u.'
Haar ogen glommen.
Ik heb Al nooit verteld wat zijn vader mijn moeder, en daardoor mij, heeft aangedaan. Dat was niet nodig. Ik wilde het ook niet. Je doet de mensen van wie je houdt geen pijn.
Ik had nu een familie.

Het was niet zo dat Sophies bekentenis ineens een ander mens van me maakte, maar ik had wel het gevoel dat er een goede reden was waarom ik door Al was gered, en ik wilde dat hij en de andere Jacobsen trots op me zouden zijn. Ik was achttien en stond op een gegeven moment voor een winkelruit in de stad naar een wervingsposter van het leger te staren alsof ik door de bliksem getroffen was. De oorlog in Vietnam was voorbij, maar had een nare smaak in de mond van het publiek achtergelaten. Het leger leek sinister. De mensen noemden de generaals leugenaars, evenals Nixon, en een carrière als soldaat leek dwaas. Al had tijdens zijn studietijd bij de Nationale Garde gediend, en geworsteld met zijn eigen haat tegen de oorlogsmachine versus het feit dat twee van zijn favoriete neven bij de mariniers waren gedood, en hij niet. 'Het is niet de schuld van de soldaten dat die verdomde politici en generaals hen daarheen hebben gestuurd om te doden en gedood te worden zonder fatsoenlijke reden,' schreeuwde hij soms, misschien uit schuldgevoel.
Mijn kijk op de dingen was simpeler.
Een jonge commandosoldaat met een kaak als een buldog keek me vanaf de wervingsposter aan. Hij droeg een gala-uniform, inclusief een zwaard. De slogan op de poster luidde: KOM BIJ DE COMMANDO'S. DE OPPRESSO LIBER. OM DE ONDERDRUKTEN TE BEVRIJDEN. De rillingen liepen over mijn rug. Ik zou een soldaat kunnen zijn. Een krijger. Een samoerai. Een ridder op het witte paard. Ik zou de onderdrukten bevrijden. Dan zou niemand me nog vragen hoe ik over de dingen dácht, of zeggen dat ik moest proberen in de gewone wereld te passen. Commando's hoefden helemaal niets te voelen, hoefden nergens bij te passen. Ze werden verondersteld anders te zijn. Ze moesten alleen hun werk doen.
De wereld redden.
Ik liep het wervingskantoor binnen en ging bij het leger.

'Ik heb eindelijk een missie gevonden,' zei ik die avond tegen Al en Edwina. 'Ik ga bij de commando's.'

'Kun je niets beters?' schreeuwde Edwina. 'Wil je naar exotische plaatsen reizen om exotische mensen te doden?' Vervolgens barstte ze in tranen uit. In de vier jaar dat ik bij hen woonde, had ik haar nooit zien huilen. Ze was bij het openbaar ministerie weggegaan om als advocate te gaan werken voor een groep die streed voor burgerlijke vrijheid. Ze had naam gemaakt in de stedelijke politiek. Al ook. Hij had de rechtbankverkiezingen gewonnen. Rechter Al, noemde ik hem soms. 'Je hebt een goed hart, maar je levensfilosofie is verkeerd,' kreunde ze, 'en het leger zal je veranderen in iemand die wij niet meer herkennen.'

Al reageerde minder emotioneel, maar was net zo van streek. 'Ik heb respect voor het militaire apparaat, Nick, maar geen vertrouwen in de mannen die het nu leiden. Het leger is niet de nobele leefwijze die jij erin ziet. Bovendien heb je een hekel aan regels, en vind je het vreselijk om te leven naar de alles-volgens-het-boekjementaliteit van anderen. Waarom wil je dan in godsnaam deel gaan uitmaken van het strengst gereglementeerde, anachronistische, zielloze en hersenloze instituut dat de mens ooit heeft geschapen?'

Het maakte allemaal niets uit wat ik daarop antwoordde. Ik pakte mijn plunjezak in en ging midden in de nacht weg, toen zij lagen te slapen. Ik liet een briefje achter voor Edwina.

Je kunt de coyoteschedels weggooien als je wilt.

Een week nadat ik aan de basistraining was begonnen kreeg ik een pakketje van haar en Al. Het zal vol met die grappige, gewone dingen die families naar soldaten sturen – koekjes en nieuwe sokken, een goed scheermes, een doos briefpapier, en de rozenkrans die oudtante Sophie me had gegeven.

Er zat een briefje van Al bij. *Denk je dat je zo gemakkelijk van ons afkomt?* schreef hij. *Ik heb toch gezegd dat je ons niet moest onderschatten.* En er zat een foto bij van mijn slaapkamer, die er al lang niet meer meisjesachtig uitzag.

Edwina had de coyoteschedels aan de muur gehangen.

7

WAPENSPECIALIST NICHOLAS JAKOBEK, DAT WAS IK. SERGEANT Nick Jakobek van de commandotroepen. Het was 1981. Ik was drieëntwintig jaar oud, een meter drieënnegentig lang en ruim honderd kilo zwaar, niets dan spieren. Mijn carrière in het leger duurde nu vijf jaar en ik was redelijk tevreden. Ik had nog niemand gedood, maar wist wel hoe het moest – ik had me heel wat technieken meester gemaakt, naast mijn onmiskenbare talent met elk wapen in het arsenaal van het Amerikaanse leger. Ik was zelfs aan het studeren om een universitaire graad te behalen, al ging dat langzaam. Wanneer ik verlof kreeg om Fort Bragg, North Carolina te verlaten, vloog ik naar huis, naar Chicago. Al en Edwina keurden mijn carrière nog steeds niet goed, dus praatten we in plaats daarvan over hun carrières. Ze klommen op de ladder in de staatspolitiek. Er was sprake van dat Al zich kandidaat zou stellen voor het Congres.

'Niet slecht voor een domme jongen en een zwangere vrouw,' zei Al.

'Val dood, papa-san in spe,' pareerde Edwina, waarna ze hem kuste. Zij en Al waren nu halverwege de dertig en ze probeerde al jaren zwanger te worden. Ze hadden de moed al bijna opgegeven toen het eindelijk prijs was. Nu liep Edwina rond als een ballon op pootjes. Toen ik dat najaar in het appartement arriveerde, had ze nog twee weken te gaan en was ze net met zwangerschapsverlof. Ze begon me meteen te commanderen. 'Jouw missie, sergeant Nick, is mij elke dag naar het park te helpen waggelen voor wat lichaamsbeweging.'

'Doen we. Zolang je maar niet boven op me valt.'

Ze zei een paar lelijke dingen in het Latijn.

De volgende dag trokken we dikke truien en joggingbroeken aan, en stapten het drukke trottoir voor het appartementencomplex op. Al was naar de rechtbank. Edwina bleef dicht achter me. Het was lunchtijd en dus druk op straat, maar ik maakte de weg voor haar vrij. De mensen gingen gewoonlijk opzij als ze mij zagen aankomen. 'Kijk eens hoe de mensen ons ontwijken,' zei ik over mijn schouder. 'Ze zijn bang dat je in een menselijke bowlingbal zult veranderen.'

'Nick.' De vreemde klank in haar stem maakte dat ik me onmiddellijk omdraaide. Ze was midden op het trottoir stil blijven staan en wees naar beneden. Grote vlekken verspreidden zich over de pijpen van haar donkere joggingbroek. 'Mijn vliezen zijn gebroken. Bel een taxi.'

Ze klonk heel kalm. Ik leidde haar naar een lantaarnpaal. 'Hou vast.' Ik wenkte een taxi, zette haar op de achterbank met haar voeten omhoog, en kroop toen zelf voorin. 'Cook County. Snel.'

'Ik ga níét naar het staatsziekenhuis,' klaagde Edwina luid. 'We nemen er gewoon de tijd voor en rijden door naar...' Haar stem ging over in een scherp hijgen en ze greep naar haar buik.

'Cook County,' zei ik nogmaals tegen de chauffeur. 'Snel.'

Wat daarna gebeurde klinkt misschien als een slechte mop, maar het is echt waar. Het verkeer in Chicago is in staat alles stil te zetten, behalve de tijd. Onze taxi kwam op weg naar het ziekenhuis vast te zitten in een verkeersopstopping, zonder enige hoop dat we eruit konden komen, en tegen die tijd lag Edwina te kreunen en tegen de leuning van de achterbank te slaan. 'Probeer via je radio een politieagent hier te krijgen,' zei ik tegen de taxichauffeur, waarna ik uitstapte. Ik opende het achterportier en staarde naar het doorweekte kruis van haar joggingbroek. Ik kon een snelstromende rivier oversteken met vijftig kilo bepakking op mijn rug, dagenlang in de woestijn overleven op cactusbladeren en mijn eigen urine, elk wapen dat in de moderne krijgskunde bekend was in elkaar zetten, en een doel in mijn vizier nemen dat niet groter was dan de ballen van een mier, maar ik had geen idee wat ik met Edwina's kruis moest doen.

'De baby komt nú,' hijgde ze.

'Nee. Hou vol. Denk aan iets anders.'

'Zo werkt het niet, Nicholas. Stap in en trek mijn broek uit.'

Ik knielde tussen haar opgetrokken benen, haakte mijn vingers in haar kleren en trok haar broek tot halverwege haar benen omlaag. En daar hield ik op.

'In godsnaam, trek mijn onderbroek ook uit! Het kan me niet schelen dat je mijn reet ziet en het hele pretpark dat eromheen ligt! Trek mijn kleren uit!'

'Oké. Rustig aan.' Met een paar snelle rukken trok ik alles tot op haar enkels omlaag en probeerde toen alleen naar haar gezicht te kijken.

Verhit en hijgend wees ze in de richting van haar bovenbenen. 'Volgens mij staat het hoofdje van de baby al! Vertel me wat je ziet!'

Ik begon te zweten. Mijn handen beefden. Ik duwde voorzichtig haar dijen uit elkaar en keek naar het puilende, bewegende tafereel ertussen. Edwina schreeuwde en kreunde. De bloederige schedel van de baby verscheen. 'Ik heb oogcontact,' zei ik luid.

Edwina gilde, kreunde, kromde haar rug en schokte. 'Hou je handen eronder. Vang de baby op!'

Ik bracht mijn tot een kommetje samengevoegde handen ter plaatse en bij God, er geschiedde een wonder. Ze werden gevuld door een piepklein meisje, dat een beetje bewoog. Edwina liet zich hijgend en steunend neervallen en probeerde haar hoofd voldoende op te tillen om te kunnen zien wat – wie – ik vasthield. 'Geef me de baby... langzaam... Nicholas. Voorzichtig.'

'Ik heb haar,' zei ik. 'Maak je geen zorgen.'

'Haar. Haar!' zei Edwina zacht. 'Een meisje. Ik moet Al vertellen dat we een dochter hebben.'

Het onbehaaglijke gevoel was op slag verdwenen. Ik legde de baby voorzichtig op Edwina's borst, mijn onbehagen vergeten, hield de baby met mijn ene hand tegen en veegde met de andere hand het bloed en slijm uit haar gezicht. Ze opende haar slaperig uitziende ogen en leek me recht aan te kijken. Ik was het eerste wat ze op aarde zag. 'Hallo,' fluisterde ik.

'Hallo,' zei een grote, zwaargebouwde politieagent achter me. Hij keek de auto in. Ik probeerde Edwina's naaktheid af te schermen met de baby en mijn handen. De agent grinnikte. 'Hallo, mevrouw Jacobs. Charley Grimoldi. Ik heb een paar jaar geleden getuigd in de zaak-Lakenhower.'

'Hallo, agent Grimoldi. Kunt u een ambulance voor me bellen, alstublieft?' Edwina klonk weer volmaakt kalm. Goeie ouwe Edwina. Ik trilde als een espenblad. Mijn kleine nichtje en ik bleven elkaar aankijken. Ja, ik weet heus wel dat baby's nog niet goed kunnen zien wanneer ze net geboren zijn, maar ik weet zeker dat ze mijn bedoelingen voelde. In haar hart was ze het eerste menselijke wezen dat me aankeek met niets anders dan vertrouwen en nieuwsgierigheid.

'Ontspan je maar, jongen,' zei de agent tegen me. 'Er is hulp onderweg. Ze zullen zo hier zijn.'

Maar ik bleef de baby vasthouden. Edwina stak haar handen naar haar uit en streelde haar hoofdje. 'O, o, o. Help me eens een beetje overeind, Nicholas.' Ik hielp Edwina in zittende houding. Ze tilde haar dochter met beide handen op. 'Ze is helemaal perfect, Nicholas. Helemaal perfect. Dank je dat je haar op de wereld hebt geholpen.'

Ze huilde van blijdschap. De baby jengelde zacht.

Ik glimlachte.

Ik stond die avond in mijn eentje voor de ingang van het ziekenhuis een sigaar te roken die Al me had gegeven en tevreden naar de zilverkleurige wolkjes van mijn eigen adem in de koude avondlucht te kijken. De geluiden van de stad leken vol en rijk om me heen. Leven. 'Hé, dokter Jakobek,' zei Al toen hij bij me kwam staan. Hij duizelde van opwinding, grinnikte en sloeg me op mijn rug.

Ik haalde mijn schouders op. 'Ik heb haar alleen maar opgevangen.'

Hij sloeg een arm om mijn schouder. Daar moest hij nu voor omhoog reiken. 'Hou je mond, sergeant. Aanvaard je lof.' Hij keek me met ernstige genegenheid aan. 'Ik dank je, Edwina dankt je en je nieuwe nichtje dankt je.'

'Zeg het maar niet tegen Edwina, maar ik hoop dat ik haar kruis nooit meer hoef te zien.'

Al lachte tot de tranen over zijn wangen rolden. 'Kom binnen. We willen je wat vertellen.'

Ik wierp hem argwanende blikken toe terwijl ik hem naar binnen volgde en we met de lift naar de kraamafdeling gingen. Edwina glimlachte vermoeid naar me vanuit haar bed in de eenpersoonskamer. Ze koesterde de baby, die in een dekentje gewikkeld was. Al ging naast hen op het bed zitten. Ik hield wat afstand, bijna alsof ik in de houding stond. Ze waren een drietal. Ze hadden wat privacy nodig.

'We hebben haar een naam gegeven,' zei Edwina.

Ik gromde. 'Goed, dan hoef ik haar niet te roepen met "Hé, jij daar."'

Al en Edwina wisselden een tedere blik. 'Vertel jij het hem maar,' zei Edwina.

Al knikte en keek me aan. 'Haar eerste naam is Edwina. Raad eens naar wie ze vernoemd is.'

'Verstandige keus.'

'Haar tweede naam is... Margisia. Naar haar tante. Je moeder.'

Ik moest een paar seconden de andere kant uit kijken, ademde toen uit en keek weer naar hen. 'Dat is ook een goede.'

'Maar natuurlijk is ze heel bijzonder en heeft ze drie namen nodig. Dus zal ze ook Nicola heten. Ter ere van jou.'

Ik moest weer mijn blik afwenden, dit keer langer. Na een paar keer diep ademhalen ging ik wat dichter bij hen staan en keek ik naar de baby. 'Edwina Margisia Nicola Jacobs.' Ik sprak haar volledige naam hardop uit – doopte haar, op mijn manier. 'Eddie,' besloot ik.

'Eddie!' stemde Al met me in.

Edwina rolde met haar ogen. 'Edwina junior wordt geen Eddie genoemd!' En ze begon te leuteren over Eddies toekomst en hoe onwaardig het was om een bijnaam te hebben die klonk als die van een honkballer of een bookmaker, terwijl Al af en toe maar eens geduldig knikte en ik heel voorzichtig met het tipje van mijn wijsvinger het puntje van Eddies zachte neusje aanraakte. Ik deed haar een belofte.

Ik zal zorgen dat de wereld veilig voor je is, kleine meid.

1984. Ik was nu eerste luitenant Nick Jakobek, net klaar met de officiersopleiding en met een vers doctoraal op zak. Officier én afgestudeerd. De eer voor die fase van mijn leven gaat naar Eddie. Haar geboorte en de drie vredige jaren die volgden veranderden me vanbinnen. Ook al was dat tijdelijk.

Al en Edwina verafgoodden Eddie, en ik ook, op mijn manier. Ze was een schatje. Ze had grote blauwe ogen en goudbruin haar, een compromis tussen het blond van Edwina en het donkerbruin van Al. Zodra ze begon te praten, noemde ze me *Nicky*. Vaak zag ik haar maanden achtereen niet, maar ik hoefde maar binnen te komen lopen en ze rende met gespreide armen op me af. 'Nicky!' En dan kon ik het niet laten haar op te pakken en tegen me aan te drukken.

'Niet verkeerd, dat kindje van jullie,' zei ik tegen Al en Edwina.

Ze lieten zich niet voor de gek houden. 'Stap uit dat verdraaide leger,' preekte Al. 'Zoek een vrouw. Koop een huis. Je bent dol op kinderen. Begin zelf een gezin.'

Niets van dat alles stond voor mij in de sterren. Ik sliep met het soort vrouwen dat snel vertrok en schade achterliet. Ik kon hen wel aan. Ik begreep hen. Ze waren voorspelbaar onbetrouwbaar. Bovendien kon ik me niet voorstellen dat ik eigen kinderen had die ik moest beschermen. Een kind verdiende totale liefde en toewijding. Ik was bang om zoveel van iemand te houden. Eddie kwam al dichtbij genoeg.

Zo vaak als Al en Edwina me nog probeerden over te halen te trouwen en uit het leger te stappen, praatten ze nu ook over een verandering in hun eigen leven. Het werk van Al had een duistere kant gekregen. Dat voorjaar was een vooraanstaande rechter veroordeeld omdat hij zich had laten omkopen. Al had het bewijs tegen hem helpen verzamelen. Mijn oom was kort na de geboorte van Eddie voor het ministerie van Justitie gaan werken. Edwina zou met hem zijn meegegaan als ze de baby niet hadden gehad.

'Een van ons moet in leven blijven voor Eddie,' zei ze.

Het niveau van corruptie was één grote stinkende mesthoop. Rechters, griffiers, politieagenten, advocaten – allemaal als dieven ontmaskerd.

'Ze zijn een schande voor het systeem en een bedreiging voor de fundamentele integriteit van de wet,' zei Al. 'Er is nog veel meer te doen voor de troep is opgeruimd. Er kunnen nog wel twintig of dertig machtige mannen worden aangeklaagd voor dit allemaal voorbij is.'

'Je zou vermoord kunnen worden,' antwoordde ik. 'Het zou me niet verbazen als iemand daarbuiten zou vermoeden dat jij de verklikker bent.'

'Wie, ik? Ik ben gewoon maar een brave rechter. Niet de moeite waard.'

Die zomer hing iemand een briefje op de voorruit van de kleine sedan die Al na jaren van smog-bewust bus- en treingebruik had gekocht.

Je gaat eraan, vuile verrader.

Ik vroeg om extra verlof en kwam voor een maand naar huis. Elke morgen begeleidde ik Al en Edwina naar een taxi die buiten stond te wachten, en elke avond van de rechtbank naar een taxi die hen naar huis bracht. In de tussentijd zat ik op een bankje tegenover het kinderdagverblijf van Eddie. 'Dit is belachelijk, Nick,' zei Al op rustige toon. 'Je hoeft je nergens zorgen om te maken. We hebben politiebescherming. Bovendien was het een loos dreigement.'

‘Loze dreigementen bestaan niet.’
‘Luister, ik kan voor mezelf zorgen. Hou jij alleen een oogje op Edwina en Eddie voor me. Ik moet zaterdag werken. Ga met ze naar het park.’
‘Ik denk dat ze beter binnen kunnen blijven.’
‘Ik denk,’ pareerde Al, ‘dat jij niet opgesloten wilt zitten met een drukke driejarige en Edwina, die loopt te tandenknarsen omdat ze zich zorgen om míj maakt.’
Dus gingen we naar het park.

Het was een heldere, warme dag, de bomen in het park bewogen zacht in de bries en elk bladergeritsel bezorgde me kippenvel. Eddie zat in de zandbak te spelen en naar Edwina en mij te grijnzen. We zaten vlak bij haar op een bankje. Ik hield een hand in de buurt van het kleine automatische pistool in mijn broekzak. ‘Ik wil meer macht over de waanzin van het leven,’ zei Edwina. ‘Al en ik bereiken niet voldoende. We hebben gezworen dat we iets zouden bereiken.’
‘Waarom vind je dat zo belangrijk?’
‘De plannen van mijn moeder en zusters gaan niet verder dan hun volgende manicurebehandeling. Mijn familie heeft zakenbelangen die het voor de werknemers behoorlijk verkloten. Ik heb mezelf beloofd dat ik nooit genoegen zou nemen met een dergelijke status-quo, maar ik heb het gevoel dat ik de afgelopen paar jaar in zekere zin niets anders heb gedaan dan dat. Genoegen nemen met de gang van zaken zoals die is.’
‘Je hebt nu een kind waar je aan moet denken. Misschien ben je gewoon bang dat Al iets zal overkomen door deze hele operatie.’
‘Nee, dat is het niet alleen. Ik heb er genoeg van om drugsverslaafden naar de gevangenis te zien gaan in plaats van naar een afkickcentrum. Ik heb er genoeg van om Al mishandelde vrouwen naar de gevangenis te zien sturen nadat ze de mannen hebben doodgeschoten die hen in elkaar hebben geslagen. Hij vindt dat vreselijk, maar moet zich aan de wet houden. Ik heb genoeg van alle waanzin die in het systeem besloten ligt. Ik kan het op dit niveau niet in orde maken.’ Ze wreef over een spanningsrimpel op haar voorhoofd. ‘Enkele invloedrijke personen proberen Al ertoe over te halen volgend jaar een poging te doen in het Congres te komen.’
Al. Congreslid. Ik hield even op naar het zachtgroene landschap om ons heen te turen om haar van opzij aan te kijken. ‘Ik vind dat

jíj dat zou moeten proberen. Jij bent een winnaar, Ed-winnaar.'
Ze glimlachte. 'In een andere wereld zou ik politicus zijn. De waarheid is echter, Nicholas, dat vrouwen nog te veel in het nadeel zijn, en ik kom niet deemoedig genoeg over om stemmen te winnen. Bovendien... als ik iets doe, wil ik ook aan de top komen. Als ik in de politiek zou gaan, zou dat met één doel zijn, maar dat doel is niet haalbaar.' Ze zweeg even. 'Ik zou president willen worden.'
'Ga ervoor. Als je wint, kun je mij tot generaal bevorderen. Ik zou met plezier voor jou salueren.'
'Ik denk dat ik je het land uit zou sturen. Je hebt mijn vagina gezien.'
Ik kuchte en veranderde van onderwerp. 'Maar, als jij het niet probeert, denk je dan dat Al het zou kunnen? President worden, bedoel ik. Ooit?'
Ze aarzelde geen moment. 'Zeker weten.'
De manier waarop ze het zei, bezorgde me kippenvel. Ik twijfelde niet aan haar. Ik stond op, voelde iets vreemds, als een elektrische tinteling in de lucht, alsof Edwina het lot in werking had gesteld en het mijn taak was ervoor te zorgen dat daar niets tussen kwam. 'Ik loop nog een keer om het park heen. Ik ben over twee minuten terug.' Ik wees naar de luiertas die ze op haar schoot had. Ik had daar een pistool in verstopt en gezegd dat ze er altijd een hand op moest houden als ik haar even alleen liet.
Ze kreunde. 'Niet weer. Ik ben niet voorbestemd om Rambo te spelen.' Ze kwam zelf ook overeind. 'Ik krijg de rillingen van je, of misschien wel van mezelf. Laten we maar naar huis gaan.'
Ze hing de tas over haar schouder en ik pakte Eddie op. 'Nicky,' jubelde Eddie en ze kuste me op mijn wang.
We liepen over een schaduwrijk pad dat langs een rustige weg aan het park grensde. Edwina stak haar hand op en streek de haren van haar dochter naar achteren. 'Nicholas, ik zal je nog iets verklappen. En daar kun je me aan houden, net als aan mijn voorspelling over Al.' Ze zweeg even. 'Op een dag zal Eddie de eerste vrouwelijke president zijn.'
Ik keek van haar naar Eddie, die me op mijn neus tikte. 'Als dat is wat Eddie wil.'
'Dat wil ze beslist.'
Wat familie-ambities betrof greep Edwina misschien wat te hoog. Ik maakte voor mezelf een aantekening om voor Eddie op te komen wanneer haar moeder met alle geweld haar campagne voor de verkiezingen wilde beginnen.

Waarschijnlijk al op de kleuterschool.

Ik zag het langzaam rijdende, verroeste busje vanuit mijn ooghoek toen het nog vijftig meter van ons vandaan was. Misschien kwam het door de manier waarop de chauffeur net iets te krap door de bocht ging. Misschien door zijn verdacht lage snelheid. Ik wilde niet afwachten om te zien of ik het mis had. 'Neem Eddie van me over en ren met haar naar die bomen. Stel geen vragen. Ga. Nu!' Ik duwde Eddie in Edwina's armen, Edwina wierp een blik op het busje, klemde haar dochter vast en sprintte naar een bosje sparren. Het busje ging sneller rijden.

Ik zag maar één persoon voorin – de bestuurder – maar er konden er best nog een paar achterin zitten. De bestuurder ging niet subtiel te werk. Hij reed het busje over de trottoirband heen en het pad op, recht op Edwina en Eddie af, die de bomen niet op tijd zouden bereiken. Ik sprintte naar het busje en trok ondertussen mijn automatische pistool uit mijn zak.

De chauffeur week uit toen ik op een meter of zes afstand voor hem bleef staan, met het pistool op zijn voorruit gericht. Ik had maar tijd voor één schot. Ik haalde de trekker over en de voorruit van het busje spatte uiteen. Het busje helde naar opzij over en knalde tegen een lantaarnpaal.

'Bukken! Blijf laag!' schreeuwde ik tegen Edwina, die op dat moment het sparrenbosje had bereikt. Ze dook onder de takken en liet zich op haar knieën achter een boomstam vallen met Eddie in haar armen.

De chauffeur van het busje bewoog zich langzaam. Hij was niet geraakt, alleen verbaasd. Hij was overdekt met stukjes van de voorruit. Ik stoof naar het achterportier van het busje en rukte het open met geheven pistool, maar er zat niemand in. Daarna rende ik naar het portier aan de passagierskant en probeerde ook dat te openen, maar het zat op slot. De chauffeur knipperde met zijn ogen en haalde zijn linkerhand over zijn voorhoofd, waar het glas van de ruit kleine bloedende wondjes had veroorzaakt. Ik beukte met mijn linkerhand tegen de ruit van het passagiersportier en stapte op de treeplank. 'Verroer je niet,' zei ik, en ik stak mijn rechterhand, met het pistool erin, door het raamwerk van de kapotgeschoten voorruit. Ik richtte het pistool op zijn hoofd en bleef met mijn vuist tegen de zijruit slaan. Hij ademde diep in en kwam tot leven. Hij pakte iets uit een hoopje oude lappen op zijn schoot. Hij richtte een wapen op me en schoot. De dreun van het schot zo dichtbij was als een klap in mijn gezicht. Het glas spatte uiteen, net als de voorruit even daarvoor, met een kracht die mijn linkerhand en arm naar achteren wierp. Ik tuimelde van de treeplank af, versuft, overdekt met glas en met tuitende oren van de knal van het schot. De chauffeur duwde zijn deur open en sprong, het pistool nog steeds in zijn hand, uit het busje. Hij rende de straat op.

Ik volgde hem.

Ik kreeg hem midden in die rustige, beschaafde straat te pakken. Hij was tien centimeter kleiner dan ik, maar breedgeschouderd, een bodybuilder. Niettemin had hij geen schijn van kans. Ik liet mijn wapen vallen en er steeg een gutturale klank op uit mijn keel die ik in mijn dromen soms nog hoor. Ik legde een hand onder zijn kin en de andere achter zijn schedel. Als mijn gewonde linkerarm al pijn deed had ik het niet in de gaten. Ik richtte al mijn energie op het werk waarvoor ik was opgeleid. Ik draaide zijn hoofd om en brak zijn nek.

Hij viel zonder geluid te maken, stuiptrekkend, stervend, aan mijn voeten neer. Ik torende zegevierend boven hem uit, zwaar ademhalend, mijn voeten een eindje uit elkaar, mijn handen iets van mijn lichaam af, open en gestrekt. Ik zou hem weer doden als het nodig was. Wilde dat ook.

De geur van bloed bracht me weer bij zinnen. Ik staarde naar hem. Hij was opgehouden te stuiptrekken, maar er drupte nog steeds bloed op zijn gezicht. Ik fronste mijn wenkbrauwen. Dat was míjn bloed. Ik hief langzaam mijn linkerhand op en staarde ernaar.

Mijn pink was verdwenen. Die had hij eraf geschoten.

'Lieve hemel,' zei Edwina achter me hees.

Ik draaide me langzaam om – bloedend, verminkt, bezaaid met glas. Ze stond aan de andere kant van het busje, met de huilende Eddie in haar armen. Edwina hield een hand voor Eddies gezicht opdat ze de dode man niet zou zien. En mij niet zou zien.

Voor het eerst sinds ik haar had leren kennen, zag ik afschuw in Edwina's ogen. En ik zag angst. Ze zou nooit meer hetzelfde denken over haar veiligheid en die van Eddie in het openbaar, maar ze zou ook nooit meer hetzelfde denken over mij.

Ik was een moordenaar. Het had me geen moeite gekost.

En zij was bang voor me.

'Hoe voel je je?' vroeg Al zacht. Hij was laat in de avond teruggekomen naar mijn ziekenhuisbed, toen ik probeerde te slapen.

'Prima,' loog ik. Ik wreef met mijn goede hand in mijn ogen. De andere hand was dik verbonden, alsof ik een want droeg, en de hele arm hing in een mitella. Mijn gezicht was bezaaid met sneetjes door het glas. Ik maakte me minder druk om mijn hand dan om wat ik was geworden, wat ik had gedaan. Ik voelde me niet schuldig en dat beangstigde me een beetje, maar maakte me ook kwaad. Ik had een man gedood die van plan was geweest de mensen van wie ik hield iets aan te doen. Waarom zou ik iets anders moeten voelen dan tevredenheid?

'Wil je dat ik bij je blijf?' vroeg Al. 'Ik vraag wel een bed. Ik kan de hele nacht hier blijven.'

'Jij moet thuis zijn, bij je familie. En je moet telefoontjes van verslaggevers afhandelen.' Mensen van de krant en de televisie stortten zich allemaal op het verhaal van de aanslag en Als undercoverwerk dat ertoe had geleid. Hij en Edwina waren groot nieuws. Ik ook, maar niet in positieve zin. De bastaardzoon van een gekwelde moeder waarover de familie Jacobs liever niet praatte. De commando die in koelen bloede een burger had gedood.

'Jij bent ook mijn familie,' pareerde Al. Dat oude riedeltje weer. 'Je hebt vandaag de levens van je tante en je nichtje gered. Het leven van mijn vrouw. Van mijn dochter.' Al legde een hand op mijn goede arm. 'En je had geen keus wat de rest betreft. Het was zelfverdediging.'

Ik vertelde hem niet wat ik in Edwina's ogen had gelezen. Ik betwijfelde of ze het zelf zou hebben toegegeven. En er was nog iets wat ik Al niet vertelde. Ik had de chauffeur kunnen laten gaan. Hem weg kunnen laten lopen. De politie kunnen bellen – die zouden die domme klootzak snel hebben gepakt. Ik had hem neer kunnen slaan, tegen de grond kunnen drukken en kunnen wachten, maar dat had ik niet gedaan. Ik had hem gedood. Al en Edwina vertelden iedereen dat ik uit zelfverdediging had gehandeld. Misschien was dat waar, in de technische zin van het woord. Niemand zou me vervolgen. Er zou geen aanklacht worden ingediend. 'Ja hoor, het was zelfverdediging,' zei ik langzaam.

Al knikte, zijn gezicht enigszins gespannen bij het horen van mijn toon. 'Je hoeft het niet te rechtvaardigen. Hij had een wapen. Je kon niet weten of hij van plan was zich om te draaien en nog een keer op je te schieten. Voorzover jij wist kon hij wel opnieuw achter Edwina en Eddie aan gaan. Je worstelde met hem. Je was niet van plan hem te doden.'

Ik zei niets. *Verdomme, Al, jij bent degene met het geweten, niet ik.* Al wilde niet toegeven dat het goed kon zijn iemand te doden, puur en simpel, dat de man die had getracht zijn vrouw en kind kwaad te doen het verdiende om geëxecuteerd te worden, evenals de verdraaide corrupte rechter of advocaat of hoge politieofficier die opdracht had gegeven tot de aanslag. 'Ik ben van plan degene te vinden die die man gestuurd heeft,' zei Al nu. 'En ik stop hem voor de rest van zijn leven achter de tralies.'

Hem wegstoppen. Netjes zoals het hoort, veroordeeld tot gevangenisstraf, precies volgens het boekje. Nee, hij wilde niet horen dat ik iemand had gedood voor hem en Edwina en Eddie, niet uit zelfverdediging maar uit wraak, en dat hij daar diep vanbinnen blij mee was.

'Ga naar huis,' zei ik. 'Ik geloof dat ik nog wel wat kan slapen. Ik zie je morgen wel weer.'

Bill Sniderman was achtendertig en zag eruit als een kalende Bill Cosby, meer voorhoofd dan haar. Hij had de overwinnaarshouding van een succesvol man die voldoende geld had vergaard als bedrijfsjurist om zich de politiek als hobby te kunnen veroorloven. Hij had al naam gemaakt als gewiekste adviseur in campagnes en burgerrechtendiscussies in de hele staat. Hij en Al en Edwina waren al sinds de universiteit met elkaar bevriend. Hij had getracht hen ervan te weerhouden mij als kind in huis te nemen. Hij zat die ochtend in een stoel naast mijn bed in het ziekenhuis de perfecte plooien in de knieën van zijn pak van duizend dollar glad te strijken.

'Wat?' zei ik. 'Geen snoep? Geen bloemen? Geen kaart met *Hopelijk krijg je je vinger terug* erop?'

Hij gooide een krant neer. 'Ik heb altijd geweten dat het slechts een kwestie van tijd was voor de vijanden van je oom met jou voor de dag zouden komen om hem te raken.'

De krant viel open bij een column van Haywood Kenney. Inmiddels was vlezige kleine Kenney de misdaadverslaggever een vlezige dikke politiek columnist geworden. Zijn bruine haardos werd al dunner en zijn haargrens begon behoorlijk te wijken. De inpakkers in de vleesfabriek noemden hem Schaamkop, maar zijn lezers waren dol op hem. Hij was bij de *Tribune* ontslagen omdat hij een verhaal wat dramatischer had gemaakt dan het was, maar nu stond zijn freelance column in kranten in het hele Midwesten, en had hij een populair radioprogramma over politiek bij een plaatselijke zender. Hij was nooit opgehouden Al en Edwina lastig te vallen, wachtend op wraak. En nu nam hij die.

WEEKHARTIGE AL EN ZIJN PERSOONLIJKE MOORDENAAR ONTKO-

MEN AAN AANKLACHT WEGENS MOORD, luidde de kop van Kenneys column.

'Dit staat vandaag in vijf grote kranten in Illinois,' zei Bill Sniderman. 'Of het waar is of niet doet er niet toe.'

Ik staarde grimmig naar de krant. 'Ik weet het.'

'Ik mag jou niet, Nick. Heb je nooit gemogen. Je brengt Al ongeluk. Slechte magie. Slecht karma. Een blok aan het been van zijn politieke toekomst. De publiciteit die hij en Edwina nu krijgen maakt dit voor hem tot het perfecte moment om zijn politieke carrière te starten. Edwina en ik hebben een plan uitgedacht en dat gaat werken. Hij zal een termijn in het Congres meedraaien en zich dan kandidaat stellen voor de Senaat, en vervolgens voor het presidentschap. En hij zal winnen.'

'Klinkt simpel.'

'Dat wordt het ook. Hij is een goed mens, een man die de mensen vanzelf aardig vinden en vertrouwen. Hij is de beste kandidaat die ik ooit van mijn leven heb gezien – brandschoon, goeie achtergrond, trouw als een hond, een goede echtgenoot, een goede vader en een fantastische overheidsdienaar. Ik ben niet echt enthousiast over het feit dat zijn familie Pools en katholiek is – te etnisch, weet je, en dat is riskant – maar daar kan ik best mee werken. Edwina's Pilgrim-achtergrond en Amerikaanse blauwe bloed maken haar tot de perfecte partner voor hem. Ze krijgt bepaalde dingen voor elkaar en staat voor duizend procent achter hem. En natuurlijk is Eddie de schattigste promotionele aanwinst ter wereld.'

'Ik wil niet dat je op die manier over Eddie praat.'

Bill slikte een keer moeizaam toen hij de klank in mijn stem hoorde. 'Sorry. Natuurlijk niet. Al en Edwina zien haar niet hetzelfde als ik. Je had ze vanochtend moeten horen praten. Ze zijn bang om weer met haar naar buiten te gaan. Ik vrees dat ze al te beschermend zullen worden wat haar betreft.'

'Misschien kun je hen ervan overtuigen haar in een kooitje te zetten en de kiezers een kwartje te laten betalen om naar haar te kijken.'

Bill staarde me aan. 'Laten we het gewoon over jou hebben, oké? Het enige wat ik hoef te doen is alles en iedereen elimineren die Als perfecte imago kan verkloten. Jou dus.'

'Ach, Bill, je vleit me.'

'Luister. Je zou alles doen voor hem en Edwina en Eddie. Belazer me niet, ik weet hoe je bent. Als een wolf die zijn leger beschermt. Goed. Bescherm hen dan door weg te gaan. Verdwijn uit hun leven. Zoek een leuk, rustig hol om in weg te kruipen. In een ander werelddeel.'

'Ik wed dat Al niet weet dat je hier bent.'

Hij stond op, nerveus. 'Nee.'

'Goed. Hij hoeft het niet te weten.'

Bill ademde uit. 'Ik ben blij dat je het met me eens bent. Hij zou woest zijn. Hij is loyaal tegenover jou. Sentimenteel. Dat is wat hem zo aantrekkelijk maakt, maar het kan hem ook de das omdoen.'

'Ik weet het.'

'Dus je neemt mijn advies ter harte?'

Ik knikte. 'Er wordt al aan gewerkt.'

'Jij bent zijn achilleshiel. Stap uit zijn spotlight. En blijf eruit.' Hij bestudeerde mijn gezicht en trok met een nerveuze beweging zijn stropdas recht, alsof hij aan gebroken nekken dacht.

Het enige waar ik aan dacht was eenzaamheid.

Een wederzijdse vriend in Fort Bragg legde het contact voor me en de volgende dag stuurden ze iemand. Mijn leven veranderde zo snel dat het leek of de juiste mensen en het juiste moment in de schaduw op me hadden liggen wachten tot ik erkende waar ik thuishoorde. De bezoeker was hooguit veertig, met een hoekige kaak, en slank, gekleed in het uniform van een majoor. Hij had de ogen van iets wat bij maanlicht in het bos op jacht gaat. Ogen zoals de mijne, in feite. Hij liet me een identiteitsbewijs van het leger zien dat was gemaakt toen hij in de beginjaren van Vietnam een onervaren soldaatje was. 'Ik wil je alleen maar laten zien dat we in het begin allemaal padvinders lijken,' zei hij. 'Ik dacht destijds nog dat ik de wereld kon redden door op tijd een schone onderbroek aan te trekken en met de vlag te zwaaien.'

Ik zei een paar seconden niets, terwijl ik het shirt van mijn uniform dichtknoopte, daarbij alleen gebruikmakend van mijn goede hand en niet één keer om hulp vragend. In de jaren die volgden bezorgde de herinnering aan dat shirt – waarvan de stugge stof een kwelling was op de door rondvliegend glas veroorzaakte snijwondjes in mijn armen – me altijd weer een hol gevoel vanbinnen. 'U hebt geluk, meneer. U hoeft mij niet te vertellen dat je met idealisme alleen de klus niet geklaard krijgt.'

'Mag ik je iets vragen? Toen je die man z'n nek brak, wist je precies waarvoor je op deze aarde was gekomen, nietwaar? Je kwam op voor God, vaderland en familie. Dat alles door het breken van de ruggenwervel van een brutale klootzak. Hmm? God, vaderland en familie.'

'Niet in die volgorde.'

'Als jou dat inspireert... prima. We leven in een nieuwe wereld, Jakobek. Globalisme. Kernwapens. De regels van het gevecht veranderen. De vijand marcheert niet langer het slagveld op. Hij zit ergens weggedoken in een grot of een kantoor met een satelliettelefoon en een computer en toegang tot wapens waar we niet eens aan willen denken. In de ogen van vadertje en moedertje Amerika lijkt de op technologie geïnspireerde wereld gecivilliseerd en rustig. Maar al het moorddadige, krankzinnige gekloot van de mensheid gaat nog steeds door, en de slagvelden zijn nog steeds open voor zaken – maar nu gewapend met wereldwijde mogelijkheden. Alleen mensen die dat begrijpen – en die bereid zijn onder stenen te kruipen en zich smerig te maken als dat nodig is – zullen bepalen wie de toekomst in handen heeft. Wij.' Hij zweeg even. 'Of zij.'

'Ik accepteer uw uitnodiging tot overplaatsing naar uw groep, meneer.'

'Goed. Wij zorgen wel voor de papierwinkel. Welkom in je nieuwe baan, kapitein Jakobek. Gefeliciteerd met je onmiddellijke promotie. Je maakt nu onderdeel uit van de oorlog achter de schermen die het leger niet openlijk erkent en waar het Amerikaanse publiek geen belastingcenten voor neertelt – of dat althans niet weet.' Hij zweeg even. 'Nog vragen of bedenkingen?'

'Nee, meneer. Ik weet wat ik doe. Ik ben me er ten volle van bewust dat uw mensen onder de radar werken. Ik wil alleen mijn werk doen zonder mijn familie tot last te zijn.'

'Heimelijkheid, kapitein Jakobek, is ons beste wapen,' zei hij glimlachend.

Ik kon niet anders dan het met hem eens zijn. Die middag stapte ik aan boord van een vliegtuig en verliet ik Chicago, verliet ik de Verenigde Staten, op weg naar overal en nergens. Wat tuurt er naar je terug als je het duister in tuurt? Misschien het verdriet van iemand die je liefhebt maar niet kunt helpen, of de perversie van een vreemde die er geen probleem mee zou hebben diegene te vermoorden. Of beide. Of je hurkt neer en wacht tot het gevecht op je afkomt, of je stapt met je vuisten in de aanslag het duister in. Ik had besloten te doen wat nodig was om de mensen van wie ik hield af te schermen van het kwaad dat buiten het licht rondwaarde.

De brief die ik voor Al en Edwina achterliet, somde mijn beslissing ongeveer zo simpel op: *Als jullie me nodig hebben, zal ik er altijd zijn. Ik zal alles doen voor jullie en Eddie. Je hoeft me maar te bellen.*

Al en Edwina schreven terug: *We zullen je goede hart misschien niet eens meer herkennen als die mensen met je klaar zijn. Zul je komen als we je nodig hebben? Natuurlijk. En wij zullen er altijd voor jou zijn. Je hoeft alleen maar naar huis te komen. We blijven wachten.*

Ik ook.

8

Barbara Walters had nog steeds niet gebeld, de mariniers hadden mijn bloembedden niet bestormd, en het moordende familielid van Eddie Jacobs – ene Nicholas Jakobek – had niet eens de moeite genomen even te bellen. Ik wilde graag weten wanneer de presidentiële huurmoordenaar dacht voor mijn deur te zullen staan. Kwestie van beleefdheid.

O, er kwamen voldoende andere telefoontjes, van de medewerkers van de president in Washington, diverse Jacobs-familieleden en verder hingen de voorname familieleden van de First Lady uit Maryland voortdurend aan de lijn. Al die mensen wilden met Eddie spreken, waren van streek omdat Davis weigerde haar wakker te maken, en vertelden mij dat ik verantwoordelijk was voor haar welzijn.

'Ik ben nog nooit een presidentsdochter kwijtgeraakt tijdens het appelseizoen,' zei ik, en daarna belastte ik Smooch verder met het aannemen van de telefoon.

Geheim agente Lucille – nu volgens zuidelijke traditie naar behoren aan ons voorgesteld als Lucille Olson, een van de twee dochters van de Olsons, een boerenfamilie in Minneapolis, Minnesota – bewaakte mijn voordeur. Jawel, bewaakte. Eddie Jacobs moest worden beschermd tegen terroristen, stalkers, kidnappers, en God weet welke bedreigingen een presidentsdochter nog meer erfde, en kennelijk hoorde daar ook een romance zonder toestemming met een medestudent bij. Ik keek om me heen en voelde me steeds minder veilig, alsof al het schorem uit mijn bloembedden naar boven zou kunnen komen om de antieke voordeur met zijn koperen appelklopper te bestormen.

Ginder bij de poort hingen Lucilles collega's ongelukkig naast hun grote terreinwagens rond. Logan, groot en fors en zachtaardig maar onverzettelijk, hield de wacht voor onze gesloten poort met zijn bruine hoed op het dak van zijn patrouillewagen en een appeltaart in zijn hand. We hadden hetzelfde roodbruine haar en dezelfde groene ogen. Hij had een beetje een babyface, maar een sterk karakter en was erg levenslustig. Een lange, goed uitziende McGillen, net als ik.

'Taart, jongens?' riep hij uitdagend. De agenten hapten echter niet toe.

Ik hoefde niet bang te zijn dat Logan onder de druk zou bezwijken, al baarde zijn kwetsbaarheid tegenover Lucille me een beetje zorgen. Logan en Lucille hadden als ongedurige katten om elkaar heen gedraaid toen Logan naar het huis was gekomen om zich voor te stellen. Hij had naar het kaliber van haar handwapen geïnformeerd en haar een stuk appeltaart aangeboden. Ze had haar hoofd geschud maar hem met opgetrokken blonde wenkbrauwen aangekeken. Hij had haar op dezelfde manier aangekeken. Hij had geen idee hoe hij met een gewapende vrouw moest flirten, maar het was wel duidelijk dat hij het zou proberen. Mijn broer, een eenzame en galante huismus, had zijn geliefde jonge vrouw al na twee jaar huwelijk aan kanker verloren. Ze hadden elkaar ontmoet toen hij met het leger overzee was. Hij was dol op hun zesjarige dochter. Wij allemaal.

Ze was de zesde Hush McGillen. We noemden haar Hush Puppy.

Puppy zat in de patrouillewagen bij de poort te doen alsof ze in een kleurboek zat te kleuren, maar ondertussen voortdurend naar de agenten aan de overkant van de straat te kijken. 'Morgen, Puppy,' kirde ik, terwijl ik door het open raam naar binnen leunde en over haar donkere haren streek. Ze glimlachte, draaide haar gezicht naar me toe en liet zich door mij op haar voorhoofd kussen. 'Morgen, tante Hush.'

'Ik neem je mee naar het huis om je wat van de appel-kaneelbroodjes te laten proeven die nicht Laurie aan het testen is voor de catalogus. Daarna stoppen we Harry Potter in de videorecorder. Of je kunt je boekjes gaan lezen. Weet je, ik bestel volgende week de hele serie van *Detective Girls* voor je.' Hush Puppy had een roze slaapkamer in mijn huis. Ik had die speciaal voor haar ingericht. Ze logeerde bij mij wanneer Logan voor zijn werk de stad uit moest. 'En ik zal het Go Girls-spel op je computer zetten als je wilt,' probeerde ik haar over te halen.

Geen van die verlokkingen had echter het gewenste effect. Haar gezicht werd somber.

'Tante Hush, ik ben te oud om als een baby te worden behandeld. Ik moet hier blijven en in de gaten houden wat er gebeurt.'

'O? Waarom?'

'Lucille ziet eruit als een worstelaarster en ik denk dat ze papa door de lucht zal gooien.'

'Tja, schatje, ik denk dat Lucille zelfs met een volwassen gorilla zou kunnen worstelen als dat nodig was.'

'Ze zou beslist met papa kunnen worstelen. Toen ze elkaar ontmoetten staarde hij alleen maar met open mond naar haar. Ik denk dat hij haar zou laten winnen.' Hush Puppy keek me weemoedig aan. 'Denk je dat ze zelf dochtertjes heeft met wie ik zou kunnen spelen?' Puppy verlangde naar vriendinnetjes en zusjes.

'Ik geloof niet dat ze getrouwd is of kinderen heeft, schatje. Maar ze is beslist flink genoeg om moeder te zijn.'

'Ahem,' zei Logan.

Ik liep buiten gehoorsafstand van Puppy. 'Hoe gaat het?'

'Er staan hier zo meteen dertig werknemers voor de poort. Wat wil je dat ik doe, zus?'

Ik gaf hem een doos vol appeltaarten. 'Geef hun te eten. Laat ze binnen. Zeg dat ze naar de grote schuur komen, dan zal ik hun daar... iets... vertellen. Niet de waarheid. Niet vandaag. We openen vandaag alsof er niets is gebeurd.'

'We hebben een probleem.' Hij gebaarde met zijn hoofd naar de stoïcijnse groep agenten die vanaf de andere kant van de straat naar ons keken. 'Die jongens zeggen dat we de poort niet open mogen maken. Dat staan ze niet toe.'

Ik verstarde. 'Je houdt me voor de gek.'

'Bevel van Lucille.'

Logan zette de taarten op een paal. De agenten snoven reikhalzend de geur op, maar verroerden zich verder niet. 'Harde kerels,' zei mijn broer droogjes. 'Zus, ik geloof dat ze zich vooralsnog gewoon aardig voordoen. We zitten er binnen de kortste keren tot onze nek in, denk ik.' Hij aarzelde. We keken allebei naar de patrouillewagen, om ons ervan te overtuigen dat Hush Puppy over haar kleurboek gebogen zat. Logan keek me somber aan. 'Ik maak me niet snel zorgen,' zei hij. 'Maar het idee dat buitenstaanders te nieuwsgierig naar ons worden staat me helemaal niet aan.'

Ik knikte met mijn hart in mijn keel. 'Morgen is alles weer in orde. Dat beloof ik je.'

'Als we de poort straks niet opendoen, dan weet weldra het hele district dat hier iets vreemds aan de hand is. Vandaag nog. Het zal een hoop gepraat en een hoop vragen oproepen.'

Dat was het. Klaar. 'Ik ben over tien minuten terug,' zei ik, 'met Lucille.'

'De poort moet open,' zei ik.

'Nee, mevrouw Thackery. Dat kan ik niet toelaten.' Lucille ging tussen ons en de poort staan en weigerde opzij te gaan. Logan hield de sleutel van het hangslot omhoog. 'Kom nou, Lucy,' zei hij met een smekende stem die ijs had kunnen doen ontdooien. De ochtendzon glom op zijn patrouillewagen. Hush Puppy keek door het open raampje naar ons drieën. Lucilles collega's kwamen iets dichterbij. Logan en ik keken hen boos aan en ze bleven weer staan. Toen wierp Logan een veel zachtere blik op Lucille. 'Agent Lucy, u bent een machtig aantrekkelijke barricade, maar ga alstublieft opzij.'

Lucille negeerde hem en keek mij aan. 'Het is een slecht idee om een grote menigte mensen in de buurt van een gezinslid van de president te laten komen. Menigten zijn onvoorspelbaar en onmogelijk helemaal onder controle te houden. Ik kan niet toestaan dat deze poort wordt geopend eer ik met mijn meerderen heb gesproken – en met Eddies ouders. Ik heb iedereen van de situatie op de hoogte gebracht. We moeten afwachten tot ze contact met ons opnemen.'

'Eddie ligt te slapen en blijft in het huis, zo veilig als ze maar zijn kan. Niemand behalve wij weet dat ze daar is. Niemand zal het te horen krijgen.'

'Dit wordt weldra opgelost. Stel uw opening tenminste uit tot vanmiddag.'

'Geen sprake van.'

'Dan ga ik niet opzij.' Ze posteerde zichzelf midden voor de poort en legde haar handen op de ketting van het hangslot.

Logan zuchtte. 'Ik weet niet zeker of ik u mag arresteren, agent Olson, maar ik hoop dat u geen wrok zult koesteren, als ik u tackel.'

'Als u dat probeert, zult u uw insigne voortaan ergens dragen waar het niet goed past, sheriff.'

Logan leek onder de indruk. De telefoon aan mijn ceintuur speelde zijn deuntje af. Ik hield hem tegen mijn oor. 'Sweet Hush Farms.'

'Dit is het Witte Huis,' zei een vrouw. 'De First Lady is aan de lijn. Een ogenblikje.'

Ik hield mijn hand over de telefoon. Ik had geen tijd om na te denken over wie of wat of waarom. Geen zenuwen. De tornado was gearriveerd. 'Je wens gaat in vervulling, Lucille. Het is Edwina.'

Lucille verstijfde. 'Noem haar alstublieft niet zo, mevrouw Thackery. Een woord van advies. Noem haar altijd mevrouw Jacobs of gewoon mevrouw.'

Ik had geen tijd om te zeggen dat ze mij dan dezelfde eer moest betuigen. Logan en ik keken elkaar met grote ogen aan. *Wees aardig* zei zijn mond zwijgend. Een kordate, vrouwelijke, verwaande oostkuststem drong mijn oor binnen. 'Met wie spreek ik?' vroeg ze.

'Met Hush McGillen Thackery.'

'Shush, je spreekt met Edwina Habersham Jacobs. Ik bel vanuit Engeland, dus luister. Ik heb vijf minuten voor ik het parlement ga toespreken.'

'Dan kun je maar beter snel praten.'

Stilte. Ik had nu al tegen haar goodwill aan geschopt. 'Goed dan, Shush.'

'Hush.'

'Shush?'

'Hush!'

'Shush.'

Laat maar zitten. 'Je dochter maakt het prima. Ik geef je mijn woord.'

'Dat is je geraden. De geheime dienst heeft me verzekerd dat ze veilig is, al is dat niet aan je zoon te danken.'

'Ho even...'

'Ik heb begrepen dat je niet bepaald coöperatief bent.'

'Ik vind dat ik me onder de gegeven omstandigheden als een modelburger heb gedragen.'

Ik hoorde haar met wat papieren schuiven. 'Ik heb begrepen dat je een klein familiebedrijfje hebt, een boerderij.'

Mijn wereld stond stil. 'Heb jij... aantekeningen over mij?' vroeg ik langzaam.

Ze negeerde mijn vraag. 'Ik wil dat je naar me luistert. Ik weet dat het gebeurde erg vreemd en opwindend is voor jou en je familieleden op de boerderij, en ik zal de eerste zijn om toe te geven dat mijn dochter je haar excuses moet aanbieden omdat ze je zoon Euell... hierbij heeft betrokken.'

'Davis.' Ik voelde me als verdoofd.

'Je zoon, Ulysses...'

'Euell! Euell Davis. We noemen hem Davis. Ik zei: "Heb jij aantekeningen over mij?"'

'Davis.' Haar stem klonk nu enigszins scherp. 'Davis is ongetwijfeld een flinke jongeman, hoewel ik geloof dat hij zich met veel te hoge verwachtingen in het leven van mijn dochter heeft binnengedrongen...'

'Ho. Kalm aan. Je bespioneert mijn zoon en nu bespioneer je mij. Klopt dat? Maar je hebt het lef om kritiek op óns te hebben?'

'Mevrouw Thackery, ik ga geen persoonlijke kwesties met je bespreken, maar ik kan wel zeggen dat ik volstrekt openhartig en legitiem bezig ben geweest met het vergaren van informatie over de vreemden die mijn kind omringen – wat je beslist zult begrijpen, gezien haar status in de wereld. Mijn dochter is een zorgzame en attente jonge vrouw die onder grote publieke druk staat en erg kwetsbaar is voor uitbuiting.'

Woede sijpelde mijn aders binnen, samen met de angst en het gevoel in het duister te tasten. Alsof ik barrevoets door een donkere vijver waadde, was ik me ervan bewust dat er met elke stap die ik zette giftige slangen rond mijn voeten konden kronkelen. 'Je denkt dus dat mijn zoon een soort Romeo is die de sociale ladder wil beklimmen en haar daarom heeft overgehaald met hem van de universiteit weg te lopen?'

'Nee, nee toch, ik zeg alleen dat we een heimelijke zomerliefde in het juiste perspectief...'

'Het moet je wel vreselijk dwarszitten dat je dochter je er niets over heeft verteld. Ik wist ook niets van de romance, maar ik heb tenminste mijn zoon niet bespioneerd om erachter te komen.'

'Ik heb mijn dochter niet "bespioneerd"... evenmin als ik jou heb bespioneerd. Ik heb alleen de meeste bekende feiten verzameld. Een heel team van professionals is aangesteld om elke stap die mijn dochter zet te volgen. Voor haar eigen bestwil. Haar huidige gedrag is niets dan een dwaling, en ik probeer haar op alle mogelijke manieren te beschermen.'

'Daar is het een beetje laat voor, omdat ze al langs de oostelijke zeekust is "afgedwaald" naar mijn dal. En momenteel "dwaalt" ze samen "af" met mijn zoon, in mijn huis.'

'Shush, je hebt duidelijk een zware ochtend gehad. Ik ben ervan overtuigd dat je een erg rustig leventje leidt, en ik beloof je dat de president en ik je zullen helpen je zoon heel snel weer in het gareel te krijgen.'

'Dat is prima, mevrouw Jacobs. Aangezien je zo laatdunkend bent in je beoordeling van mij en mijn gang van zaken, geef ik de telefoon nu aan agent Olson. Lucille. We zijn al erg op haar gesteld geraakt, zeg jij haar nu maar dat ze me mijn poort moet laten openmaken zodat ik vandaag appels kan verkopen. Jij en de president houden je ondanks dit probleem bezig met staatsrechtelijke zaken, en ik moet verder met de mijne. Zodra de poort open is kunnen jij en ik eens lang en gezellig over onze kinderen babbelen. Afgesproken? Zeg dus maar tegen Lucille dat ze voor de poort weggaat.'

Stilte, derde ronde, maar ik kon haar horen ademhalen. 'Shush,' zei ze langzaam, 'als ik dat zou willen, zou ik nú in je... kleine boerderijtje kunnen zitten en zou het hele gebouw afgegrendeld zijn als een opslagplaats voor nucleair afval. In plaats daarvan is het mijn grootste wens – en ik ben ervan overtuigd dat dat ook voor jou geldt – om je leven niet te verstoren en dit alles snel achter ons te laten. Niemand van het publiek of de media hoeft ooit iets over deze kleine escapade te horen. Afgesproken, Shush?'

Ik blies mijn adem langzaam uit. '*Edwina*,' zei ik luid. *Edwiena*. 'Edwina, zeg tegen Lucille dat ze die verdomde poort openmaakt of ik bel CNN.'

Lucille kromp ineen en maakte waarschuwende gebaren. *Mevrouw Jacobs* zei ze geluidloos. *Niet Edwina. Geen voornamen. Protocol.*

'Kalm aan, Shush, er is geen reden om de media erbij te betrekken...'

'Edwina, zeg dat tegen Lucille.' Ik hield Lucille de telefoon voor. 'Edwina wil je spreken.'

De agente van de geheime dienst keek naar de telefoon alsof er stroom op stond, en bracht hem toen langzaam naar haar oor. 'Mevrouw Jacobs? In de ogen van mevrouw Thackery is en blijft het haar poort, en het spijt me heel erg...' Haar stem stierf weg. Als ik mijn hoofd schuin hield kon ik de stem van Edwina Jacobs nog net horen gonzen als een kwade bij. Lucille knikte, hield één hand over de telefoon en richtte zich tot mij. 'Als ik de poort laat openen, staat u dan toe dat ik mijn mensen bij uw huis neerzet tot Eddie in veiligheid is gebracht?'

'Ja.' Alles om dit op te lossen.

Lucille sprak weer met Edwina. 'We zijn tot overeenstemming gekomen. Ik zal het doorgeven aan mijn staf, mevrouw, jawel, mevrouw, natuurlijk, mevrouw.'

Lucille gaf me de telefoon terug. 'Mevrouw Jacobs wil u nog even spreken, mevrouw Thackery.'

Ik hield de telefoon bij mijn oor. 'Edwina, hartelijk dank. Ik ben nooit van plan geweest je dochter en mijn zoon bloot te stellen aan de roddels van de wereld, dus je hoeft je nergens zorgen over te maken.'

'Het kan me niet schelen wat je bedoelingen zijn. Ik haal mijn dochter daar weg.' Edwina Jacobs sprak met een stem die door staal heen zou snijden. 'En als je maar een woord over haar situatie laat uitlekken naar de rest van de wereld, of als haar iets overkomt – al raakt haar haar zelfs maar in de war – dan zorg ik er persoonlijk voor dat de hele bureaucratie van de federale regering bij je op zoek gaat naar de duistere feitjes van je onderneming, je boekhouding en je familie. Met andere woorden, *ik gooi jouw leven en dat van je overambitieuze zoon en je appels plukkende boerenheikneuterfamilie volkomen overhoop*. Ondertussen weet je al dat de president en ik iemand hebben gestuurd om Eddie terug te brengen naar huis.' Ze schreeuwde nu. 'Een vertrouwd familielid! Hij zal binnen een paar uur daar zijn! Ik verzoek je dringend hem geen strobreed in de weg te leggen en hem met meer respect te behandelen dan je míj hebt gedaan!'

'Stuur hem maar. Hij is van harte welkom. En jij blijft met je neus uit mijn zaken, mijn leven en het leven van mijn zoon. Anders kom ik naar Washington om je een schop onder je kont te geven.'

Stilte. We ademden allebei diep in toen de omvang van wat we aan het doen waren tot ons beiden doordrong. De First Lady van de Verenigde Staten en de First Lady van Chocinaw County hadden zich – tijdens hun allereerste gesprek – verlaagd tot het niveau van een stelletje bendeleden tijdens een confrontatie. 'Tot ziens,' zei ik snel.

'Inderdaad,' antwoordde ze.

Ik hing de telefoon terug aan mijn ceintuur. Logan en ik staarden elkaar aan. 'Het spijt me.'

'Je kunt gearresteerd worden voor wat je daarnet hebt gezegd, zus.'

Lucille knikte met ongelukkig ontzag. 'Mevrouw Thackery, bedreiging van de First Lady is een misdrijf.' Ze zweeg even. 'Als ik het had gehoord, had ik tegen u moeten optreden.'

'Dank je. Doe nu die poort maar open.' Ik zakte in elkaar. Er was op dit moment verder niets te doen.

Ik keek toe terwijl Lucille een stap opzij deed en Logan de brede, mooie, hopeloos ontoereikende dubbele poort opende. We zwaaiden beide delen ver open. Bijna onmiddellijk liepen Lucilles collega's naar hun terreinwagens en stapten in. Ze reden de poort door alsof ze er nooit aan hadden getwijfeld dat ze binnengelaten zouden worden. Ik legde een hand op mijn maag. Ik had meer appelschijfjes nodig.

De wereld stond plotseling bij me op de stoep. Ze drong snel mijn huis binnen en wortelde zich stevig in mijn leven en dat van mijn zoon. Ik zou oogsten wat ik had gezaaid, zoals we vroeg of laat allemaal doen.

Het appelseizoen was begonnen.

Ik kon alleen maar wachten op het noodlot, de toekomst en de komst van Edwina's huurmoordenaar.

Luitenant-kolonel Nick Jakobek. Buiten dienst. Geen slechte carrière: ruim twintig jaar dienstdoen; stoppen als je oom zich kandidaat stelt voor het presidentschap. Proberen nog meer buiten beeld te blijven dan gedurende de ruim twee decennia van overzeese bijzondere manoeuvres. En nog verder uit het zicht verdwijnen als je oom in het Witte Huis terechtkomt. Wat een pensioen. Onbekend en berucht. Ik had ermee leren omgaan.

Ik was het familielid van de president waar Als politieke vijanden graag over spraken. Haywood Kenney haalde geregeld mijn jaren in Chicago en mijn militaire carrière naar boven. Ik had onder de lezers van zijn column en de luisteraars van zijn radioprogramma zelfs een bijnaam. *Mad Dog Jakobek*. Dat was ik. Het zuivere bewijs dat Als visie op om het even welke kwestie, inclusief het leger, misdaad, straf, drugs, seks, gezinsleven, het opvoeden van kinderen en internationale betrekkingen (kies maar uit), te analyseren was aan de hand van een lelijk stukje familiegeschiedenis. Ik.

Het hielp ook niet echt dat niemand in Als kamp me uitnodigde voor fotosessies tijdens de campagne of de inauguratie of presidentiële gelegenheden daarna. Niet dat Al en Edwina zelf me niet vroegen, en echt gemeend. Maar ik kende mijn plaats... Ik wist wat hun imago bij het publiek kon schaden. Ik. Zij streden op hun manier voor de goede zaak. Ik op de mijne.

Sommigen van Als vijanden zwoeren dat ik dood was. Kenney

niet. Levend was ik veel meer waard voor hem... maar wat anderen betrof bestond ik niet eens meer. Ik was overleden tijdens een illegale geheime operatie in dienst van de regering in (kies maar uit) Nicaragua, Bosnië of Irak, waarna Al het in de doofpot had laten stoppen door (kies maar uit) het leger, de CIA, de FBI, of vreemdelingen in zwarte pakken die dit land in werkelijkheid regeren.

GEZOCHT. DOOD OF LEVEND. GELIEVE BEWIJS TE OVERLEGGEN.

De waarheid is dat ik na mijn vertrek uit het leger veel rond had gereisd, zoveel dat ik soms niet meer wist waar ik woonde. Waar ik was. Waar ik heen ging. Ik zocht nog altijd naar een zekere rust en bevrediging die ik niet goed kon benoemen. Terwijl ik de successen telde, de doden telde, terugtelde over de ruim twintig jaar, probeerde ik me te herinneren wie ik was geweest voordat ik die eerste keer in Chicago iemand doodde. Die eerste keer. Belangrijke woorden.

Gefinancierd door de dollars van de belastingbetaler, maar niet met hun expliciete toestemming, had ik bijna twintig jaar lang onze vrienden in andere landen geleerd hoe ze hun medemens moesten doden. Ik beschermde hen terwijl ze dat deden en soms, als het nodig was, doodde ik samen met hen hun vijanden. Tussen de rebellenschermutselingen, burgeroorlogen en geheime militaire operaties en de leugens van politici over het vuile werk in de wereld door deed ik mijn werk. Ik redde een hoop levens, maar als ik 's nachts mijn ogen sloot zag ik degenen die ik niet had kunnen helpen. Een bloedende oude vrouw langs de kant van de weg in Sarajevo. Een jongetje, dood in de woestijn met afgehakte voeten. Een mishandeld gezin met hun hele hebben en houden op hun rug in Afghanistan. Zolang ik niets anders was dan mijn herinneringen, hoorde ik nergens thuis.

En dus kon ik misschien nergens heen.

Ik was eraan gewend geraakt dat andere mensen me nodig hadden maar me nooit echt mochten, als je begrijpt wat ik bedoel. Me in elk geval niet om normale redenen mochten – niet alleen om de klank van mijn stem of de manier waarop ik eruitzag als ik sliep. Ik was nooit het middelpunt van iemands leven geweest. Dacht ook dat ik niet wist hoe ik dat zou moeten zijn. Ik bleef zoeken naar de zielen die verloren waren gegaan. Inclusief de mijne. Tot dusver geen wonderen.

Maar toen werd ik gebeld door die goeie ouwe Bill Sniderman. Ik was in Texas bezig om officiers uit een Zuid-Amerikaans land waarvan ik de naam niet zal noemen paramilitaire technieken te le-

9

HALVERWEGE DE MIDDAG STONDEN ER TWEEDUIZEND MENSEN in mijn appelschuren en mijn paviljoen, zich er geen van allen van bewust dat de dochter van de president in mijn huis verborgen zat. Bijna drie dozijn McGillens en Thackery's – al even onwetend – waren hard aan het werk om die klanten te helpen. Logan regelde het verkeer bij de poort, en Lucille deelde de lakens uit op het pad naar mijn grote veranda. WDAL, de radiozender van Dalyrimple, bracht live verslag uit van de openingsdag op Sweet Hush Farms vanuit een kiosk die uitkeek op de festiviteiten. Tot dusver nog geen teken van de man die Edwina Jacobs had gezworen te sturen.

Eddie sliep intussen in het bed van mijn zoon. Volledig gekleed, dat wel, maar toch. Davis liep op de overloop te ijsberen.

Ik stond naar hem te kijken. 'Waar is die presidentiële knieënbreker? Als ze mijn dochter was zou ik al lang hier zijn, of zou mijn persoonlijke bullebak al lang hier zijn en zou *jíj* zwaar in de problemen zitten.'

'Haar ouders kunnen niet zomaar alles laten vallen om familieproblemen op te gaan lossen. Eddie begrijpt dat. Daar heeft ze zelfs op gerekend. Ze *wíl* met rust gelaten worden. Ze wil een normaal leven leiden. Ook al besturen haar ouders het land.'

'Als je maar onthoudt dat *ík* dit bedrijf moet besturen – het mag dan geen heel land zijn, maar voor mij en de meesten van mijn verwanten is het de hele wereld.'

'Dat weet ik.'

Ik liep naar de trap en bleef toen staan. 'Denk er goed over na welke gevolgen je beslissingen hebben voor alle levens hier, en wees klaar om de verantwoordelijkheid op je te nemen als Eddies familielid arriveert om met je te praten.'

'Ik ben een man,' zei hij zacht. 'Ik regel het wel.'

Hij klonk zo zelfverzekerd. Hij had geen idee hoe bang ik was om hem en omwille van hem. Een man? Mijn zoon? Had ik een volwassen man het leven geschonken? Ik haastte me de trap af en sloeg met mijn vuist op de eiken trapleuning waar appelbloesems in uitgesneden waren.

'Kom op, schiet op,' zei ik hardop tegen de vreemde die mijn kant op kwam om nog meer problemen te veroorzaken. 'Kom op en vecht.'

'Kolonel Jakobek?'

'Ja?' Ik keek op van een kaart van de bergen van Georgia. De medewerker van het Witte Huis die op het vliegveld van Colorado op me had staan wachten, stond naast mijn stoel met een dik dossier in zijn hand. We zaten in een privé-vliegtuig ergens boven het Midwesten. 'De First Lady zegt dat dit u enig inzicht zal geven in de achtergrond van de familie Thackery.'

Ik nam de map aan, sloeg hem open en zag een kleurenfoto van een lange vrouw met groene ogen in een blauw maatpakje met een knielange rok en paarlemoeren knopen aan de mouwen. Dat klinkt preuts, maar dat was ze niet. Zij niet, ik niet, mijn reactie niet. Ik ademde in. 'Wie is dit?'

'De moeder van Davis Thackery. Hush. Echt een naam voor de Appalachen. Hush McGillen Thackery. Ze is vernoemd naar de appels van haar familie. Een appelsoort die zij hebben gekweekt. De Sweet Hush.'

Hush McGillen Thackery. Sweet Hush, genoemd naar een appel. Moeder van een volwassen zoon op Harvard en hoofd van een klein familierijk. Hoe oud was ze? Ik keek een stapeltje papieren achter de foto door. Pas veertig. Jong begonnen. Ik keek naar verbazingwekkend groene ogen, een sterk, klassiek gezicht en haren in de donkere koperbruine kleur van in de was gezet teakhout in een opiumtent. Ze droeg het opgestoken met een grote zilveren speld die het niet echt in bedwang kon houden. Evenmin als de conservatieve blauwe rok en het maatjasje haar lichaam in bedwang konden houden.

De medewerker ging tegenover me zitten met een stapeltje aantekeningen op zijn schoot. 'Die foto is gemaakt in een gang van het parlementsgebouw in Atlanta, meneer. Mevrouw Thackery zit in het hulpcomité van de gouverneur voor de staatscommissie voor landbouw. Ze vertegenwoordigt de appelboeren.'

'Hebben appelboeren politieke vraagstukken?'

'Die heeft iedereen, meneer.'

Hush Thackery poseerde naast een ziekelijk uitziende volksvertegenwoordiger met een verkeerd kapsel en een te schreeuwerige das. Hij zag eruit als een verkoper van tweedehands auto's die een oude Buick probeerde te verkopen en zij zag eruit alsof ze niet van plan was die te kopen. 'Ze heeft ook gelobbyd voor de vereniging van appelkwekers in de staat,' vervolgde de medewerker. 'Ze is vijf jaar voorzitter geweest van die vereniging. Ze is lid van het bestuur van de nationale kwekersorganisatie. En in haar eigen stad, Dalyrimple, heeft ze praktisch de raad, het college en de gevolmachtigde van het district in haar zak. De meeste plaatselijke ambtenaren zijn familie van haar. Haar jongere broer is de sheriff. Sweet Hush Farms is de grootste werkgever en de grootste toeristische trekpleister van het district.'

Niet de gemiddelde kleine boerin met kapsones. Ambitieus? Bereid haar zoon aan te moedigen een gooi naar een beroemd vriendinnetje te doen? Misschien.

Ik bladerde een kleurencatalogus door die vol stond met talloze gebakken, ingeblikte, zongedroogde, in karamel gedipte, zelfgemaakte appelproducten, allemaal verkrijgbaar via een gratis telefoonnummer, binnen vierentwintig uur in huis, het hele jaar door, vierentwintig uur per dag, zeven dagen per week. Ik hield stil bij een kleurenfoto van Hush Thackery tussen haar appelbomen en bergen. Ze droeg een verbleekte spijkerbroek en een dikke witte trui, stond stevig op haar lange benen, haar donkere haar hing in dikke golven op haar schouders, en in haar armen had ze een mand vol appels. Haar handen, die liefdevol op de wilgentenen lagen waar de mand van was gevlochten, waren groot en sterk. Ze keek ernstig maar met een glimlach de wereld in. Haar glimlach raakte me op een plek waar ik liever niet geraakt werd.

'Ze is min of meer een legende, meneer,' zei de medewerker.

'Vertel me over haar zoon.'

'De perfecte zoon.' Toen ik een wenkbrauw optrok, knikte de medewerker. 'Perfect, meneer.' Hij gaf me een lijst van de prestaties van Euell Davis Thackery junior. *Echt Amerikaans boerengenie*, dacht ik. Ik bestudeerde een foto uit het jaarboek van de universiteit en zag een goed uitziende jongen met donker haar en zijn moeders kalme blik. Problemen.

'Vertel me over de vader,' zei ik.

'Plaatselijke held.'

'Is er iemand in die familie die geen heilige is?'

'Meneer, ik kan u alleen informatie geven. De feiten.'

'Informatie is niet hetzelfde als feiten. Het vormt alleen de buitenkant.' Ik ademde uit. 'Maar goed, vertel me eens wat we over de heilige ouweheer van Davis Thackery weten.'

'Davis senior. Big Davy, noemden veel mensen hem. Stockcarracer, zakenman... had zijn eigen raceteam, partner bij een truckdealer langs de snelweg, toegewijde vader, fantastische echtgenoot, kerkganger en hoeksteen van de gemeenschap. Geliefd. Zijn racefans hebben een monument voor hem opgericht op de berg waar hij is gestorven. Hij racete de berg af. Probeerde een plaatselijk snelheidsrecord te breken.'

Dood? Dat interesseerde me meer dan ik zou toegeven. 'Dus de heilige mevrouw Thackery is weduwe?'

'Ja, meneer. Sinds vijf jaar. Zij en haar echtgenoot werden als het perfecte paar gezien.' Hij gaf me een krantenknipsel. 'Hier is een foto van haar man uit de regionale krant.' De medewerker glimlachte. 'Een klein krantje dat de *Dalyrimple Weekly News* heet.'

DAVY THACKERY WINT WEER KAMPIOENSTITEL IN CHOCINAW RIVER TRACK. Ik keek naar een lange, grijnzende, donkerharige man in een modderige spijkerbroek met een grote gesp aan zijn riem die voor een met modder bespatte sedan stond. Zijn zoon, toen nog een magere tiener, stond naast hem te grijnzen, met een arm om de schouder van zijn vader geslagen. Op de achtergrond stond een menigte fans te zwaaien. Hush Thackery was nergens te zien. Toeval? Ik zocht naar problemen. Zwakke plekken. Kwetsbaarheid. Hoopvol?

Ik keerde terug naar haar foto. Fantastische echtgenoot, fantastische zoon, fantastisch succesverhaal. Het enige wat ik had was een woonboot die ik te leen had van een familie waarmee ik ergens langs de Amazone in Peru vriendschap had gesloten, een appartement in het ruwe zuidelijke deel van Chicago waar ik al jaren niet was geweest, en de coyoteschedels, die ergens werden bewaard. Ik was dat najaar vierenveertig, een meter drieënnegentig, honderdvijf kilo spieren, compleet met acnelittekens en een neus die twee keer lelijk gebroken was, een keer in Bosnië en een keer in Afghanistan. En natuurlijk miste ik nog steeds de pink van mijn linkerhand. Ik was dus niet bepaald het toonbeeld van de Amerikaanse droom. Ik had nog steeds geen kinderen en zei nog steeds dat ik ze nooit gewild had, maar kinderen doorzagen me altijd, net zoals katten recht op de mensen afgaan die zeggen dat ze niet van katten houden. Ik was ook nooit getrouwd geweest, maar had daar absoluut geen spijt van. Mijn slag vrouwen was betrouwbaar. Ik pikte altijd degenen eruit die bescherming nodig hadden. Gewoonlijk tegen henzelf.

Eddie dacht, godzijdank, dat ik mijn carrière had doorgebracht als een soort Harrison Ford in een Tom Clancy-film. Ik stuurde haar zo nu en dan foto's van mezelf in een smoking naast ambassadeurs en hun deftige vrouwen. In Eddies ogen zou ik altijd de held zijn die haar leven had gered toen ze nog klein was. De man die had gezworen dat hij de wereld veilig zou maken voor haar.

Nu keek ik weer naar de foto's van Hush Thackery. Deze vrouw hoefde niet om hulp te vragen bij het veilig houden van haar wereld. Ik legde de foto's ter zijde.

De medewerker kwam dichterbij. 'De First Lady vindt dat u op de hoogte moet zijn van de oncoöperatieve en dreigende houding van mevrouw Thackery...'

'Verklaar je nader.'

'Ze had vanochtend een confrontatie met mevrouw Jacobs' mensen van de geheime dienst over de toegang tot haar woning en terrein. En ook een confrontatie met de First Lady zelf. Ze dreigde de media in te schakelen. Zocht haar toevlucht tot chantage, of dreigde daar althans mee.'

'Wie heeft er gewonnen?'

De medewerker kuchte. 'Mevrouw Thackery.'

Ik pakte de foto van Hush Thackery in de boomgaard op. *Hou altijd je ogen op de moeder gericht.* Ik bestudeerde haar objectief, of probeerde dat althans. *Goed dan, je weet hoe je voor je mensen moet opkomen. Goed. Maar ik ben degene die ze sturen als ze iemand bang willen maken.*

En het spijt me zeer, maar bang zul je zijn.

Ik stapte op Dobbins Air Reserve Base buiten Atlanta uit het vliegtuig. Een medewerker gaf me de sleutels van een grote camouflagegroene legerjeep met een nummerplaat van de regering. 'We dachten dat u deze wel zou willen hebben, meneer,' zei iemand.

'Ik val geen vreemd land binnen. Ik rij alleen maar de bergen boven Atlanta in.'

'Er zijn plaatsen in de Appalachen waar ze vreemdelingen nog steeds aan de varkens dreigen te voeren, meneer.'

'Dat risico neem ik dan maar. Regel een huurwagen voor me.'

Het land in de noordelijke punt van Georgia rees boven Atlanta uit als de bult van een groot beest, tot ik het gevoel kreeg over de ruggengraat van een slapende beer te rijden. De snelweg voerde me door grote beboste heuvels, gekleurd door het eerste rood en goud van de herfst. De bergen rolden in reusachtige drukwallen langs de horizon, en zagen er in vergelijking met de ruwe Rockies oud en vreedzaam uit. Ik raakte in de waan dat ze tam waren.

DAVY THACKERY FORD TRUCK, VOLGENDE AFRIT, blèrde een reclamebord met grote letters onder een levensgroot schilderij van een blauw met witte stockcar met THACKERY RACING op het portier en de motorkap. KAMPIOEN VAN DE ZANDBAAN. Ik reed de snelweg af, langs een groot autobedrijf met een levendige handel naast een wegrestaurant en een benzinestation. Thackery's stockcar – de echte, geen schilderij – stond ervoor op een breed betonnen platform. Diverse mensen poseerden met hun kinderen naast de auto en maakten foto's. Zelfs dood trok Hush Thackery's man nog publiek.

Somber stuurde ik de huurauto een schaduwrijke tweebaansweg op die naar een volle skyline van bergen voerde die veel te snel dichterbij kwam. De Appalachen sloten me plotseling in. Ik had het gevoel te worden opgeslokt.

BEZOEK DE BEFAAMDE SWEET HUSH FARMS, 15 KILOMETER, vertelde een groot, goed onderhouden rood met wit bord op een kunstmatig aangelegde open plek tussen twee appelbomen waarvan de onderste takken kaal waren gegeten door vier herten die niet eens de moeite namen weg te springen toen ik voorbijreed. SEPTEMBER TOT OUDJAAR. EEN TRADITIE IN CHOCINAW COUNTY. En even later weer een ander bord. HISTORISCH DALYRIMPLE, WINKELS, HERBERGEN, GOED VOLK. HET HART VAN SWEET HUSH APPELLAND.

Nu begreep ik het, ik was in een heel ander land. De Burgeroorlog had die kwestie niet opgehelderd, althans niet hier.

Ik stuurde de sedan de eerste van vele hellingen op die over bergrichels kronkelden, soms dicht langs de randen, als glazuur op de rand van een grote taart. Er verscheen weer een bord, de randen overdekt met kamperfoelie. U RIJDT CHOCINAW COUNTY BINNEN. WELKOM IN HET THUIS VAN DE SWEET HUSH-APPEL. En daaronder, in het feloranje van het ministerie van Transport: STEILE HELLINGEN EN GEVAARLIJKE BOCHTEN, DE KOMENDE 15 KILOMETER. Ik hield het stuur losjes vast en zag de randen van de weg omlaag duiken in het niets. NAAR HUSH MCGILLEN THACKERY EN EEN LANDELIJKE APPELTAARTWERELD DIE ZIJ EN HAAR FAMILIE MET VEEL TROTS EN ONBESCHROOMD REGEREN.

Alle waarschuwingsborden vertelden het me.

Twintig minuten later reed ik officieel van de kaart af en een of ander niemandsland boven op Chocinaw Mountain in. Ik stopte op een stuk grind langs de stalen vangrail en liep naar een punt waarvandaan je over eindeloze, golvende bergdalen en ronde, beboste toppen kon uitkijken. Het uitzicht was zo mooi dat het pijn deed.

Ik weet niet waarom ik daar stopte. Waarschijnlijk de volstrekte eenzaamheid van die plek. Een flits zonlicht op een glad oppervlak trok mijn aandacht en ik keek over de vangrail, zo'n dertig meter omlaag. Een ruwe rechthoek van gepolijst graniet ter grootte van een auto stond als een reusachtige dominosteen tussen de natuurlijke rotsen en rododendrons. Op de grijze obelisk was met grote, diepe letters een inscriptie uitgesneden, die zelfs vanaf de kant van de weg dertig meter erboven goed te lezen waren.

DAVY THACKERY
1960-1997
ECHTGENOOT, VADER, HELD
HIJ REED HARD, HIJ LEEFDE GROOTS, HIJ MAAKTE ONS TROTS
ALLEEN EEN BERG KON HEM VERSLAAN

Jezus Christus. Dit moest de plek zijn waar Hush Thackery's echtgenoot was overleden, in een poging een snelheidsrecord te vestigen op een bergweg die een auto van zich af kon schudden zoals een hond dat met vlooien doet, zelfs bij normale snelheid. Ik liep terug naar mijn brave sedan, keek er nog eens naar, voelde een zekere rivaliteit, en besloot dat ik toch de legerjeep had moeten nemen. Niets beter dan de dominante twee ton terreinwagen om indruk te maken op een familie die het heldhaftig vond om een ravijn in te rijden.

Ik draaide me om en keek naar de stalen vangrail en de steile afgrond, daarna naar de blauwe lucht waar een enkele havik op een luchtstroom zweefde, en ten slotte naar het onafgebroken panorama van grillige, eenzame bergen die naar de horizon voerden. Hush Thackery's held-echtgenoot had geen goede of gemakkelijke dood gehad. Hij was alleen gestorven, bloedend en gebroken op de helling van deze berg. Ze had waarschijnlijk haar hart wel uit haar lijf willen rukken.

Plotseling schoot me wat te binnen. Eddie had ook daar op die rotsen terecht kunnen komen, dankzij Davis Thackery junior. Een duistere stemming gleed achter mijn ogen langs.

Je zit zwaar in de problemen, junior.

Toen ik de voet van de berg bereikte, sloeg ik scherp af op een stille kruising midden in de bossen. Op een groen stalen districtsbordje stond MCGILLEN ORCHARDS ROAD. Een mooi helderrood met wit bordje wees me de weg naar SWEET HUSH FARMS.

Ik reed hard over de boomgaardweg, tot die plotseling uit de bossen te voorschijn schoot. Ik was omringd door velden die een lange, smalle opening tussen de bergen vulden. De toegang tot Sweet Hush Hollow. Honderden grote oranje pompoenen hingen aan de vele rijen ranken. Op een houten bord langs de weg stond PLUK-UW-EIGEN-POMPOENEN-FESTIVAL, 1 - 31 OKTOBER, Sweet Hush Farms. Daarna maakten de pompoenen plaats voor velden vol netjes gerangschikte en verzorgde sparren. Op een bord stond ZAAG-UW-EIGEN-KERSTBOOM-FESTIVAL, 1 NOVEMBER - 24 DECEMBER.

De weg dook weer het bos in, flitste door zon en schaduw en ik sloot mijn handen steviger rond het stuur. Ik begon tegenliggers tegen te komen, die op hun gemak passeerden. Gezinsauto's, busjes, goed onderhouden terreinwagens, allemaal vol met ouders en kinderen en grootouders en dikke honden, die door de namiddagschaduwen van een vroege herfstdag tuften. Hun tevreden gezichten vlogen langs me heen. Ze waren gedrogeerd met appels. Ze zouden gewillige slachtoffers zijn voor de kerstbomen en pompoenen.

Ik reed tegen die lange stroom van opgewekte en veilige Amerikanen in, die tevreden terugkeerden van hun pelgrimstocht naar Sweet Hush Farms. Plotseling openden de bossen zich voor een breed dal en werd ik gedwongen gas terug te nemen. Door het geopende raampje drong de naar appels geurende lucht mijn longen binnen en ik werd verblind door de namiddagzon. Ik stopte in de gemaaide berm en stapte weer uit. Ik ademde een paar keer diep in en kwam tot rust.

Het hele dal was bedekt met appelboomgaarden. De gloed van het paarsgouden namiddaglicht deed me aan oude schilderijen en zachte bedden denken. De nok van een rood boerderijdak en stenen schoorstenen waren zichtbaar tussen de bomen aan de andere kant van het dal. Daarvoor, niet ver van de weg waar ik nu stond, lagen mooie schuren en parkeerplaatsen verspreid tussen de boomgaarden. Er waren daar die dag tweeduizend mensen geweest, die heen en weer hadden gewandeld tussen de schuren en winkels en een paviljoen vol manden met appels, of zich op dekens onder de appelbomen hadden uitgestrekt. De wind droeg het geluid van een bluegrass-viool en de langgerekte, lage klanken van een oud bergliedje naar me toe. Muzikanten bezetten een klein podium in het paviljoen, en het gebied eromheen stond vol met tentjes. Hulpsheriffs van Chocinaw County en tieners in neonkleurige veiligheidsvestjes regelden met evenveel gezag het verkeer. Alsof het leven zo simpel was dat tieners met slechts oranje plastic als wapenrusting er meester over konden blijven. De warmte van de zon drong diep in me door, en de geur van appels, en de muziek. De muziek.

Dus dit was het verborgen koninkrijk waarover Hush Thackery regeerde. Een Utopia in zuidelijke stijl. Iemands fantasie. Niet de mijne. Ik kon niet geloven dat die werkelijk bestond.

Neem Eddie mee naar huis. Maak dat je hier wegkomt.

En kijk niet achterom.

'Wespen!' gilde Hush Puppy. 'Wespen, tante Hush! Ze zitten achter me aan!'

Ik hoorde haar schreeuwen toen ik over het pad bij het huis vandaan liep, van plan terug te rijden naar de openbare schuren. Ik draaide me om en rende een oud zandpad af naar een grijze, verweerde schuur die eruitzag alsof hij uit de rotswand achter het huis groeide. Dit was een echte schuur, meer dan honderd jaar oud. 'Hebt u hulp nodig, mevrouw Thackery?' riep Lucille. Zij en drie van haar collega's surveilleerden langs mijn bloembedden, mijn oprit en de veranda aan de voorkant. Maar ze waren geen partij voor een zwerm wespen. Ik schudde mijn hoofd en rende verder.

Ik nam een kortere weg over een omgevallen rij stenen en rechtstreeks de grote overschaduwde zij-ingang van de schuur en het gezeefde zonlicht en de geur van hooi uit het verleden van het oude bouwwerk in. Twee grote tractors wedijverden om de ruimte in de oude muilezelstal naast vorentrekkers, ploegen en een grote wagen die ik naar buiten reed voor muilezeltochtjes zodra het frisser werd.

'Hier, tante Hush!' gilde Puppy. 'Ik zit in de maïsdroogbak!'

'Ik kom eraan, schatje! Blijf zitten!' Ik stoof tussen oude, met eikenhout verstevigde manden door die manshoog op elkaar waren gestapeld als omgekeerde ijshoorntjes. Tientallen wespen zwermden in een hoek waar het zonlicht tussen de ruwe wandplanken van de schuur naar binnen scheen. Puppy rammelde vanaf haar veilige plekje aan de andere kant van de zware deur van de droogbak met de houten haak. Door een kier boven het verstevigingskruis kon ik net iets van haar donkere, golvende haar zien. Haar blauwe ogen tuurden door een kleinere horizontale spleet daaronder. 'Ik zat Toad de kat achterna en toen kwamen de wespen ineens uit een gat in de grond.' Haar stem, het bevende gepiep van een zesjarige, werd nog iets hoger bij het laatste woord. Ze begon te huilen. 'Tante Hush, ik ben niet geschikt om de zesde Hush McGillen te zijn. Ik heb geen suikervel. De wespen hebben in mijn vinger gestoken!' Ze snikte. 'Ik had evengoed iemand anders kunnen zijn!'

'Maar schatje,' kirde ik, 'de wespen zijn er gewoon nog niet achter wie je bent. Luister, als ik "Nu" zeg, doe je rustig de deur open en loop je langzaam de schuur uit. Ga Gruncle Thackery halen en vraag hem een rookpot mee te brengen uit de bijenstal.' We hadden rookpotten voor het werk aan de bijenkorven in de boomgaard. Rook was het enige wat de wespen weer van mijn huid zou kunnen verdrijven. 'Niet rennen. Loop rustig naar de openbare schuren en zoek Gruncle. Oké?'

'Oké.'

Ik ging voor de zwerm geelzwarte wespen met hun gemene angels staan. 'Ik ben het,' zei ik zacht tegen de insecten. Ik schoof mijn mouwen tot boven mijn ellebogen omhoog, stak mijn handen uit, de vingers gespreid, zei een kort gebed en stapte tussen de wespen. Langzaam streken ze op me neer. Binnen een minuut bedekten ze mijn handen en onderarmen, als levende handschoenen. Ik voelde hun lichte gewicht op mijn huid, hun kriebelende, proevende insectenmondjes. Enkele tientallen vlogen omhoog naar mijn gezicht en haren, nestelden zich op mijn wangen, mijn neus en het litteken onder mijn rechteroog. Ik voelde er eentje over het halvemaantje van gevoelig vlees kriebelen. *Davy heeft je pijn gedaan, maar dat zullen wij nooit doen.*

Na nog een paar seconden vloog er niet één wesp meer rond. Het hele nest was van me gecharmeerd. Ik had er nog steeds slag van hen en de bijen te betoveren, ook al begon de rest van mijn leven uit mijn handen te glippen. 'Puppy?' zei ik zacht.

'Ja?'

'Nu.'

De deur van de droogbak draaide piepend open op zijn oude ijzeren scharnieren. Puppy stak langzaam haar hoofd naar buiten, keek me met wijdopen ogen aan en kwam toen te voorschijn. Ze had me dit eerder zien doen – de wespen en bijen betoveren – maar bleef toch even vol ontzag naar me staren. 'Ik haal Gruncle met de rookpot,' fluisterde ze. Ze liep zo'n tien passen zijwaarts tussen de stapels manden door en zette het toen op een lopen, door de zij-ingang van de schuur naar buiten.

Ik bleef staan, alleen in de strepen zonlicht, mijn huid een magneet voor wezens die in de vorming van de vruchten des levens net zo'n belangrijke plaats en betekenis hadden als ik. Ik ademde langzaam uit en fluisterde toen tegen ze: 'Ik heb op het moment heel wat ergere dingen om bang voor te zijn dan jullie, kleine vrienden. En ik denk dat jullie dat weten.'

Ik ging rustig op een lage houten bank zitten bij de plek waar ik mijn grootvaders gereedschap voor houtsnijwerk bewaarde, zette voorzichtig mijn ellebogen op mijn knieën, zodat ik geen wespen zou platdrukken, en wendde toen mijn met wespen getooide gezicht naar een zonnestraal. Als een appelboom in het voorjaar werd ik bestoven. Een gevoel van verwachting welde in me op. Mijn huid tintelde. Ik was hier om de een of andere reden. Buiten de schuur, meegedragen op een zuchtje wind, klonk het gefluister van de Oude Dame.

Wees kalm en je bomen zullen je nieuw leven schenken.

Nadat ik voorbij het openbare gedeelte van Sweet Hush Farms was gereden, reed ik de boomgaarden binnen, en de hele buitenwereld verdween achter me. Zelfs de lichtkwaliteit verdiepte zich, alsof ik een bron in getrokken werd. De bomen stonden zo dicht langs de weg dat de bladerrijke toppen van een tak, beladen met appels, tegen mijn voorruit sloegen. *Laat ons binnen. Je kunt het niet winnen van het puur Amerikaanse fruit.*

De weg werd smaller, was verhard met behulp van grind en omzoomd door goudkleurige bloemen. De bergen wierpen hun schaduwen over mijn voertuig, transformeerden het licht nog meer en veranderden mijn perspectief en mijn tijdsbesef. Ik reed door een tunnel van appelbomen. *Dit is een wormgat in het heelal*, dacht ik. *Ik kom in een andere dimensie weer te voorschijn.*

Misschien was dat zo. Ik liet de boomgaarden achter me en stond plotseling stil voor een verweerde poort en hekjes met verstevigingskruisen. Niets waard als ze bedoeld waren om iets of iemand binnen of buiten te houden, maar wel mooi. Op een helling met gazons en terrassen omgeven door bemoste stenen muurtjes vol met bruin kleurende bloembedden en overschaduwd door grote eiken die rood begonnen te kleuren, stond het grote, mooie huis met zijn rode puntdak en schoorstenen van grijze steen, een brede veranda vol klimplanten en een voordeur van donker, versierd hout en gebrandschilderd glas. Er waren appels uitgesneden in de trapstijlen van de trap naar de veranda, appels uitgesneden in de deur. Rode appels op de gebrandschilderde ruitjes.

Overal appels.

Drie agenten van de geheime dienst kwamen een pad van oude stenen aflopen dat werd overkapt door Gelderse rozen zo groot dat je je erachter kon verbergen. Het was een pittoresk mijnenveld van veiligheidsrisico's. Ik stapte uit de auto en knikte naar de agenten. Ze zagen eruit als betrouwbare, fatsoenlijke huisvaders – de typerende keus van de geheime dienst. Geen van allen kenden ze me van gezicht en ze hielden alle drie een hand op hun wapen toen ze naar me toe liepen. Dat effect had ik op huisvaders.

'Blijft u daar staan,' riep een van hen. 'Moet u in het huis zijn?'

Ik knikte en keek langs hen heen. Ik zag een oude schuur en wat andere gebouwen voorbij het bos, een glimp van een kleine wei, en daarachter nog meer boomgaarden – eindeloze boomgaarden, verdorie, een leger van appelbomen, rijzend en dalend met de bodem van het dal. Een zee van appels. Ik was omsingeld. Ik legde een hand op het afgesloten hekje toen de agenten het bereikten. 'Mijn naam is Jakobek,' zei ik terwijl ik mijn pasje uit de zak van mijn oude kaki broek haalde. Een agent pakte mijn geopende portefeuille aan en bestudeerde mijn foto. De uitdrukking op hun gezicht verried opluchting, of in elk geval herkenning. 'Kolonel. Neem me niet kwalijk dat we u hebben tegengehouden.' Er was hun verteld dat ze me konden verwachten.

'Geen probleem,' zei ik.

'Kolonel,' riep Lucille Olson. Ze stapte vanuit de schaduw van de struiken over het stenen pad naar me toe. Al en Edwina hadden me gevraagd wat ik van haar vond voordat ze haar de leiding gaven over de beveiliging van Eddie. Ik had naar haar papieren en haar opleiding gekeken en haar toen één vraag gesteld: 'Waarom zou jij je leven riskeren om dat van Eddie te beschermen?'

Lucille Olson had me recht aangekeken. 'Omdat toen ik in Minnesota opgroeide, mijn zus werd verkracht en vermoord door een stalker. Ik kan alleen met de herinnering daaraan leven door ervoor te zorgen dat niemand anders hetzelfde overkomt. Ik moet geloven dat ik verschil kan maken.'

Ik vertelde Al en Edwina dat ze Eddies leven aan haar konden toevertrouwen. Ze zou Eddie nooit in de steek laten. Ik begreep die mentaliteit.

'Agent Olson, waar is Eddie?'

'Binnen, kolonel.' Ze maakte het hekje open. 'Boven. Ze slaapt de hele dag. Ze heeft last van buikgriep, misselijkheid. Niets ernstigs, al heb ik haar wel proberen over te halen me een dokter te laten bellen. Wilde ze niet. Davis Thackery zit bij haar. Hij is niet bij haar weg te krijgen. Ik ben blij dat u er bent.'

Ik liep door de geopende poort over het pad naar het huis. 'Zorg dat je klaarstaat om te vertrekken als ik met Eddie terugkom. Laat een dokter naar het vliegveld komen. Ik verwacht niet dat dit lang zal duren.'

'Ik geloof niet dat u het begrijpt.' Ze liep naast me. 'Eddie laat zich op het moment niet gemakkelijk ompraten.'

'Naar mij zal ze luisteren. Is Hush Thackery binnen? Ik wil eerst met haar praten. Een stukje protocol. Stel jij me maar voor.'

'Nou, eigenlijk, is ze... we hebben een probleempje... ze is daarginds in die schuur, maar ik weet niet wat...'

'Jullie moeten me helpen Gruncle te vinden met de rookpot!' riep een jonge stem. Een klein meisje met wapperende haren en betraande wangen, in een spijkerbroek en barbiesweater kwam de heuvel af rennen en klom over de stenen randen van de bloembedden. Met die speciale radar die kinderen voor mij hebben kwam ze recht op me af, pakte me bij mijn hand en begon eraan te trekken. 'Neem me niet kwalijk, meneer, maar ik heb een lift nodig naar de voorste schuren om Gruncle Thackery te halen en te zeggen dat hij de rookpot mee moet brengen! Er zit een hele zwerm wespen op mijn tante Hush!' Ze stak een rode, gezwollen wijsvinger op. 'Kijk eens! Een van de wespen heeft me gestoken!'

Tante Hush. Zwerm. Wespen. Gestoken. Dat waren de woorden die ik hoorde. Ik boog voorover naar het kind, pakte haar kleine handje voorzichtig vast. 'Wat doet je tante Hush nu?'

'Ze wacht op hulp! Snel! Ze zitten allemaal op haar!' Ze wees naar het dak van een schuur dat tussen de bomen in de verte zichtbaar was. 'Daarginds!'

'Ik zorg voor haar.'

'Beloofd?'

'Beloofd.'

Ik legde mijn handen onder haar oksels, pakte haar op, draaide me om en droeg haar over aan een van de mannen. 'Zoek Gruncle, wie dat dan ook mag zijn. Ik ga naar de schuur.'

De agent keek naar Lucille. Ze knikte. 'Tom, Hernando, jullie blijven hier.' Toen tegen mij: 'Ik zal haar zoon roepen. En een ambulance bellen.' Lucille stoof naar het huis en trok ondertussen een mobiele telefoon uit haar broekzak.

Ik rende de in terrasvorm aangelegde bloembedden over, sprong over de stenen borders heen en klom toen door laat bloeiende azalea's, lage oerwouden van lavendel en de scherpe, bruin kleurende bladeren van zomeririssen. Ik bereikte de eikenbomen en sprintte onder hun met rood getooide takken door naar de oude schuur achter de kleine wei. Door een donkere opening in de zijkant van de schuur hoorde ik geen geschreeuw en zag ik niets anders dan gefilterde bundels zonlicht. In gedachten zag ik echter Hush Thackery, doodgestoken in een bizar ongeluk die deze vreemde dag tot een nachtmerrie zou maken.

Toen ik nog maar een klein meisje was, een paar jaar voor mijn vader stierf bij het uitgraven van braamstruiken in de boomgaard, nam hij mama en mij mee naar Dalyrimple om de optocht van 4 juli te zien, met dank aan de oorlogsveteranen van Chocinaw County, een vaandelwacht van de reservistenafdeling van North Georgia College, en de band van Chocinaw County High School, die luide en enigszins valse marsmuziek speelde. De stad was zo oud als de grijze stenen van het gerechtsgebouw en werd overschaduwd door bitternotenbomen die in de herfst keiharde noten op je hoofd gooiden.

De teckeltjes van Farlo Dalyrimple lagen vredig te slapen op de stoep, en zagen eruit als worsten met een bontjasje die alleen in beweging kwamen als je claxonneerde. De stokoude Ulaine Dalyrimple Baggett, die de arme bergkinderen – mij incluis – gratis muziekles gaf, volgde het langzame tempo van de stad vanaf de voorveranda van de ijzerwarenhandel van haar kleinzoon. Dalyrimple was eind jaren zestig vreselijk oubollig.

We zaten op de rand van de veranda, mama links van mevrouw Baggetts schommelstoel, papa en ik rechts ervan. Mevrouw Baggett zong 'May the circle be unbroken' in een lage alt, en ik zong de tweede stem. Terwijl we zongen en naar de optocht keken begonnen dikke hommels uit de rozenstruiken van mevrouw Baggett naar me toe te vliegen. Ik wist nog niet dat ik suikervel had, maar was niet bang voor bijen, omdat ik al had gemerkt dat ze me zelden staken.

Een voor een kwamen de hommels op mijn haren en gezicht zitten, terwijl papa, mama en mevrouw Baggett zich nergens van bewust naar de optocht keken. Plotseling hield mevrouw Baggett op met zingen en zei ze met haar rustige, krassende oude stem: 'John Albert McGillen, je dochter heeft de bijen naar zich toe gezongen.'

Papa en mama draaiden zich snel naar me om. Daar zat ik, volmaakt rustig, met enkele tientallen dikke hommels op mijn gezicht en haren. Mama zei geen woord maar pakte een paar kleine Amerikaanse vlaggetjes die mevrouw Baggett in een bloempot vol geraniums had gestoken. 'Neem me niet kwalijk, mevrouw Baggett, maar ik ga uw vlaggetjes even gebruiken om die hommels van Hush weg te jagen.'

'Niet nodig,' zei papa. Moe en mager als hij was, met steeds grotere inhammen in zijn bruine haar, had hij de warmste glimlach van alle mannen op aarde, en een zo rustige aard dat de bijen ook op hem neerstreken. Hij pakte een pijp met lange steel uit de borstzak van zijn blauwgeruite zondagse hemd, stopte hem met tabak uit een leren zakje in zijn broek, stak de brand erin met een lucifer die hij had aangestreken op de leerachtige palm van zijn hand en blies de rook langzaam over me uit.

De hommels vlogen met twee, vier tegelijk zoemend bij me vandaan. 'Luister, ze maken muziek,' zei mevrouw Baggett. 'John Albert, je bent een wonder. Je laat zelfs de bijen zingen.'

Mijn hart zwol op van de verbazing om kleine wonderen en het ontzag dat de gelukkigste kinderen ten minste één keer in hun leven voor hun ouders voelen. *Papa had me gered.*

Mijn vader en ik droegen beiden al een permanent stempel van McGillen-bijenmagie, maar dat moment bezegelde het. Hij glimlachte naar me, en keek toen weer voor zich uit, naar de optocht, terwijl mama opgelucht uitademde en de vlaggetjes van mevrouw Baggett terugzette tussen de geraniums.

Mevrouw Baggett, de laatste grote bewaarster van het zuidelijke vrouwelijke geslacht in de traditie van het spirituele lied, boog over de leuning van haar schommelstoel en wenkte me met een vinger die zo knoestig was als de tak van mijn eigen Oude Dame. Toen ik dichterbij kwam zei ze zacht: 'Je pappie is een bijentovenaar, net als jij. Een man die bijen en wespen kan betoveren beschikt over bijzondere moed en grote vriendelijkheid. Onthou dat. Kijk uit naar een man die de bijen kan betoveren. Hij heeft een bijzonder soort muziek in zijn hart.'

Ik legde een hand op mijn eigen hart en knikte. Een kleine, weerbarstige hommel kwam terug en ging op mijn hand zitten toen ik die belofte deed. Hij wist het en kon het dus aan alle bijen op de wereld doorvertellen. Maar mevrouw Baggett stierf het volgende voorjaar zonder me verder nog raad te hebben gegeven, en papa een paar jaar later, en daarna kwam Davy en brak ik mijn belofte.

Ik had nooit een man gevonden die de bijen kon betoveren.

Tot de dag, dat najaar, waarop Nick Jakobek arriveerde.

Ik hoorde rennende voetstappen. *Dat is niet Gruncle*, dacht ik. *En ook niet Davis. Davis rent als een giraf. Langzaam sjokkend.* Ik draaide voorzichtig mijn hoofd om de wespen die op mijn wangen en voorhoofd en bij mijn mondhoeken zaten niet te laten schrikken. De zij-ingang van de schuur was een hoge rechthoek van grijze balken die het blauwroze namiddaglicht omlijstten als een licht raam in een donkere kamer. Gedwongen om stil te zitten voelde ik me gehypnotiseerd door dat contrast in het licht, de voetstappen die niet van de oude Gruncle konden zijn, en het langzame bonken van mijn eigen hart. Hier en daar vloog een wesp op van mijn overdekte handen en polsen, zocht een ander plekje op mijn huid, wurmde zich tussen zijn broeders die dicht op elkaar op mijn armen zaten. Als een kerkkoor dat de juiste toon heeft gevonden, bewogen ze zich in hun eigen ritme. Mevrouw Baggett zou trots op ze zijn geweest.

De voetstappen hielden stil. Plotseling doemde het krachtige silhouet van een man op in de omlijsting van licht en bomen van de deuropening. Ik zag zijn lange benen, licht gespreid, zijn armen enigszins van zijn lichaam af, klaar om toe te schieten, en dat alles tegen het licht van een koperkleurig waas van de eiken bij het huis in de verte. De wespen roerden zich onheilspellend.

Hij deed een stap dichterbij. 'Blijf daar staan,' zei ik zacht. 'Sta stil of ze komen achter u aan.'

'Hoe ernstig bent u gewond?' Zijn stem was diep, kalm, geen zuidelijk accent, maar toch... een goede, krachtige stem. Ik zou die niet vergeten, evenmin als de manier waarop hij zijn vraag had gesteld.

'Ik ben helemaal niet gewond, dank u. Ik heb er gewoon slag van bijen en wespen aan te trekken.' Er kriebelde een kleine wesp over mijn bovenlip en ik ademde zachtjes uit. Hij kroop weg. Ik kreeg kippenvel. De vreemdeling kwam dichterbij, voorzichtig bewegend voor zo'n lange man. Ik deed mijn mond open om hem opnieuw te waarschuwen, maar de woorden kwamen niet. Hij bleef staan in een streep zonlicht.

Hij keek op me neer met een zekere verbazing.

En ik keek verwonderd naar hem op.

Hij had een grimmig en behoorlijk getekend gezicht, een dikke bos eerder zwart dan bruin haar en donkere ogen die de wereld reduceerden tot mij. Alleen mij. Hij bracht een hand omhoog naar zijn borst en stak zijn vingers in de borstzak van een gekreukt flanellen shirt dat in een oude kaki broek gestoken was, waar hij versleten wandelschoenen onder droeg. Hij haalde een lange dunne sigaar uit zijn borstzak en pakte tegelijk een zilveren aansteker uit de zak van zijn broek. Ik zag hem het cellofaan van de sigaar weggooien en met een snelle ruk van zijn tanden het puntje van de sigaar bijten.

Ik hield mijn adem in.

Hij stak de sigaar tussen zijn lippen en tanden, hield een grote en bekwaam ogende hand bij het uiteinde van de sigaar, klikte met zijn duim een vlam uit de aansteker en stak de sigaar op met het kalme ceremonieel van een man die precies weet hoeveel adem er nodig is om vuur en tabak over te halen tot een gezamenlijke dans. Hij blies uit, en een zachte grijze wolk van zoetgeurende rook dreef in mijn richting. 'Eens kijken wat we kunnen doen,' zei hij. Hij kwam dichterbij en knielde binnen een armlengte afstand.

Door het schuin invallende zonlicht baadde een kant van onze gezichten in licht, de andere in schaduw. Ik keek diep in zijn ogen en was tevreden met wat ik zag of meende te zien. Vertrouwen rees tussen ons als het luchtbelletje in een waterpas. Er was evenwicht, misschien maar tijdelijk, maar voldoende om dit moment te beteugelen. Hij nam een trek van de sigaar en ademde toen langzaam, samen met de lucht uit zijn longen, de aromatische rook uit die mij omringde.

De wespen zoemden niet eens tegen hem.

Mijn hart kwam verrast tot rust.

Ik had eindelijk een man gevonden die bijen kon betoveren.

De wespen begonnen van mijn huid op te vliegen. Ik hief mijn handen. Tientallen stegen op en dreven in de rook weg, veeleer lui dan geïrriteerd, wegdrijvend op de adem van deze vreemdeling, tot ze de rook door een opening tussen de muurplanken naar buiten volgden. Ik wendde mijn blik geen moment van het gezicht van de vreemdeling af, tot ik me plotseling realiseerde dat mijn handen en armen leeg waren.

Hij hief zijn hand en hield die dicht bij mijn wang om een nieuwe rookwolk van zijn lippen naar me toe te leiden. Een paar wespen kropen nog koppig over mijn huid. Ik boog naar hem toe met mijn gezicht opgeheven in de zoete wolk en de geur van zijn adem, en ook hij kwam wat dichterbij, tot we elkaar bijna hadden kunnen kussen. Zo dichtbij. Ik voelde de warmte van zijn huid vlak bij de mijne. Zo dichtbij. Hij blies kleine pufjes lucht in rustige uitademingen naar mijn ogen, mijn wangen, en ten slotte, toen er nog maar één kleine wesp bij mijn mondhoek zat te kriebelen, kwam hij nog net iets dichterbij, dwaalde zijn blik van mijn mond naar mijn ogen en blies hij een laatste kleine luchtstroom precies tussen mijn iets geopende lippen. De klein wesp vloog weg en verdween in een streep zonlicht tussen de oude planken.

We kozen niet meteen weer een veilige afstand. We keken elkaar aan met een verwarrende mengeling van genegenheid en verbazing en seksuele opwinding. Ik denk dat we op dat moment allebei wisten dat we elkaar vreugde en pijn zouden bezorgen. Op diverse manieren.

'Waarom bent u niet bang?' vroeg hij.

'Van de wespen? Of van u?'

'Allebei.'

'Ik vertrouw de mening van de wespen over u. En zij vertrouwen u.'

Er verscheen iets in zijn ogen, verlangend en sterk. 'Mevrouw Thackery,' zei hij zacht. 'Mijn naam is Nick Jakobek en ik ben hier om Eddie mee naar huis te nemen.'

Ik ademde diep in en knikte. 'Goed.'

En zo was een herfst die was begonnen in een militair trainingskamp in Texas hierop neergekomen: ik stond in een vriendelijke schuur in Georgia, een deel van de wereld waar ik meer wist van stereotypes dan van echte mensen, omringd door antieke boerenwerktuigen en de geur van appels en zoet hooi, te staren naar een ongelooflijke vrouw die rustig naar me zat te kijken vanaf het bankje waarop ze zat, een vrouw die zojuist nog overdekt was geweest door kleine bijen. Nee, wespen. Ik wist niet eens wat voor soort. Alleen dat ze gevaarlijk waren. Hush McGillen Thackery was niet de knapste vrouw die ik ooit had gezien, maar ik had het nog nooit zo moeilijk gevonden mijn ogen van een vrouw af te wenden. Ik was opgewonden, voelde me opgelaten, en was verbaasd. Het feit dat ik dat alles wist te verbergen betekende niet dat het er niet was. De redding en de naamloze kennismaking en de hulpeloze band van verlangen tussen twee vreemden. Het was er allemaal.

Net als de wespen wilde ik weten hoe ze smaakte, en waarom ik haar meteen mocht.

En waarom ze over Eddie had gezegd wat ze had gezegd.

En gewoon in het algemeen, waarom.

De verbazing begon zich net af te tekenen in Nick Jakobeks donkere ogen toen de betovering werd verbroken door het geratel van een zware kan. Ik stond op alsof we betrapt waren. Jakobek kwam langzamer overeind, met halfgeloken ogen. Hij had zijn zwakheden kennelijk beter onder controle dan ik de mijne, of hij had minder opgekropte frustraties. Zijn seksleven draaide waarschijnlijk niet om een vibrerend massagekussen.

Hoe het ook zij, tot mijn afgrijzen stonden Davis en Eddie in de deuropening. Davis bukte zich en had een kan met een lange slang in zijn hand waar zachte witte rookwolkjes uit kwamen. 'Ik weet wie u bent, kolonel, en ik ken uw reputatie, maar ik laat me niet intimideren. Evenmin als mijn moeder.'

Jakobek zei zacht: 'Meneer Thackery, u en ik moeten elkaar onder vier ogen spreken voor u nog meer conclusies trekt over mij en mijn bedoelingen.' Door zijn intense kalmte gingen mijn nekharen overeind staan. Ik zag een pees in zijn nek heel licht spannen en zag zijn alerte houding, de stand van zijn schouders, de manier waarop zijn sterke, grote handen licht gebogen en bedrieglijk kalm langs zijn slanke heupen hingen.

Ik mengde me snel in het gesprek. 'Er wordt niet gepraat zonder mij erbij, hoort u me?'

Hij keek me een seconde lang nadenkend aan. 'Ik ben niet hier om uw zoon pijn te doen. U hebt mijn woord. Ik ben hier om antwoorden te krijgen. En om me ervan te overtuigen dat Eddie veilig is.'

'Prima. Maar geen confrontaties tussen u en mijn familie.'

Hij knikte slechts. Ik was uitgenodigd, maar onder voorwaarden.

'Er wordt nu óver me gepraat,' zei Davis gepikeerd. 'Niet met me.'

Eddie stak haar handen uit naar Jakobek. 'Nicky. Zeg alsjeblieft niet dat moeder en pap je gevraagd hebben me hier weg te halen en dat je ja hebt gezegd. Niet jij ook. Niet jij! Ben je van plan me te komen commanderen? Me te behandelen als een kind dat gered moet worden? Me de les te lezen?'

'Ik ben hier om me ervan te vergewissen dat het goed met je gaat. Dat is alles.'

'Oké, het gaat goed met me. Je vraag is beantwoord.'

'Ik vind dat je er ziek uitziet. Wat je hebt gedaan slaat nergens op. Ik wil er gewoon zeker van zijn dat je niet bent... gedwongen.'

'Gedwongen?' zei Davis zacht. 'U beschuldigt me ervan...'

Eddie legde een hand op zijn arm. 'Nicky, mensen komen soms op keerpunten in hun leven. Momenten waarop alles wat ze hebben leren denken over zichzelf en hun plaats in de wereld plotseling niet langer klopt. Als zo'n moment zich voordoet weet een verstandig mens dat hij een andere weg moet kiezen. Dat is wat ik heb gedaan, Nicky. Een snelle maar heel verstandige beslissing nemen om het uiterlijk vertoon van een leven dat niet langer het mijne is achter me te laten.'

'Je ouders hebben je nooit gedwongen in het licht van hun schijnwerpers te leven.'

'O, Nicky, natuurlijk wel. Een kind kan niet ontkomen aan een licht dat zo helder is als dat van hen.'

'Ze hebben al het mogelijke gedaan om je te beschermen.'

'Dat weet ik, en ik heb me altijd als een vogeltje in een kooitje gevoeld.'

'Dat verklaart nog steeds niet waarom je langs de oostkust bent gereden met je ploeg van de geheime dienst achter je aan. Waarom? Konden jij en meneer Thackery geen vliegtuig nemen om zijn mama op te zoeken?'

'Moeder,' corrigeerde ik stijfjes. 'Zijn moeder!'

Terwijl Jakobek me vragend aankeek, kwam Davis een stap naar voren. 'Eddie had er genoeg van dat elke stap die ze zette aan haar ouders werd gerapporteerd. Geen enkel volwassen presidentskind is de afgelopen vijftig jaar zo in de gaten gehouden als zij.'

'De wereld is niet meer zo veilig als vroeger, meneer Thackery.'

'Mijn moeder bespioneert me,' verkondigde Eddie. 'Wist je dat, Nicky?'

Jakobek fronste zijn voorhoofd. 'Je moeder is een harde, maar ze heeft te veel eergevoel om zoiets te...' Hij aarzelde, de frons werd dieper. 'Je moeder heeft alle reden om een beetje te beschermend te zijn na wat er...'

'Nicky, vertel me niet dat dit is begonnen toen die man ons probeerde te vermoorden. Dat hoor ik al jaren, maar ik vind het geen excuus. Ze is hard en boos en gemeen geworden, Nicky. Al die jaren heb ik haar steeds sarcastischer en minder flexibel en tiranniekker zien worden naarmate pap hogerop kwam in de politiek en ons gezin nog meer een publiek doelwit werd. Maar ze is pas echt veranderd toen ik achttien werd en pap de verkiezingen won. In de drie jaar daarna zijn al moeders instincten slechts op één doel gericht geweest – pap en mij onder haar duim houden.'

'Jullie beschermen,' corrigeerde Jakobek.

'Nou, het is gewoon te veel. Ik ben tot deze drastische maatregel gedwongen om aan haar te ontsnappen. En ik denk dat pap het zal begrijpen.'

'Misschien. Misschien niet.' Jakobek richtte zijn onderzoekende blik op Davis. 'Maar ondertussen hebt u heel wat uit te leggen, meneer Thackery.'

'Nee, met alle respect, meneer, maar wat Eddie en ik hebben gedaan is onze zaak. Ze wil dat u weggaat.'

'Dat zal niet gebeuren.'

'O, jawel.'

'Ho ho,' zei ik terwijl ik tussen hen in ging staan. 'Davis, die man is hier om te praten en hij vertegenwoordigt Eddies familie, dus je bent hem enige beleefdheid verschuldigd. Eddie, ik weet dat je zo kwaad bent op je moeder dat je niet helder meer kunt denken, maar je kunt niet weigeren in elk geval naar haar boodschapper te luisteren.' Daarna verhief ik mijn stem. 'En er worden verder geen ultimatums meer gesteld, behalve door míj. Of anders…'

Eddie schudde haar hoofd. Tranen blonken in haar ogen toen ze Jakobek aankeek. Ik twijfelde geen moment aan haar genegenheid voor de grote, woest ogende man die ze hadden gestuurd om haar terug te halen. Was hij een moordenaar? Misschien. Maar hij wist ook de bijen te betoveren. En daar was zachtaardigheid voor nodig.

'Nicky, het spijt me, maar je kunt me niets vertellen wat ik niet al weet.' Eddie veegde haar ogen droog. 'Ik ga nergens met je naartoe, en ik ga zelfs niet verder met dit gesprek. Je begrijpt mijn motieven kennelijk niet en je gaat ervan uit dat ik een domme beslissing heb genomen simpelweg omdat het niet het gedrag is dat je van me gewend bent.' Ze draaide zich om en liep de schuur uit.

Nick Jakobek ging achter haar aan. Davis belemmerde hem de weg, met gebalde vuisten. 'Ze heeft u gevraagd haar met rust te laten. Nu zeg ik het u.'

'Meneer Thackery…'

'Doe niet zo uit de hoogte tegen me. Ik ga niet opzij.'

Jakobek stak zijn linkerhand op, de wijsvinger in een bijna elegant gebaar waarschuwend op Davis' driftige gezicht gericht. Ik ving een glimp op van de hand en merkte de schokkende onbalans van de ontbrekende pink op, net voordat Davis ontplofte. Ik probeerde hem vast te pakken toen hij met een gebalde vuist in de aanslag op Jakobek afging. Nick Jakobek pakte hem bij zijn pols, draaide hem om en liet hem los. Een tel later viel Davis tegen een stapel manden aan, die alle kanten op rolden, en klapte vervolgens met zijn gezicht op de kleivloer van de schuur.

Mijn longen gaven een echo te horen van de doffe dreun van zijn ademhaling toen hij neerkwam, en ik drukte een hand tegen mijn maag. Jakobek keek me aan. De uitdrukking in zijn ogen was niet wreed. 'Ik wil uw zoon geen pijn doen.'

'Denkt u dan dat ik dat goed zou vinden?' zei ik, zoekend in een van de zakken van mijn spijkerbroek. Het regende ma huangtabletten toen ik een klein geëmailleerd zakmes te voorschijn haalde dat ik altijd bij me had. Ik rukte het open, bracht mijn gezicht vlak bij dat van Jakobek, graaide met een hand in zijn flanellen shirt en hield het tien centimeter scherpe staal voor zijn ogen. 'Als u hem ooit weer aanraakt boor ik u uit als een appel.'

Er verscheen iets van bewondering in Jakobeks ogen. Niet dat ik hem bang had gemaakt met mijn kleine mesje – verdomme, nee, ik zag geen greintje angst in zijn ogen. Maar wel respect. 'Dan zult u hem moeten kalmeren.'

'Ik kan mezelf wel kalmeren,' zei Davis. 'Een hap klei is een prima kalmeringsmiddel.' Hij ging tussen de manden zitten, zijn gezicht vol rode klei. Er drupte bloed uit zijn neus. En zijn blik ging plotseling naar de deuropening. 'Ik ben in orde,' riep hij hees.

Jakobek en ik draaiden ons om naar Eddie, die zo wit als een doek naar haar maag greep. 'Hoe kon je hem dat aandoen, Nicky?' Ze viel op haar knieën.

'Eddie!' riep Davis. Hij sprong naar haar toe en ging dicht bij haar zitten met zijn hand onder haar voorhoofd. Ze kotste waterig braaksel uit over de vloer van de schuur.

'Verdomme,' zei Jakobek zacht. 'Ik weet niet hoe ik met dit soort dingen om moet gaan.'

'U bent niet de enige,' zei ik. 'Ik begrijp net zomin wat er gebeurt, of waarom, als u.'

Davis nam Eddie in zijn armen terwijl ze kokhalsde en hoestte. 'We zijn dit voorjaar getrouwd,' zei hij uiteindelijk, 'en Eddie is drie maanden zwanger.'

10

Een blauw met gouden najaarszonsondergang liet die avond een eenzame mist neerdalen over de Chocinaw, de Big Jaw en de Ataluck en de Hollow, waardoor Lucilles ploeg agenten ongelukkig naar de mistige schaduwen stonden te turen. Davis en Eddie trokken zich terug in zijn slaapkamer, boven, waar ze vrienden en familie opbelden om ze het nieuws over hun huwelijk en de baby mee te delen. Smooch zat stomverbaasd in de blokhut achter het huis, die fungeerde als kantoor, telefoontjes van verraste McGillens en Thackery's af te handelen. Logan liep Lucille achterna door onze schuren en probeerde indruk op haar te maken terwijl zij de alarmsystemen aan een grondig onderzoek onderwierp, aantekeningen maakte en haar best deed niet onder de indruk te raken. Hush Puppy zat bij Smooch in het kantoor, te gefascineerd om iets anders te doen dan sprakeloos toe te kijken en te luisteren.

En ik was nauwelijks voldoende hersteld om meer te kunnen doen dan heen en weer lopen.

Nicholas Jakobek had mijn woonkamer ingenomen, waar hij voor de open haard heen en weer liep met een hightech zendertje aan zijn oor, meer luisterend dan pratend, en toen ik hem vanuit de deuropening bespioneerde zag ik dat zijn schouders vermoeid naar beneden hingen. Ik kon me niet indenken wat Al en Edwina tegen hem zouden zeggen. Ik hoorde hem een keer iets antwoorden, met een diep en enigszins waarschuwend timbre in zijn stem. 'Ze hebben geloften afgelegd die ze zelf hebben geschreven en een huwelijkscontract van één paragraaf ondertekend dat Eddie heeft opgesteld. Nee, ze zijn niet voor de burgerlijke stand getrouwd en ze hebben niet de zegen van de paus, maar of wij hun huwelijk nu serieus nemen of niet, zíj doen dat in elk geval.'

Op dat moment bewonderde ik hem. Hoeveel mannen zijn bereid de president en de paus tegelijk te vertellen dat ze hun gemak moeten houden? Toen Jakobek de verbinding verbrak en me in de deuropening zag staan, bood ik niet mijn verontschuldigingen aan voor het feit dat ik had staan luisteren. Die eenvoudige beleefdheden waren we op dat moment al voorbij. 'Zelf geschreven geloften of niet, Jakobek, u hebt gelijk. Ze zullen er niet op terugkomen. Tenminste niet tot de spanning eraf is.'

'Eddie heeft geleerd haar woord gestand te doen.'

'Zo heb ik mijn zoon ook opgevoed. En ik weet zeker dat hij oprecht is.'

'En u?'

'O, ik geloof in huwelijksgeloften voor de lange termijn.'

'Dat is interessant geformuleerd. Maar mijn vraag luidt: "Wat bent u van plan op korte termijn aan deze situatie te doen?"'

Ik voelde mijn gezicht warm worden. Hij vroeg om onaangename, of misschien eerlijke, informatie. Goed dan. 'Ik ben van plan me te houden aan een simpele maar harde regel, dat je een gezin bij elkaar moet houden. Ik ben verplicht een zwangere schoondochter te verwelkomen, ongeacht de omstandigheden, en mijn mond te houden omwille van mijn kleinkind. Ook al denk ik dat dit huwelijk impulsief en naïef is, en waarschijnlijk gedoemd te mislukken.'

Jakobek kwam naar me toe en bestudeerde mijn gezicht zoals een verdwaalde man een kaart bestudeert om de kortste weg naar huis te vinden. Ik deinsde bijna achteruit. Ik boog bijna naar hem toe. Hij bleef pas staan toen hij zo dicht bij me was dat hij me had kunnen omhelzen. 'Ik mag uw botte en plichtsgetrouwe eerlijkheid wel,' zei hij.

'Dat zal ik als een compliment beschouwen.'

'Dat was het ook.'

Ik liep de woonkamer uit met het puntje van mijn tong tussen mijn tanden.

Blind. Blind zijt gij die het meeste ziet. Zo citeerde ik de zelfbenoemde dominee Betty Passover, predikante van de Gospel Church of the Harvest in Song, de kleinste, maar naar mijn mening wijste kerk van Chocinaw County. Blind. Ik had bij het zien van Eddie Jacobs niet één keer aan een zwangerschap als voor de hand liggende oorzaak van haar gevoelige maag gedacht. Ik had niet in die richting willen denken. Ik had mijn ogen voor die mogelijkheid gesloten, maar nu werd ik er met mijn neus op gedrukt.

Niet Eddie Jacobs. Eddie Jacobs Thackery. Mijn schoondochter. Die het kind van mijn zoon verwachtte. Mijn kleinkind.

Bij de openbare schuren waren mijn werknemers aan het opruimen en afsluiten. Normaal hield ik aan het eind van de openingsdag een bijeenkomst om met vijftig-procents appelbrandewijn op iedereen te toasten en de verkoop te bespreken. Voor het eerst in twintig jaar zei ik de bijeenkomst af. Zodra ik had bedacht wat ik moest doen, zou ik iedereen moeten inlichten over de echtgenote die Davis mee naar huis had gebracht. Ik zou steun en blijdschap moeten veinzen.

De waarheid?

Ik zag de keuzes van Davis in het licht van mijn eigen impulsieve huwelijk met zijn vader en vreesde daarom het ergste. Ik wilde weeklagen in bijbelse zin en mijn borsten verminken.

Maar ik moest Jakobek in de gaten houden.

Eddie was zwanger. Zwanger. Mijn kleine nichtje. Het meisje dat ik bij haar geboorte had vastgehouden zou moeder worden.

Al was met Air Force One op weg terug naar de Verenigde Staten. Edwina kwam terug uit Engeland. 'Edwina kan er verder niet over praten,' zei Al hees. 'Ze is te veel van streek. Dat zijn we allebei. We zouden nu meteen bij jullie willen zijn. Maar dat kan niet. Bedankt dat je gegaan bent. Besef je wel hoe schuldig we ons voelen, omdat we niet daar zijn?'

Hij zat met de gebruikelijke verantwoordelijkheden van zijn baan – het Midden-Oosten, een kleine crisis, bedreiging van de wereldvrede. 'Ik ben geen goede vervanger,' bekende ik hem, 'maar ik zweer je dat Eddie veilig is, en ik zal zorgen dat dat zo blijft.'

'Wat denk je van die Thackery? Je eerste indruk, diep uit je hart.'

'Pienter. Naïef. Aanmatigend. Houdt van haar. Wil doen wat juist is.'

'En de familie? Zijn... vinnige moeder?'

Ik stond zo ongeveer tien minuten enthousiast te vertellen over Hush Thackery, tot ik me realiseerde hoeveel ik had gezegd en hoe stil Al was geworden. 'Ik vraag je neutraal te blijven,' zei Al langzaam. 'Alles... goed met je?'

Nadat ik zelf even had gezwegen antwoordde ik: 'Al, ik ben altijd neutraal. En met mij gaat het altijd goed.'

Een verdomde leugen.

Die avond stond ik op de overloop van Hush Thackery naar de gesloten deur van de slaapkamer te kijken waar Davis Thackery en Eddie ons allemaal hadden buitengesloten. Ik gooide mijn plunjezak op een tweepersoons hemelbed in een kamer die niet groter was dan een flinke kast. Aan de muur hing een goede ingelijste kopie van een achttiende-eeuws landschap van Warford. Appelplukkers in Engelse boomgaarden. De kamer was de laatste buitenpost aan het eind van de overloop en had een groot raam. Ik had hem gekozen omdat ik door het raam in de slaapkamer de achterkant van het huis in de gaten kon houden en door het raam op de overloop de zijkant. Gunstige uitkijkposten. De slaapkamer van Davis was maar twee deuren verderop, aan de andere kant van een Turks tapijt met appels in het dessin.

De slaapkamer van zijn moeder lag beneden, precies onder de mijne. Hush Thackery, gestationeerd bij de poort naar haar huis. Bewaker van haar nest. Hoeder van de familietrots en onverbiddelijke moraal. Ze sliep daarbeneden alleen. Hield de wacht. Ik zou mijn best doen ook haar wereld veilig te houden.

En ik zou aan haar denken. Alleen in haar bed.

Lucille Olson belde me op de beveiligde telefoon die ze had geregeld. 'Mevrouw Thackery heeft het huis verlaten en is in de boomgaard erachter verdwenen. Ik geloof dat ze van streek is. Er zou iemand achter haar aan moeten gaan. Ze zei dat ik maar moest doen of ik thuis was. Ik geloof niet dat ze het meende. Kolonel, wilt u niet even gaan kijken?'

Voor ik ja had gezegd en de verbinding had verbroken was ik al op weg naar beneden.

Ik kroop weg onder de Oude Dame toen een reusachtige oranje oktobermaan tussen zachtpurperen wolken opkwam, en daar stortte ik in. Ik zat op mijn hurken in het door de maan verlichte duister, met mijn voorhoofd tegen mijn knieën gedrukt te snikken. De geur van de aarde en de avondwind en de appels boven me dreef door mijn hoofd, en voerde een zweem van de geur van Jakobeks sigaar mee uit mijn kleren, mijn huid en mijn herinnering. De Oude Dame liet enkele van haar rode herfstbladeren op me neervallen.

Er is een tijd om los te laten en er is een tijd om opnieuw te beginnen.

'Ik kan mijn dromen voor Davis niet loslaten,' antwoordde ik. 'God, ik heb van wat U me gegeven hebt het beste gemaakt, en ik heb gezorgd dat mijn zoon opgroeide met respect voor zijn vader en ik heb de waarheid verzwegen over onze ruzies en Davy's vrouwen en hoe erg hij me heeft teleurgesteld en ik hem, alles opdat onze zoon zou zien hoe een man en een vrouw elkaar behoren te behandelen – alles opdat Davis meer keuzes zou hebben en verstandiger beslissingen zou nemen dan zijn vader en ik hebben gedaan. Wilt U me zeggen dat het verstandig van hem is om een meisje te huwen dat niets gemeen heeft met zijn eigen familie? Wilt U me zeggen dat het verstandig van hem was om de universiteit te verlaten en hierheen te komen met een kind op komst, terwijl de hele wereld toekijkt? God, wilt U soms dat alles wat ik heb opgebouwd onder de kritische ogen van de wereld in elkaar stort?'

Geen antwoord. Je kunt God niet om uitleg vragen alsof Hij de gedaagde is in de rechtszaak van je leven. Ik veegde mijn ogen droog met de mouw van mijn trui, kwam overeind en duwde de lagere takken van de Oude Dame opzij. Ze probeerde me op mijn schouder te kloppen en me te vertellen dat ik mijn mening voor me moest houden. 'Waarom zou ik naar je luisteren?' zei ik hees. 'Er luistert toch ook niemand naar mij!'

'Ik wel,' zei Jakobek. Hij stond op het paadje tussen de bomen, bleek in het licht van de maan.

Ik verstarde. 'Hoe lang staat u...'

'Lang genoeg. Het spijt me.'

De avondbries woelde door zijn donkere haren en trok aan zijn wijde, aardekleurige kleren. De zwaar met fruit beladen bomen leken naar hem toe te buigen, met hun dunste twijgjes naar hem te reiken. Ik kreeg er kippenvel van. Davy had nooit op zijn plaats geleken tussen de bomen, met zijn zelfgenoegzame grijns en zijn leer en zijn geur van motorolie. Jakobek wel.

Ik stapte naar voren met een kleine appel in mijn hand die ik van de takken van de Oude Dame had getrokken. Ik stond voor Jakobek stil en duwde de appel in zijn linkerhand en sloot zonder veel discretie of zachtaardigheid zijn met littekens bedekte vingers eromheen. Als hij zich al onbehaaglijk voelde met zijn verminkte hand, dan merkte ik daar toch niets van. Terwijl ik mijn handen om de zijne sloot, hief ik mijn hoofd op en keek ik hem aan met een blik vol koortsachtige woede en verdriet en hoop. 'Ik ken het verschil tussen rot en rijp, en ik ben een expert in het verschil tussen een eerlijk man en een leugenaar. In mijn versie van het paradijs nam Eva het op zich de appel van de wijsheid op te kweken en zich nooit meer door de slang te laten beduvelen. Wat bent u, Jakobek? De slang of de appel?'

'Beide.' Hij keek naar me met een verontruste blik. De meeste mannen hebben niet genoeg woorden voor wat ze voelen, en de meeste vrouwen hebben er te veel. 'Als er nog meer is wat ik moet weten, vertel het me dan.'

'U hebt al meer over mijn huwelijk gehoord dan wie dan ook op deze wereld.' Ik zweeg even. 'Veel meer dan mijn zoon zelfs ooit vermoed heeft.'

'Ik ben niet geïnteresseerd in het openbaar maken van uw persoonlijke geheimen.' Hij draaide de kleine, hulpeloze appel om in zijn verminkte hand, bestudeerde hem en stopte hem toen in zijn borstzak. 'We zitten in hetzelfde schuitje. Als u met mij samenwerkt, werk ik met u samen.'

Zonder nog een woord te zeggen, draaide hij zich om en liep hij in het licht van de maan over het pad terug naar huis, de appel van de verleiding met zich meenemend. Ik stapte ook het maanlicht in en bleef vol ontzag en angst staan, terwijl ik hem opnieuw half in het licht en half in de schaduw zag.

Jakobek vertrok de volgende dag voor het ochtendgloren naar Washington. We spraken geen van beiden over de dingen die hij had gehoord over Davy. Ik bad dat hij het zou vergeten. Ik wist dat hij dat niet zou doen. Misschien dacht hij dat het niets anders was dan het meelijwekkende gemompel van een ongelukkige weduwe. Ik hoopte het.

Eddie Jacobs Thackery, mijn zwangere schoondochter, lag boven in Davis' slaapkamer te slapen onder een zijden dekbed, in het gezelschap van twee katten en de lievelingshond van Davis, een oude bastaard-beagle die hij en zijn vader als pup hadden gevonden op de Foggy Top Dirt Track in noordelijk Alabama. Davis had de hond Racer genoemd. Racer lag te snurken aan de voeten van de presidentsdochter. Davis zat in een schommelstoel in de hoek, omringd door zijn boeken, computers, opgezette hertenkoppen en ingelijste foto's van hem en Davy naast stockcars, grimmig over haar te waken. Het was de kamer van een jonge plattelandsjongen die studeerde. *Niet de kamer van een echtgenoot*, zei ik bij mezelf.

Niet de kamer van een vader.

Ik verbleef in een hotel wanneer ik in Washington was, nooit in het Witte Huis. Mijn eigen keus. Het Witte Huis was de wereld van Al en Edwina, niet de mijne. Ik stapte uit een lift de privé-vleugel in met een grote mand van gevlochten wilgentenen in mijn handen. Ik zette de mand op een vergulde tafel.

Een van Edwina's stafleden kwam een kantoor uit. 'Kolonel, mevrouw Jacobs komt zo bij u.' Ze staarde naar de mand. Onder een grote rode strik puilden tien kilo stevig in cellofaan verpakte appeltaart en appelcakejes en appelbeignets en appelvlaai en God weet wat allemaal nog meer van Sweet Hush Farms. Hush had me gevraagd het voedsel aan Edwina aan te bieden. 'Ze kan erom lachen of ze kan erop spugen,' zei Hush, 'maar we delen een kleinkind, dus ik moet haar een geschenk sturen. Dat is ook een van mijn regels.'

'Ik zorg dat ze het krijgt,' zei ik. 'En ze zal er niet om lachen. Iets anders kan ik niet beloven.'

'U bent loyaal,' zei ze, me in mijn ogen kijkend, tot voorbij het netvlies, zoekend naar de echte ik. Als een bedreiging, of een vraag.

Ik wendde mijn blik af. In de jungle in de loop van een geweer kijken was gemakkelijker. 'Ik ben te vertrouwen. Een echte padvinder.'

'We zullen zien.'

'Wat is dat, als ik vragen mag?' vroeg het staflid, aan de mand ruikend.

Ik vertelde het haar. Met een neutrale uitdrukking op haar gezicht prikte ze met een vinger in het cellofaan, en las ze de etiketjes met opgetrokken wenkbrauwen. 'Heeft de geheime dienst dit gezellige cadeautje goedgekeurd?'

'Lucille Olson stond erbij toen mevrouw Thackery het inpakte. Ja.'

'Ik dacht dat die vrouw personeel had om het huishoudelijk werk voor haar te doen.'

'Het is een geschenk. Iets persoonlijks.'

'Is dat Thackery-mens een beetje representatief? Heeft ze enige opleiding genoten?'

'Waarom belt u haar niet om het haar zelf te vragen? Ze zal blij zijn te horen dat ze geëvalueerd wordt, nadat ze al bespioneerd is door Edwina en haar hielenlikkers.'

'Ik heb uw morbide grappen nooit op prijs kunnen stellen.'

'Dat is geen grapje.'

Ze liet een wolk van parfum en afkeuring achter toen ze wegliep. Ik knikte naar agenten van de geheime dienst, die terug knikten terwijl ik naar een woonkamer liep die Edwina in plattelandsstijl had ingericht – Frans plattelands. 'Ik heb mijn dierbare collectie van Lodewijk de Veertiende naar het landhuis van mijn moeder moeten verbannen,' had Edwina gezegd. 'Onze adviseurs vonden dat het me op Marie Antoinette deed lijken.' Alleen een set met gras bevlekte golfclubs in een hoek en een ingelijst portret van mijn grootvader Jacobs boven de haard duidden erop dat Al ook met Edwina in het Witte Huis woonde.

Dankzij haar briljante coördinatie van hun campagnes en hun imago zaten ze hier, en haar beschermende toezicht op Eddie was verstandig geweest – tot op zekere hoogte. Ze was echter een brug te ver gegaan bij het bestrijden van de angst die ik in haar ogen had gezien op de dag dat ik die man in het park had gedood. Haar cynisme en wantrouwen hadden zich te ver uitgespreid, en betroffen nu ook Hush en Davis Thackery.

Ik trok een lelijk gezicht naar mezelf in een vergulde spiegel. Terwijl ik het gekreukte jasje rechttrok dat ik uit mijn plunjezak had gehaald, ontdekte ik iets in de zak ervan: een in cellofaan gewikkeld schijfje appel met een afgescheurd stukje van het briefpapier van Sweet Hush Farms eraan. Ik vouwde het stukje papier open en zag Puppy's grote hanenpoten.

DE BIJEN ZEGGEN DAT U BIJ ONS HOORT, OKÉ?

In Edwina's woonkamer vouwde ik het briefje van Puppy zorgvuldig dicht en stopte het veilig terug in mijn zak, daarna pakte ik het appelschijfje uit en at het met kleine hapjes op. Het zoete sap liep over mijn tong. Hush had deze appel geteeld. Hush McGillen Thackery, met de nadruk op *McGillen*. Ze had de boom opgekweekt en de vrucht laten rijpen en misschien zelfs deze appel met eigen handen geplukt. Daarna had ze hem in partjes gesneden en er een van aan haar nichtje gegeven om het als een hostie in mijn zak te stoppen.

Een deur zwaaide geluidloos open en Edwina kwam de kamer binnen. Het blauwe op maat gemaakte pakje dat ze droeg snoerde haar in als een etalagepop, en er zat geen beweging in de opgestoken blonde haren. Ze was vijfenvijftig en zat in het keurslijf van campagnes en geldinzamelingsacties en politieke manoeuvres en de carrière van een verheven gastvrouw. Dat was de prijs die ze had betaald doordat ze achter Al was gaan staan in plaats van voor hem. Ik miste de opgewekte Edwina van die eerste jaren, toen ze nog niet wist wat ze ervoor over moest hebben om een leven in dienst van het land te overleven.

'Je gaat nooit zitten,' zei ze. Rode ogen, hard en week. Nooit atletisch of rank, maar sterk. 'Ga zitten, Nicholas,' beval ze. 'In godsnaam, iemand in mijn familie zou toch eens een keer moeten doen wat ik zeg.'

'Een teveel aan bedrukt linnen maakt me nerveus.' Ik knikte naar de stoelen die waren bekleed met groene stof met een patroontje erin.

Ze glimlachte bitter en schudde het hoofd. 'Hoeveel heteroseksuele beroepsofficieren in het leger kennen hun Franse stoffen zo goed als jij?'

'Ik ben gepensioneerd. Misschien word ik wel binnenhuisarchitect. Ik zoek nog een baan.'

'O nee. Jij zult nooit echt met pensioen gaan, Nicholas. Jij gaat vast ver weg van huis vechtend ten onder in een poging iets te bewijzen wat niet bewezen kan worden. Wat voor de donder probeerde je hiermee te bewijzen?' Ze wees naar de mand met geschenken.

'Mevrouw Thackery heeft je deze mand gestuurd. Het kan me niet schelen wat je ermee doet, maar ik zal tegen haar zeggen dat je er blij mee was.'

'Zal ze dat geloven?'

'Nee.'

'Bespaar je de moeite dan maar. Ik haat dat mens. En zij haat mij.'

Ik knikte. 'Laten we het over Eddie hebben. Wat zegt Al?'

'Hij trekt zich de haren uit het hoofd, natuurlijk.' Ze kreunde. 'Onze zwangere dochter zit in Georgia en weigert met ons te praten. En jij bent de enige bron van informatie die we hebben. Dus vertel jij mij maar wat ik tegen Al moet zeggen over de mensen die mijn dochter bij me weg hebben gehaald, Nicholas. Vertel me over Davis Thackery. En over haar. Zijn moeder.'

Ik stak haar het laatste hapje appel toe. 'Probeer dit eens.'

Ze keek afkeurend naar het kleine stukje wit met rood fruit op mijn handpalm.

'Ik heb over een uur een fotosessie met de United Women's Independence Coalition of met de Save the Marine Mollusks Foundation of waar ik hierna verdomme ook naartoe moet. Ik hou nog niet de helft van al die poseer-en-glimlach-afspraken in mijn feestagenda bij. Maar mijn lippen zijn er klaar voor, hoe dan ook.' Ze wees naar haar perfect gekleurde lippen. 'Ik kan niet eten. Heb trouwens ook geen honger.'

'Wil je weten waar Hush Thackery voor staat? Wie ze is en waar haar leven om draait? Dat zit hier allemaal in.' Ik wees naar het stukje appel.

Ze staarde me aan. 'Je wordt door hen gehersenspoeld.'

'Proef de appel.'

Edwina stak het stukje tussen haar tanden, beet er zonder enige hartstocht in en kauwde. Haar ogen lichtten op en vernauwden zich toen. Ze spuugde de gekauwde pulp in haar hand en gooide hem in een kristallen vaas met witte rozen. 'Wat wil je nou zeggen?'

'Die mensen geven om wat ze creëren. Ze werken hard en lijken eerlijk. Ik zeg het je alleen maar. De appel. Hij is goed.'

'Mijn dochter is zwanger en getrouwd en ik zou het wel uit willen schreeuwen van frustratie. Geef me dus geen schijfje appel om me dan te vertellen dat je tot het verblindende inzicht bent gekomen dat haar keuzes juist zijn.'

'Eddie gelooft dat ze haar hart volgt. Of ze nu gelijk heeft of niet, het zal haar goed doen als jij en Al haar keus steunen.'

'Nee. Ze moet hierheen komen.'

Ik zweeg even en zei toen: 'Ze is je dochter. Ze is zwanger.'

Edwina weifelde, haar ogen nat, maar haar mond hard. 'Toen ik met Al trouwde, wilde mijn moeder me twee jaar niet zien of met me praten. Dat was afschuwelijk. Dit is niet gemakkelijk voor me.'

'Waarom wil je Eddie dan hetzelfde aandoen?'

'Mijn moeder had gelijk. Destijds. Gelijk met te zeggen dat ik een dwaze keus maakte, dat ik beneden mijn stand trouwde, dat ik mijn reputatie en mijn toekomst in gevaar bracht. Godzijdank had ze het mis wat Al betreft. Denk je dat ik destijds de wijsheid van haar woorden inzag? Helemaal niet. Ik hield van Al, maar toen ik met hem trouwde was dat om de verkeerde redenen – sentimentele romantiek, idealistische dromen, en eerlijk gezegd, de seks. Ik had het geluk dat hij meer bleek te zijn dan alleen goedhartig en goed in bed.'

'Eddie is je dochter,' herhaalde ik. 'Ze heeft de loyaliteit van haar moeder nodig.'

'Denk je dat ik dat niet weet?' Edwina legde haar hoofd in haar handen. 'Wat moet ik doen? Haar aanmoedigen haar leven te verpesten?'

'Misschien doet ze dat niet. Misschien is Davis Thackery het allemaal wel waard.'

'O? Tot dusver heeft hij alleen blijk gegeven er slag van te hebben de pienterste, gevoeligste, meest carrièrebewuste jonge vrouw op deze aarde zijn bed in te lokken – en haar zwanger te maken. En zij heeft dat toegestaan. Míjn dochter... die ik alles heb geleerd over geboortebeperking zodra ze oud genoeg was om het verhaaltje met anatomisch correcte poppen in de vrouwenkliniek te begrijpen. Míjn dochter... die op twaalfjarige leeftijd tot de filosofische conclusie kwam dat maagdelijkheid en kuisheid deugden waren die het waard waren om te verdedigen.

De eerste de beste jongeman die manipulatief en sluw genoeg is om haar in verwarring te brengen over kwesties die rotsvaste waarden waren in haar leven en binnen de familie en vrienden waarmee Al en ik haar omringden – de eerste de beste appels kwekende dekhengst die erin slaagt een puinhoop te maken van het...' haar stem haperde '... van het gezond verstand van mijn fantastische dochter... en haar de toekomst opzij kan doen schuiven die alles voor haar betekende...'

'Die alles voor jóú betekende,' corrigeerde ik haar. 'Als je Eddie nu afwijst, zul je daar spijt van krijgen. Zul je het mis hebben.'

'Nee. Ze zal naar huis komen. Je zult het zien. Op mijn voorwaarden.'

'Wat vindt Al dat je moet doen?'

'We hebben het er nog over. Ik heb je al gezegd dat hij mij de zaak laat regelen.'

Ik dacht: *dit is de man die me in een Mexicaans ziekenhuis heeft opgespoord toen ik veertien was. Dit is de man die me mee naar huis heeft genomen en gezorgd dat ik me welkom voelde. Hij laat zijn dochter niet in de kou staan.* 'Wat inhoudt dat hij woest op je is.'

Edwina kwam op me toe met perfect gemanicuurde nagels opgestoken als klauwen. 'Hij was er niet bij die dag in het park toen we bijna, toen jij... ze is mijn dochter en ik kan niet vergeten...' Edwina's stem haperde, en ze zweeg even om wat tot rust te komen. 'Verdomme, ze had beloofd iets van haar leven te zullen maken. Doelstellingen, Nick. Specifieke doelstellingen. We hadden besloten dat ze zou wachten met trouwen en kinderen krijgen tot ze zich in de advocatuur had gevestigd. Wat moet ze op haar leeftijd met een baby? En met een of andere onbewezen nietsnut als echtgenoot... Nicholas, dit huwelijk is niet eens legaal. Als ze nou maar naar mij toe was gekomen toen ze tot de ontdekking kwam dat ze zwanger was, had ik haar uit deze rotzooi kunnen helpen.'

'Als je bedoelt dat je haar zou hebben gedwongen een abortus te ondergaan,' zei ik langzaam, 'is dat misschien wel de reden waarom ze niet naar je toe is gekomen, en is dat misschien ook de reden waarom ze nu niet met je wil praten.'

Edwina verstarde. 'Ik weet niet precies wat ik haar zou hebben aangeraden,' zei ze met zachte, gelijkmatige stem, 'maar die insinuaties heb ik niet verdiend. Ik ben pro keuze, Nicholas. Niet pro abortus. Pro keuze!'

'Mijn moeder had geen keuze. Ik heb gezworen dat goed te maken.'

'Dit is een heel andere situatie.'

'Voor mij niet,' zei ik heel zacht.

Ik stond. Zij zaten. Edwina en haar adviseurs, een maffia van Habersham-familieleden en pientere vrienden en politieke medewerkers met mooi haar en goed gemanicuurde nagels – twintig mensen aan een kleine vergadertafel in de westelijke vleugel van het Witte Huis.

Het onderwerp: Hush Thackery en haar zoon. Voors en tegens. Hun achtergrond van gemengd ras bood mogelijkheden. 'Kolonel, ziet ze er blank uit of is het te zien dat haar grootmoeder een indiaan was? Is dat een kwestie waar we iets mee moeten doen? Of misschien kunnen we het in ons voordeel gebruiken.' Een zwarte medewerker stelde de vraag zonder een spoortje van ironie.

'Ze heeft rood haar en groene ogen,' zei ik. 'Ze rookt een Cherokee-pijp, heeft een doctoraal in bedrijfseconomie gehaald aan de avondschool, en heeft een zoon grootgebracht die bereid was een pak slaag te incasseren omwille van Eddie.'

'Ze rookt,' zei een van de slaven, en schreef die informatie afkeurend op.

'Godsdienst?' vroeg een andere, wat aantekeningen doorkijkend. 'Davis Thackery ging als kind naar een zekere Gospel Church of the Harvest in Song. Zijn moeder leverde en levert daar een behoorlijke bijdrage aan. Niet gebonden aan een bepaald kerkgenootschap. Zelfbenoemde vrouwelijke geestelijke.'

'Slangenbezweerders?' vroeg iemand die nerveus met een gouden pen van tweehonderd dollar zat te spelen. 'Spreken ze in vreemde tongen? Doen ze aan gebedsgenezing?'

'Ze zingen,' zei ik. 'Gisteren zongen de eerwaarde Betty en haar gospelband in het paviljoen "Will the circle be unbroken?" Hush Thackery zingt met hen. En ze speelt de tobbebas.'

'De wat?'

'Metalen wastobbe, ondersteboven, zwaar touw aan het midden van de bodem vastgezet en strakgespannen op een stok. Je zet een voet op de tobbe om die te verankeren, trekt met je linkerhand de stok achteruit en plukt met je rechterhand aan het touw. Klinkt als een bas-cello als je de techniek beheerst. Hush Thackery beheerst de techniek.'

'Appalachen-boerenheikneutermuziek,' zei iemand, en hij schreef het op.

'Er moeten wat foto's gemaakt worden. U en de president samen met de nieuwe schoonfamilie, mevrouw Jacobs.'

Edwina knikte. 'Goed. Ik moet haar persoonlijk benaderen. Haar bang maken. Laten zien met wie ze te maken heeft.'

'Ik geloof niet dat het haar iets kan schelen met wie ze te maken heeft,' zei ik.

'Nicholas, jij hebt geen verstand van vrouwen. Dit exemplaar hoeft niet gered te worden. Ze is geen Assepoester.'

Ik draaide me om vanaf het raam waardoor ik naar buiten had staan kijken, naar de tuinmannen die het groene gazon aan het maaien waren. 'Wat bedoel je daarmee?'

'Val me maar aan, Nicholas. Vooruit, vertel me maar dat ik een vals secreet ben en dat ik een of andere erecode heb geschonden door elk brokstukje informatie dat ik over haar te pakken kan krijgen onder de loep te nemen. Denk er ook aan dat zij eenvoudig toegang heeft tot bijzonder gedetailleerde politieke informatie over onze familie, Nicholas. Bovendien... waarom verdedig je haar eigenlijk?'

'Omdat ze je geen reden heeft gegeven haar aan te vallen, en hoe het ook zij, Eddie maakt nu deel uit van haar familie. Je valt dus Eddies schoonmoeder aan. Dat is niet goed voor Eddie.' *En omdat ik er genoeg van heb cynisch te zijn over andere mensen*, voegde ik er in stilte aan toe. *Omdat Hush Thackery niet zomaar iemand is. Omdat ik in haar wil geloven.*

Edwina stond op. 'Ik sta niet toe dat mijn dochter zich laat overrompelen door een armzalige schoonfamilie. Ik zal het zo met je afspreken: jij zorgt dat Hush Thackery ermee instemt Al en mij te ontmoeten, dan zullen we zien of haar reputatie standhoudt onder een vriendelijke ondervraging. Als ze zo deugdzaam is als jij schijnt te denken, zal ze met vlag en wimpel slagen.'

'Afgesproken,' zei ik.

'Eddie Jacobs wil niet echt hier blijven,' zei ik tegen Smooch. We stonden aan de achterkant van het huis en keken omhoog naar de ramen van Davis' slaapkamer. 'Ze is geen appelboer. En Smooch, het is niet zo dat ze dakloos en radeloos is. Haar ouders besturen het land!'

Smooch boog naar me over en fluisterde: 'Maar denk eens aan de publiciteit die we zouden krijgen als ze voorgoed hier bleef.'

'Zeg dat niet.'

We hoorden iets ritselen in de struiken om de hoek van het huis. Een agent van de geheime dienst liep langs de rand van mijn achterveranda, die vol stond met potten en manden. Hij keek in de grote bloempotten met gele chrysanten en duwde toen de takken uiteen van de reusachtige hortensia's die een paar ramen afschermden. 'Het zijn net wasberen,' fluisterde ik tegen Smooch, 'als je even niet oplet, zitten ze voor de deur.'

De agent wuifde naar ons. 'Gewoon even een routinecontrole, mevrouw,' riep hij. Hij liep verder langs de achterkant van het huis en onderwierp alle ramen op de begane grond aan een nauwgezet onderzoek.

'Er moeten sloten op die ramen komen,' fluisterde Smooch nerveus terug. 'Het staat hem niet aan dat er geen sloten op zitten. Kijk maar, hij maakt een aantekening op zijn zakcomputer.' Ze drukte haar handen tegen haar borst. 'Ze hebben een dossier over je. En over je huis. Je moet sloten laten aanbrengen.'

'Ik heb geen sloten nodig. Ik heb een jachtgeweer en ik schiet om te doden.' Grootspraak. Ik veegde met de rug van mijn hand over mijn mond. De hele dag al proefde ik de angst als een bittere kus. Hoeveel zouden die mensen willen weten? Hoeveel wisten ze al? Wat zouden ze zeggen als ze het wisten? Wat zou Jakobek doen?

Smooch, die slechts gewone angsten kende, greep me bij de arm. 'Hush! Alle geweren zitten toch in Davy's wapenkast opgesloten, nietwaar? De geheime dienst zal ernaar vragen! En ze zullen de vergunningen willen zien!'

Ik kauwde op mijn tong. 'Laat ze maar kijken. Dat kan me niets schelen.' Zoals de meeste respectabele burgers van Chocinaw County was Davy lid geweest van de NRA, die voor het vrije wapenbezit was, en een verwoed tegenstander van wapenvergunningen. Zijn arsenaal was afkomstig van plaatselijke wapenshows waar kaalgeschoren mannen met tatoeages op hun schedel zich onder de tafel contant lieten betalen zonder vragen te stellen. Ik keek

Smooch grimmig aan. 'Dan kan ik de uzi en het luchtafweergeschut maar beter gaan verstoppen.'
'Maak er geen grapjes over!'
'Eddie Jacobs zal hier niet zo lang blijven dat die mensen de kans krijgen met me te gaan kibbelen over het Second Amendment.'
'Ik zeg je...'
'Ssst. Moet je hem nu zien. Nee maar.'
De agent had de deuren naar mijn kelder ontdekt. Hij stond met zijn handen op zijn heupen en een frons op zijn gezicht naar het oude kozijn te kijken. Hij tikte zelfs met zijn voet op het hout en het glimmende golfstaal dat erop zat. Smooch zuchtte. 'Hij houdt niet van kruipruimtes en kelders en verborgen holen onder oude boerderijen.'
'Laat hij dan maar naar de duivel lopen. Dit huis is meer dan honderd jaar geleden door Liza Hush gebouwd van hard kastanjehout en stenen uit de kreek en zware eiken planken. Ik heb er een nieuw dak op gelegd, de elektriciteit en het leidingwerk vervangen, en dat staal op de kelderdeuren is nieuw. Dit is een sterk huis.'
'Hush, daar maalt de geheime dienst allemaal niet om. Je hebt het over de aankleding, niet over de beveiliging.' Ze wrong in haar handen. 'Ze willen kogelvrij glas en infraroodsensoren en versterkte titanium deuren en satellietvolgsystemen en geïmplanteerde chips en antibacteriële...'
De agent opende de kelderdeur en keek toen naar mij. 'Vindt u het goed als ik even ga kijken, mevrouw?'
'Ga uw gang. Maar trek alvast uw wapen voor het geval u besprongen wordt door reuzenspinnen. En pas op voor vallende potten appelmoes, want de planken staan overvol. Verder denk ik niet dat u er iets sinisters tegen zult komen, hoewel een neef van mijn overgrootvader hier in de jaren dertig spoorloos is verdwenen en de oude mensen nog steeds beweren dat zijn vrouw hem heeft gedood omdat hij haar bedroog. Ze zeggen dat ze zijn lichaam ergens hier in de Hollow heeft begraven. Dus geef maar een gil als u een schedel vindt.'
Hij knikte me toe zonder een spoortje humor en verdween toen de zware houten traptreden af. Smooch was bleek geworden. 'Zo moet je niet praten! Het is net zoiets als de veiligheidscontrole op het vliegveld. Je wordt niet verondersteld grapjes tegen hem te maken!'
'Hoe kan ik die kerels nou serieus nemen als ze denken dat er

terroristen tussen mijn chrysanten en stalkers in mijn kelder zitten?' Ik schudde mijn hoofd. 'Verlos ons van de regering.'

'Als je thrillers zou lezen, zoals ik, dan zou je weten wat slechte, krankzinnige mensen de president en zijn gezin allemaal proberen aan te doen. Er zou iemand hierheen kunnen sluipen en een bom tussen je bloemen leggen. Of ons met een krachtig geweer allemaal neerschieten door je oude ramen op de begane grond. Of zich verstoppen in de kelder en Eddie te grazen nemen wanneer ze door de achterdeur naar buiten loopt om naar de zonsopkomst boven de Ataluck te kijken. Hush, in de wereld buiten Chocinaw County wemelt het van de gekken die aan dat soort dingen denken, en we kunnen niet voorzichtig genoeg zijn, ook al is het maar voor één dag!' Er blonken tranen van oprechte bezorgdheid in haar blauwe Thackery-ogen. 'Ik heb al die jaren nagedacht over manieren om klanten naar deze boerderij te lokken en ik heb de beste marketingcampagne opgezet die we ooit hebben gehad, en ik wil niet dat terroristen nu roet in het eten komen gooien!'

Ik sloeg een arm om haar heen. 'Luister nou eens. We hebben vroeg invallende vorst overleefd, schimmel, keukenbrandjes, kapotte vrachtwagens. Er zijn jaren geweest dat we voor niets werkten en aan het eind van het seizoen niets op de bank hadden. Dat we die lui moesten aanhoren die voorspelden dat we er nooit in zouden slagen de mensen uit Atlanta van september tot januari hierheen te laten rijden om appels te kopen. We zullen ook Eddie Jacobs wel overleven. En ik beloof je dat we geen problemen zullen krijgen met terroristen. Of met de geheime dienst.'

'Je vergat het ergste.' Smooch depte haar ogen droog en zuchtte. 'Je hebt het verlies van Davy overleefd.'

Ik verstarde, maar herstelde me toen met een snel knikje. 'Dat spreekt voor zich.'

Smooch zuchtte weer. 'Ik wou dat ik nu een man had. Iemand die me zou vertellen dat ik me niet zo'n zorgen moet maken met mijn knappe koppie.'

'Nee, dat werkt nooit.'

Ze knikte vermoeid. Ze was klein en rond en donzig en zelfs op haar zesendertigste nog altijd vol wanhopig verlangen, maar had elke man afgewezen die haar ten huwelijk had gevraagd. In zekere zin was dat mijn schuld. Net als iedereen had ze gedacht dat mijn huwelijk met haar broer uitermate gelukkig was geweest. Wij hadden haar geïnspireerd tot haar hoge eisen, zei ze. Ik omhelsde haar schuldbewust. 'We zijn overlevers! En we hebben te veel werk om tijd te verspillen aan dit soort huilerig geklets.'

Ze rechtte haar rug. 'Je hebt gelijk.' Smooch stapte naar binnen en kwam even later terug met haar laptop, waar een telefoonkabeltje aan hing. 'Ik heb het een en ander opgezocht over Eddie.'

Ik kreunde. Ze ging op een houten tuinbank met in de rugleuning gegraveerde appels zitten en boog zich toen over haar laptop als een bruinharige poedel op zoek naar iets lekkers. In haar oren blonken gouden kruisjes en namaakdiamanten terwijl ze typte en met haar duim op de muisknop klikte. Een late vlinder ging op een van de vele gouden halskettingen zitten die ze droeg. Smooch zag eruit alsof ze in een goedkope winkel paste, maar was in werkelijkheid een marketing- en computergenie. 'Ze is het goede voorbeeld,' zei Smooch op lijzige, samenzweerderige toon. 'Zo wordt Eddie Jacobs altijd genoemd. Het goede voorbeeld. Kijk maar.' Ze wees naar het scherm van haar laptop. 'Door de lezers van het e-magazine *Independent Girl* verkozen tot meest bewonderde studente. En toen haar ouders campagne voerden voor het Witte Huis? "Geef de stemmen maar aan dochter Eddie", schreef *The New York Times*. "Welbespraakt, pienter en serieus. Een voorbeeld voor..." Daar heb je dat goede voorbeeld weer.'

'Ik begrijp het.'

'Ze heeft op haar achttiende een boek geschreven! Ik bedoel, écht geschreven, niet alleen haar naam erop gezet. *Chick Power* was de titel. "Een verhandeling met de lengte van een boek over de waarde van kuisheid, onafhankelijkheid, opleiding en zelfbeschikkingsrecht voor jonge vrouwen." Kuisheid! Met die liberale ouders van haar. Kuisheid! Wie had dat gedacht! Mijn God, Hush, dat boek stond op de bestsellerlijsten toen haar ouders een gooi deden naar het Witte Huis! Ze had een bestseller geschreven. Op haar achttiende!'

'Sommige ideeën zijn niets waard, Smooch, zelfs niet als ze in een boek staan.'

'Ze wordt als een goed voorbeeld gezien,' hield Smooch vol. 'Stel je voor.' Ze spreidde haar handen alsof ze een krantenkop omlijstte. 'ZOON VAN BEFAAMDE APPELKWEEKSTER REDT PRESIDENTSDOCHTER VAN LEVEN IN EEN VISKOM. LEES DE VERRUKKELIJKE DETAILS OP WWW.SWEETHUSHAPPLES.COM.'

Ik keek haar aan tot ze begon te blozen. Ze boog zich over de computer en weigerde me nog aan te kijken. 'Het is mijn werk om voor onze appels te adverteren. Ik vind alles prima als het appels verkoopt. Meer zeg ik niet.'

'Ik hou je aan die belofte.' Ik liep het huis binnen. In de woonkamer tikte mijn staande klok tussen mooie litho's van oude appelvariëteiten, in de keuken zaten mijn katten op de geboende eiken vloer het water op te likken uit hun appelrode keramische schaaltjes, en mijn papieren en aantekeningen voor de openingsdag lagen nog steeds op een walnotenhouten tafel met klauwpoten waar ik ze gisteren had neergelegd toen ik naar buiten ging om wijn over de nietsvermoedende wortels van mijn leven te schenken.

De telefoon ging.

'Nummer zeven,' zei Smooch, terwijl ze me naar binnen volgde. Ze had de telefoontjes van het afgelopen uur geteld.

Mensen van de staf van de president. Mensen van de staf van de First Lady. Ze waren allemaal beleefd, maar ze spraken allemaal langzaam tegen me, alsof ik Forrest Gump was, en ze noemden me bij mijn voornaam, alsof ze daar het recht toe hadden. Ze zeiden allemaal hetzelfde. *Laten we dit stilhouden tot de president en de First Lady persoonlijk met Eddie tot een oplossing zijn gekomen.*

Ik was het daar helemaal mee eens. 'Sweet Hush Farms,' zei ik grimmig in de telefoon.

'Rush, alstublieft.'

'Hush! Hush Thackery. Daar spreekt u mee.'

'Hush, ik ben mevrouw Habersham-Longley. Ik leid het kantoor van mevrouw Jacobs in haar geboorteplaats Chicago. Ik ben haar jongere zuster.'

'Aangenaam kennis te maken.' Dus Edwina had haar eigen familie in dienst, net als ik. Mijn kantoor in mijn geboorteplaats was trouwens aan de andere kant van de goudvissenvijver, in de blokhut van de eerste Hush. Een kleine hond en vier katten lagen te slapen in een bloembed met gele chrysanten naast de veranda.

'Nou, Rush, laten we even babbelen...'

'Neem me niet kwalijk, ik heet Hush!'

'Het spijt me zeer, Hush. Hush. Er zit een tikfout in mijn aantekeningen.'

'Hebt u ook al aantekeningen over mij? Hoe komt u aan die aantekeningen?'

Smooch wees naar een van de gouden appelknopjes in haar oren. 'Vraag eens of ze een paar veertien-karaats Sweet Hush Apple-oorbellen uit de cadeauwinkel wil...'

Ik maakte een gebaar alsof ik mijn keel doorsneed. Stilte. Smooch zuchtte.

'Hush, er is niets sinisters aan de hand,' probeerde de beller me gerust te stellen. 'Ik wil alleen wat informatie over je verifiëren. Je bent immers een soort plaatselijke beroemdheid, hebben we begrepen. Ingeschreven bij de Kamer van Koophandel, en de vereniging voor het midden- en kleinbedrijf, en de vereniging van appelkwekers, en...'

'Doen jullie onderzoek naar me?'

'Eh, nee, het is gewoon dat... er zijn natuurlijk kwesties wat de veiligheid betreft als het om een familielid van de president gaat.'

'Laat me u iets vertellen. Het enige wat u hoeft te weten is dat Eddie op dit moment in mijn huis zit en dat mijn zoon haar op haar wenken bedient. Ze is zo veilig als een bij in de appelhoning. Niemand op deze boerderij zal een vinger naar Eddie Jacobs uitsteken en we laten geen vreemden binnen drie meter afstand van haar komen. Ik neem geen telefoontjes meer aan.'

'Dat kun je niet menen. Luister, Hush...'

'Hebben jullie zelf ook voornamen?'

'Ik ben... Regina. Regina Habersham-Longley.'

'Regina en Edwina? Hoe heet de derde zuster? Vagina? Habersham-Longley. Met een streepje ertussen?'

'Ja. Waarom?'

'Ik maak aantekeningen over jullie.'

'Word je nu sarcastisch, Hush?'

'Wij noemen dat hier "een koekje van eigen deeg geven".'

'Het gaat erom, Hush, dat we geen misbruik willen maken van de dochter van de president, is dat niet zo? We willen niet dat iets hierover via de verkeerde weg bij het publiek terechtkomt. We willen niet dat de media zich op je boerderij storten en vragen beginnen te stellen. Want eerlijk gezegd weten we niet of dit huwelijk wel iets voorstelt, en misschien kan het allemaal worden opgelost zonder dat iemand buiten onze kleine groep hoeft te weten dat er ooit een probleem is geweest.'

'Regina! Ik weet niet welk van de dingen die je zojuist hebt gezegd me het meest beledigt, maar ik zal je mijn standpunt even heel goed duidelijk maken: mijn zoon zegt dat hij en Eddie Jacobs getrouwd zijn. Ik ben daar niet blij mee, maar mijn zoon is geen leugenaar. Welnu, hier in dit godvergeten achterlijke gat waar wij, gewone mensen, wonen is het de gewoonte dat de ouders van een meisje dat van huis is weggelopen om te trouwen de ouders van de jongen met wie ze is weggelopen opbellen of bij hen op bezoek gaan. Ik heb de Jacobsen wat speling gegeven omdat ze in het buitenland zaten toen dit begon, maar als je me hun telefoonnummer geeft zal ik ze zelf wel bellen voor een babbeltje.'

'Je weet dat het niet zo eenvoudig is. Je kunt niet zomaar bellen...'

'O jawel, ik betaal toch belasting.'

'Luister, het spijt me. Ik zal zien wat ik kan doen, maar...'

'Goed dan. Maar ondertussen moet ik hier een zaak runnen en kan ik niet nog meer tijd verspillen. Zeg tegen Eddies ouders dat ze me bellen. We zullen het stilhouden tot dat gebeurt. Dit is een familiekwestie, en ik praat verder met niemand.'

'Je maakt zeker een grapje.'

'Ga daar maar niet van uit, Regina. Ik wens je een prettige dag, oké? En trouwens, als ik erachter kom dat jullie onderzoek doen naar vertrouwelijke gegevens, zoals mijn kredietverleden en de medische geschiedenis van mijn familie, dan neem ik de grootste, meest spraakmakende burgerrechtenadvocaat in de arm die ik kan vinden en dan komen jullie gruwelijk in de problemen door je hypocriete onzin over privacy. Goedendag.'

Ik gooide de telefoon in de gootsteen. Toen de gemeenteraad van Dalyrimple land had gehuurd om een antennemast neer te zetten net buiten de stad, was ik een van de eersten in Chocinaw County die een mobiele telefoon kocht. Alles wat me sneller in contact bracht met de wereld van de appelconsumenten was in mijn ogen vooruitgang. De mobiele telefoon, het internet, supersnelle facturering via de computer, en leveringen binnen vierentwintig uur waren allemaal fantastisch.

'Ze leggen de wereld op onze stoep en het enige wat wij hoeven doen is "hallo" zeggen,' zei ik tegen iedereen die wilde luisteren.

Nu wilde ik dat ik mezelf, mijn zoon en de Hollow kon verbergen onder een mantel van een ouderwets achtergebleven gebied. Ik wilde dat de wereld opdonderde.

Smooch pakte mijn telefoon. 'Ik wed dat we voor de *Today Show* uitgenodigd zullen worden.'

'Nee.'

'Hemeltje, Hush, bekijk het van de leuke kant. Ik word weer tante! En jij wordt oma. Oma Hush. Grootmoe Hush. Grootmoeder Thackery. En je bent de schoonmoeder van de dochter van de president van de Verenigde Staten! Mijn God! Denk eens aan de publiciteit die we zullen krijgen voor Sweet Hush Farms! Wat zou Big Davy trots zijn geweest! Hij heeft altijd gezegd dat Davis junior de charme van de Thackery's en het zakenhoofd van de McGillens heeft. Maar dat hij de dochter van de president zou krijgen... O, Hush!' Ik keek haar zo indringend aan dat ze haar lippen op elkaar klemde, haar gouden halskettingen goed hing en een zakcomputer in haar broekzak stak. 'Ik ga naar de schuren om te kijken of de graphics op de nieuwe etiketten voor de appel-vruchtenvlaaien in orde zijn. Proberen jou te begrijpen is tijdverspilling. Je zoon is met de dochter van de president getrouwd. De meeste moeders zouden blij zijn.' Ze bleef staan, keek me toen gekwetst aan, herkauwde een gedachte en spuugde hem toen uit, alsof hij pijn deed in haar mond. 'Je gedraagt je heel vreemd en ik weet waarom. Die verdraaide Jakobek heeft de wespen van je afgeblazen. En jij hebt dat toegelaten!'

Ik stopte met ijsberen. 'Wat bedoel je daar nou mee?'

'Het is gewoon dat... hij is... Hush, jij houdt je niet zo bezig met de politiek en met roddels, dat weet ik, maar in godsnaam... luister je dan nooit naar Haywood Kenney op de radio?'

Haywood Kenneys talkshow op de radio werd elke dag drie uur lang in het hele land uitgezonden. Hij schreef boeken, kwam op de televisie en trok publiek als hij ergens praatte. Hij was een zogenaamde selfmade politiek commentator. Huh. Vanaf de eerste dag haatte hij Al Jacobs en Edwina Jacobs en ieder aspect van de regering-Jacobs, amen. Ik vond hem een schreeuwlelijk vol valse, achterlijke ideeën en een schrale patser in dure pakken met haren als het dunne bruine dons op apenballen. 'Nee, ik luister niet naar hem,' zei ik, 'en wat heeft die belabberde artiest te vertellen dat niet voor de helft gelogen of puur van horen zeggen is?'

'Kenney weet álles over de familie van Al Jacobs! Van heel ver terug! Hij was er twintig-en-nog-wat jaar geleden bij toen Als neef – deze Jakobek – met blote handen een man doodde. Hush, dat verhaal is beroemd.' Ze vertelde me over het drama van Jakobeks bescherming van Edwina en de kleine Eddie. 'Kenney zegt dat Jakobek die kerel gewoon heeft afgeslacht! Kenney noemt Jakobek "Als persoonlijke psycho-killer". Hij zegt dat Al Jacobs zijn invloed heeft aangewend om het leger over te halen Jakobek naar het buitenland over te plaatsen, opdat hij niet voor moord zou worden aangeklaagd. Kenney zegt dat hij sindsdien overal ter wereld verdachte missies heeft uitgevoerd. Dat hij eigenlijk niet meer is dan een huursoldaat. De regering schakelt hem in om mensen te vermoorden en zo. Dat zegt Kenney.'

Mijn nekharen gingen overeind staan, maar ik zwaaide ongeduldig met mijn handen. 'Wat heeft dat op dit moment met hem en mij en de wespen te maken, Smooch?'

'Je had de wespen niet door een vreemde van je af moeten laten blazen, dat is alles. Hij is niet het type man dat... Davy's herinnering eer aandoet.'

Ik schonk haar een verbaasde en vervolgens boze blik die haar duidelijk maakte dat ze de grens naar Uitsluitend Mijn Eigen Zaken had overschreden. 'Als je vindt dat ik de herinnering aan je broer sinds zijn dood op welke manier dan ook heb onteerd, dan moet je dat nu zeggen.'

Ze sperde haar ogen – nu vol tranen – wijd open. 'Je weet dat ik je een fantastische echtgenote vind! Je weet dat ik heb gezegd dat je meer zou moeten uitgaan en afspraakjes moet maken met een leuke man! Maar... je wist dat die Jakobek hierheen kwam om problemen te veroorzaken... om te proberen Eddie en Davis uit elkaar te halen... dus waarom was je dan aardig tegen hem?'

'Aardig? Ik heb gedreigd hem uit te boren met mijn zakmes.'

'Je hebt hem de wespen van je af laten blazen.'

'Had ik een keus dan?'

'Je hoefde alleen maar te wachten tot Gruncle kwam met de rookpot. En je bent trouwens niet bang van de wespen. Je had Jakobeks hulp helemaal niet hoeven aannemen! Hij is de vijand, Hush. Moedig hem niet aan.'

'Tot dusver zou ik zeggen dat hij onverzettelijk maar eerlijk is geweest en we moeten samenwerken om...'

'Om Eddie en Davis uit elkaar te halen zodat Davis terug zal gaan naar Harvard?'

Mijn asgrauwe gezicht moet haar vraag beantwoord hebben. Ze rende het huis uit en ik zakte op een stoel neer.

Was dat wat ik wilde? Jakobek inzetten om het huwelijk ten val te brengen?

Met bevende handen haalde ik een witte pijp met lange steel uit de kontzak van mijn spijkerbroek, vulde de pijp met wat zelfgekweekte tabak die ik in een klein leren zakje bij me droeg, stak er de brand in met een Sweet Hush Farms-aansteker en nam een lange, kalmerende trek. Twee agenten van de geheime dienst, die tussen mijn struiken stonden, staarden me aan.

'Ja, de bergbewoonster en zakenvrouw die nu de schoonmoeder van Eddie Jacobs is, rookt pijp,' riep ik hun toe. Ze kuchten beleefd en wendden hun blik af.

Dus boven op alle ellende kwam nog dat mijn schoonzus Eddies sinistere neef Nick niet vertrouwde, en ook Gruncle kwam naar me toe om te zeggen dat de rest van de familie evenmin vertrouwen in hem had.

'We weten dat hij met je heeft geflirt en Davis neer heeft geslagen.'

'Dat is geen van beide waar.'

'Zo klinkt het anders wel. Neem je het voor die man op?'

'Ik geef alleen de feiten.'

'Hij is hier om een einde aan hun huwelijk te maken. Wat voor man doet zoiets?'

'Hij zegt dat hij hier is om ervoor te zorgen dat Eddie in orde is. En ik wil hetzelfde voor Davis. Ik vraag jullie allemaal kalm te blijven en niet direct een oordeel te vellen, maar even af te wachten wat er gebeurt.'

Gruncle keek me scherpzinnig aan. 'Onthou je niet te lang van een oordeel. Dit zou heel goed op fikse moeilijkheden kunnen uitdraaien. Want als je zoon denkt dat jij met Jakobek samenwerkt om zijn huwelijk op z'n kop te zetten, zal hij je dat nooit vergeven.'

Ik zei niets, maar huiverde.

'Doet u het?' vroeg Jakobek weer. Het was midden in de nacht. Ik stond beneden in mijn deftig behangen gang voor de rood met gouden slaapkamer die ik opnieuw had ingericht nadat Davy was overleden, een kamerjas van witte chenille dichthoudend over mijn blauwe katoenen pyjama terwijl de grote man die ik nauwelijks kende in verbleekt kaki, afgedragen flanel en oude laarzen en met een scherpe roofdierblik in zijn ogen voor me stond en me vroeg of ik, nu meteen, meeging naar een bespreking met de president en de First Lady. Hij was net terug uit Washington. Hij stond zo dicht bij me dat ik zijn warmte kon inademen en ik was heimelijk verontrust door zijn aanwezigheid.

'Hoe?' beantwoordde ik zijn vraag. 'Waar?'

Voor hij de kans kreeg antwoord te geven, weerklonk vanuit de nacht het gedreun van een of ander luchtvaartuig. Jakobek keek omhoog, alsof het crèmekleurige gipsplaatplafond van de gang aanwijzingen bevatte. 'Marinehelikopter,' antwoordde hij. 'Ze vliegen ons naar North Carolina. Een beveiligd landgoed van vrienden van Edwina. In Highlands.'

'Highlands. Rijke vrienden!'

Davis en Eddie kwamen achter me dichterbij, slaperig en verkreukt, allebei met dezelfde groene kamerjas over een T-shirt van Harvard. 'Ik verwacht niet dat u naar mijn moeders pijpen danst,' zei Eddie.

Jakobek fronste zijn voorhoofd en wilde iets zeggen, dacht er nog even over na en zei toen niets. Maar ik wist wat hij dacht.

Ik was de moeder van de schoonzoon van de Jacobsen. Ik was Hush McGillen Thackery, die belang hechtte aan tradities en goede manieren. En jammer genoeg wist Jakobek voldoende over me om macht over me te hebben. Ik trok mijn witte kamerjas strakker om me heen, als een wapenrusting. 'Ik ben over tien minuten klaar.'

Jakobek glimlachte bijna.

11

De lucht in Highlands rook fris en groen, naar vers geld. Het luxueuze stadje lag boven op een plateau, zo hoog in de bergen ten noordoosten van Chocinaw County dat het evengoed in Canada had kunnen zijn. Er waren golfbanen en kunstgalerieën, ijskoude visvijvers en reusachtige sparren en blokhutten van een miljoen die eruitzagen als landhuizen in Adirondack. De namen van enkele van de rijkste families in Amerika stonden hier op de lijst voor de gemeentebelastingen, als je wist waar je moest kijken. Over een paar uur, wanneer de winkels opengingen, zou het in de straten wemelen van de Mercedessen en Jaguars.

Het stadje lag echter nog mooi en rustig onder de straatlantaarns toen onze colonne erdoorheen reed. Een colonne. Jawel. Jakobek en ik in een zwarte terreinwagen, bestuurd door een agent van de geheime dienst, met nog meer zwarte terreinwagens voor en achter ons. Jakobek ging nonchalant gekleed in een kaki broek en een pull-over... Wat hij ook in zijn plunjezak had zitten, het was niet formeel. Na exact tien minuten heftig debatteren met mezelf (draag je mooiste pakje; laat hun zien dat je een mondaine vrouw bent; nee, laat hun zien dat je zo mondain bent dat het je niets kan schelen wat ze denken, trek je spijkerbroek aan, als iemand uit New York of Californië), was ik met mezelf tot een compromis gekomen: een goede spijkerbroek, Italiaanse pumps van vierhonderd dollar, die ik bij een opheffingsuitverkoop in een buitenwijk van Atlanta had gevonden voor vijftig dollar, en een marineblauwe kasjmieren sweater die ik voor de volle prijs had gekocht toen ik een toespraak moest houden tijdens een regionale bijeenkomst van fruitverkopers. Ik zette mijn haar vast met een zwarte speld en bracht voldoende dure make-up aan om me het verhitte uiterlijk van een tiener na een lang, warm feestje te geven. Helikopters zijn trouwens een ramp als je een beetje leuk voor de dag wilt komen.

'Kolonel Jakobek,' zei ik, toen we door de inktzwarte duisternis van het bergachtige North Carolina reden, 'als Al en Edwina Jacobs er om vier uur in de ochtend op hun best uitzien na wat we de afgelopen vierentwintig uur hebben doorgemaakt, dan zal ik hun ringen kussen en toegeven dat ik op hen had moeten stemmen.'

'Geloof me,' antwoordde hij, 'u bent in het voordeel. Ze hebben nog nooit iemand zoals u ontmoet.'

Ik haalde mijn schouders op voor het compliment, aangenomen dat het dat was. Ik deed heel erg mijn best hem te vertrouwen, in aanmerking genomen dat hij me weinig keus had gelaten.

Onze colonne reed Highlands uit en de zwarte schaduwen in van kronkelende berglanen en opritten die aan weerskanten daarvan uit het zicht verdwenen achter mooie, gesloten poorten die verscholen lagen onder honderdjarige eiken en reusachtige rododendronhagen, de grootbladige familieleden van de fijnere laurierstruiken in Chocinaw County.

Bij een van die poorten werden we opgewacht en doorgelaten door agenten van de geheime dienst. Ik sloot mijn handen steviger om mijn tasje toen onze auto's de verborgen oprijlaan en het bomenrijke heuveltje op reden waarop een uit hout en steen opgetrokken landhuis stond waar mijn boerderij wel twee keer in paste, en dan bleef er nog ruimte over. Agenten in sweaters en sportbroeken met een klein machinegeweer als accessoire stonden net buiten de lichtcirkels van de lampen op het gazon. Het ligt voor de hand te zeggen dat het surrealistisch was. Andere agenten haastten zich naar de auto die ik deelde met Jakobek, openden mijn portier en zeiden, net zo toonloos als politieagenten die je een bekeuring geven: 'Mevrouw.'

Jakobek wuifde hen echter weg en bij God, ze gingen opzij. Terwijl hij me over een met kinderkopjes bestraat pad naar een brede veranda begeleidde, vroeg ik me af of Al en Edwina Jacobs stiekem vanachter de gesloten luiken door een van de ramen op de bovenverdieping naar me gluurden. Ik zei zachtjes tegen Jakobek: 'Als dit een tekenfilm was, zou ik nu opkijken en Edwina naar me zien turen, en dan zouden er laserstralen uit haar ogen naar me toe schieten.'

'Ik ben ook al een paar keer geraakt,' antwoordde Jakobek, en ging toen voor me staan.

Daarop zwaaide de grote dubbele voordeur open. Twee agenten kwamen naar buiten en hielden de deuren helemaal voor ons open. In de gang stond een echtpaar van middelbare leeftijd in vrijetijdskleding en trui, alsof ze op het punt stonden te gaan golfen: hij lang en slank met donkere ogen en een warrige bos haar die zilver begon te kleuren; zij klein en gezet met pientere blauwe seriemoordenaarsogen en kort middelblond haar. Ik keek op naar twee van de beroemdste gezichten op aarde. De president en de First Lady van de Verenigde Staten van Amerika.

Godzijdank zagen ze er op het eerste gezicht uit als normale mensen.

Mijn middenrif ontspande zich. Ik stak mijn hand uit en liep voorzichtig drie stenen treden op. 'Al, Edwina. Ik ben Hush McGillen Thackery en ik ben hier om te zeggen dat ik net als jullie ook niet blij ben met wat onze kinderen hebben gedaan, maar jullie hebben mijn woord dat jullie dochter in mijn huis altijd eerlijk en vriendelijk behandeld zal worden. En dat mijn zoon een goede jongeman is op wie je kunt rekenen. En ten slotte ben ik hier om te zeggen dat jullie wat mij betreft te allen tijde welkom zijn in de Hollow. De rest is aan jullie en Eddie.'

Heel even durfde er niemand adem te halen. De agenten staarden me aan. Jakobek kwam ook de trap op en ging naast me staan, alsof hij van plan was mijn zaak te bepleiten als de koning bevel mocht geven me te laten onthoofden. Edwina's ogen vernauwden zich tot spleetjes. Maar Al, goeie ouwe Pools-Amerikaanse Aleksandr Jacobs uit Chicago, Illinois, Jakobeks oom en Eddies vader en leider van de vrije wereld, knikte, accepteerde me op een manier die geen woorden behoefde, stak toen een slungelige hand naar me uit en zei kalm: 'Hush, je bent nog indrukwekkender dan Nicholas je had beschreven. Laten we nu naar binnen gaan en over onze idealistische kinderen en aanstaande kleinkind praten.'

Edwina glimlachte.

Ik vertrouwde die glimlach niet.

Al, Edwina en ik namen plaats op mooie leren banken rond een antieke salontafel die waarschijnlijk meer had gekost dan al mijn geërfde meubels bij elkaar. We wendden voor koffie te drinken. Jakobek bleef op enige afstand voor het raam staan, zijn armen over elkaar en zijn brede schouders ontspannen, zijn benen licht gespreid en zijn rug naar de buitenwereld gekeerd. De houding van een beschermer. Van een eenling.

Op de gezichten van Al en Edwina las ik alles wat ik zelf ook voelde – bezorgdheid, liefde, frustratie, geschoktheid. Ik twijfelde er niet aan dat ze liefdevolle ouders waren die een klap hadden gekregen en even uit balans waren. Ik wist dat ik er hetzelfde uitzag.

'We zijn het er dus over eens,' zei Al, 'dat dit huwelijk erg weinig kans van slagen heeft, maar dat we hen allemaal onze steun geven.'

Ik knikte. 'Ik zweer jullie beiden dat ik alles zal doen om de breuk tussen jullie en Eddie te helpen lijmen. En zoals ik al zei, jullie zijn te allen tijde welkom in de Hollow.'

'Dank je,' zei Al. Naast hem zat Edwina weer te knikken en te glimlachen. Ik geloofde geen seconde dat ze het meende, maar ik bewonderde Al Jacobs, de manier waarop hij tegen me praatte, zijn oprechte vriendelijkheid. Al gebaarde om zich heen. 'Ik betwijfel of je ons daar zou willen hebben in deze tijden van topdrukte voor je bedrijf. De vrienden aan wie dit landgoed toebehoort, hebben het speciaal voor mijn bezoekjes ingericht. Er zitten meer beveiligingssystemen in deze muren en op het terrein dan je je kunt voorstellen. Dat is nodig om een president te bewaken, God helpe ons. Zoals het er momenteel in de wereld voorstaat verkeert zelfs mijn eigen dochter elke keer dat ze in mijn aanwezigheid is in gevaar. We moeten toegeven dat onze dochter een hekel heeft aan alle publiciteit en dat ze gegronde redenen heeft om haar eigen leven te willen leiden – en haar kind op te voeden – ver bij ons vandaan.'

Vanuit mijn ooghoek zag ik Edwina's gezicht verstrakken als een uitgewrongen handdoek, haar glimlach tot het uiterste uitgerekt. Ik stond op.

'Edwina, kunnen jij en ik even een ommetje maken? We moeten even als moeders onder elkaar praten. Is dat mogelijk zonder dat we het alarm laten afgaan?'

Ze stond ook op. 'Wel als je het door mensen gemaakte alarm bedoelt.'

Ik knikte. Een hoogspanningskabel was nog minder gevaarlijk.

Ons ommetje bestond eruit dat we stijfjes naast elkaar in de koude nachtelijke berglucht over een perfect bijgewerkt pad met aan weerskanten lampen liepen, en vervolgens het bos in naar een klein prieel naast een koikarpervijver met een natuurlijke waterval. 'Ik hou van vissen,' zei ik. 'Ik heb een vijver in mijn achtertuin.'

'Dat weet ik,' zei ze.

Dat wist ze! Nieuwsgierig, verwaand kreng. We stonden daar in het prieeltje met alleen de lampen langs het pad om de duisternis te doorbreken en het spatten van de fontein om de woedende stilte op afstand te houden. 'Blijf op het pad,' zei Edwina uiteindelijk. 'Er zitten overal infraroodsensoren.'

Alsof ik voor haar weg zou lopen. Ik trok mijn schouders op. 'Ik twijfel er niet aan dat je in een glazen kom leeft en dat iedereen eromheen gewapend is met stenen, maar is al die hightech paranoia nou echt nodig?'

'Vorige week in Israël probeerde iemand een kneedbom in de auto's van de colonne van mijn man te planten. De geheime dienst heeft hem opgepakt. En dat is alleen het jongste incident. Mijn echtgenoot riskeert dagelijks moordaanslagen.'

'Bedoel je dat daar allemaal niets van op het nieuws komt?'

'Natuurlijk niet. Het gebeurt voortdurend. Er wordt niets over die incidenten gepubliceerd. Het publiek krijgt zelden iets te horen van een aanslag op de president, tenzij die pal voor een televisiecamera plaatsvindt. Dat is de reden waarom de belangrijkste politieke, sociale, economische en militaire geheimen van de wereld ook geheim blijven. Het zijn de relatief onbenullige persoonlijke dingen die naar buiten komen. Die kunnen ondraaglijk zijn, maar schaden alleen die mensen die het dichtst bij het epicentrum zitten.'

'Het spijt me. Ik kan zien dat je bezorgd bent. Bang.'

'Bang? Nee. Met afschuw vervuld.' Ze draaide zich naar me om. 'Er heerst kwaad in de wereld waarmee niet te redeneren valt. Naarmate de tijd verstrijkt, geloof ik dat meer en meer, en ik zal al het nodige doen om mijn gezin zo goed mogelijk te beschermen. Nicholas heeft altijd begrepen dat het doel de middelen heiligt. Hij heeft mijn leven en dat van Eddie jaren geleden gered omdat hij niet aarzelde iemand te doden om ons te beschermen. Destijds was ik geschokt en in de war door zijn meedogenloze oordeel. Ik was naïef. Ik betwijfel of hij het zou geloven als ik hem dat vertelde, maar hij had gelijk.'

Er liep een rilling over mijn rug. 'Je ziet mij en mijn zoon als een nieuwe bedreiging die je moet aanpakken. En je zult alles doen wat nodig is om te zorgen dat we Eddie geen pijn doen.'

'Dat is volkomen juist.'

'Oké, laten we dan terzake komen. Zuiver tussen ons. Wat hier wordt gezegd komt verder niemand te weten. Je zit te glimlachen omwille van je echtgenoot en zegt precies de juiste dingen, maar daar trap ik niet in. Zeg op.'

Ze liep om me heen, bestudeerde me, overdacht welke risico's ze kon nemen, omcirkelde me als een prooi. Ik draaide met haar mee zoals een kat meedraait als een andere kat haar belaagt. 'Zuiver tussen ons?' zei ze.

'Je hebt mijn woord.'

Ze bleef staan. 'Ik ben van plan alles over je te weten te komen wat er te ontdekken valt. Elk smerig klein familiegeheimpje dat de goede naam van mijn dochter zou kunnen schaden. Elke beschamende zwakte die ik kan gebruiken om haar ervan te overtuigen dat ze niet bij je familie wil horen. Want bovenal wil ik dat mijn dochter zo teleurgesteld raakt in haar nieuwbakken echtgenoot en zijn familie dat ze uit dit huwelijk wil stappen. Ik wil haar en mijn kleinkind onder mijn vleugels. Ik wil haar toekomst zo snel mogelijk veiliggesteld hebben.'

Mijn hoofd gonsde. 'Ga door,' zei ik uiteindelijk.

'We leven in een wereld waar niets meer geheim is, Hush. Al en ik zijn meermalen door de media vernederd. Opgejaagd. Onze meest onschuldige persoonlijke intimiteiten zijn breed uitgemeten. Zijn zuster heeft heel vervelende dingen meegemaakt... en Nicholas ook. Privé-kwesties, maar we slagen er niet in ze stil te houden. Niemand is meer veilig. Medische gegevens. Politiegegevens. Financiële gegevens. Het is allemaal op te vragen met één druk op de knop van een computer. God helpe degenen onder ons die hun nek uitsteken. De Japanners hebben een gezegde: de nagel die omhoog steekt krijgt de eerste klap van de hamer. Het is waar. Je hebt mijn sympathie. Maar tegelijk waarschuw ik je. Probeer me niets te flikken, Hush. En probeer geen geheimen te verbergen, want als ze naar boven komen en de goede naam van mijn dochter schaden, zal ik geen medelijden met je hebben.'

Ze kwam vlak voor me staan. 'Je moet het me vertellen, Hush. Vertel me alles wat ik nog niet over je weet. Vertel het me als je ooit iets hebt moeten verbergen. Misschien kan ik je helpen.'

'Ik vertrouw je niet voldoende om je iets toe te vertrouwen,' zei ik. 'Dus neem ik het risico met wat me nog rest van mijn privacy.'

Ze verstarde. 'Ik zal doen wat nodig is om mijn dochter terug te krijgen en te beschermen. Zelfs als het betekent dat ik jou en je zoon daarvoor moet opofferen. Vergis je niet.'

'Ik heb maar één vergissing gemaakt,' zei ik. 'En dat is hierheen komen met het idee dat we vriendschap zouden kunnen sluiten.'

In de beschutting van het blauwe licht van de heel vroege ochtend reed ik na onze terugkeer uit Highlands naar de top van Chocinaw Mountain. Ik werd omringd door een koude bries en de eeuwige roerloosheid van vast gesteente. De geur en het gevoel en de eenzaamheid vormden het eindeloze gewelf van de wereld. Ik parkeerde de auto met het HUSH-nummerbord en liep zonder enige spirituele of tastbare bescherming naar de stalen vangrail. Eventuele vroege buren op weg naar de vlakten buiten het berggebied zouden mij en mijn auto wel herkennen, maar misschien alleen tegen vrienden en familieleden zeggen dat Hush weer op de Chocinaw met de geest van Davy in gesprek was, dat ze hem over de verbazingwekkende omstandigheden in het leven van hun zoon vertelde. Uitgestrooid met de juiste mengeling van geruchten en veronderstellingen konden roddels ook best in je voordeel werken. Ik had wat dat betreft de afgelopen jaren angstaanjagend veel geluk gehad.

Maar daar was nu een einde aan gekomen.

Ik keek tussen de rotsen en laurierstruiken neer op de grote granieten steen die de plek van Davy's overlijden markeerde. Hij kon Davis en mij nog altijd mee naar beneden sleuren, maar dat zou ik heus niet zonder tegenstribbelen laten gebeuren. Ik klom over de vangrail, bleef met mijn mooie pumps achter de rotsen en de lauriertakken haken, raakte een schoen kwijt maar nam niet de moeite er in het zwakke licht naar op zoek te gaan. Ik klauterde dertig meter omlaag naar de muil van de ruwe uitholling in de bergwand, en zag weer de geest van Davy's lichaam verwrongen in zijn machtige auto liggen.

Toen ik hem die dag vond, stak ik een hand naar binnen en spreidde mijn vingers over zijn gezicht, streelde de wangen en lippen van de knapste man van Chocinaw County, het dode gelaat van mijn geliefde, mijn vijand, mijn echtgenoot, de zielsverwant van mijn zoon. 'O, Davy, het spijt me dat het zo gelopen is,' fluisterde ik.

En ik huilde. Er bestond voor mij geen twijfel dat hij zelfmoord had gepleegd omdat ik dingen over hem te weten was gekomen die hij net zomin het hoofd kon bieden als ik. Nadat ik al zoveel het hoofd had geboden, en hij dat had toegelaten.

Nu had ik de bodem van het kleine ravijn bereikt, bezweet, besprenkeld met steenslag, neerslachtig, bang en boos. 'Verdomme, Davy.' Ik haalde uit met mijn ene arm en sloeg zo hard tegen het granieten monument dat het door mijn botten heen dreunde. Pijn schoot omhoog naar mijn rechterschouder. Mijn arm vasthoudend ging ik op de sokkel van het monument zitten, boog voorover en begon langzaam heen en weer te wiegen. Mijn schouder deed pijn en mijn hoofd tolde. Een nieuwe dag begon en ik kon niet anders dan opstaan en doorgaan.

Ik hoorde Jakobek pas toen hij een hand op mijn schouder legde. 'Rustig maar,' zei hij.

Ik dook woedend en vernederd weg. 'Raak me niet aan. Hou op me overal achterna te lopen. En vertel me niet dat ik je kan vertrouwen.'

Hij liet zich voor me op zijn knieën zakken, zijn gezichtsuitdrukking duister en verward. 'Ik weet niet wat Edwina tegen je heeft gezegd, maar ze heeft dat niet met mij of de president gedeeld.'

'Dat geloof ik niet.'

'Je zei me dat je een expert was in het herkennen van oneerlijke mannen.'

'Dat is niet precies wat ik heb gezegd.'

'Het is wat je bedoelde! Kijk me aan. Zeg me of je werkelijk denkt dat ik hier ben om je te bespioneren, om je kwaad te doen, of je zoon kwaad te doen. Ik had wel duizend andere dingen kunnen doen als ik jou, of hem, hard had willen aanpakken.'

'Ik heb gehoord dat je niet beter bent dan een koelbloedige huurmoordenaar. Ben je dat? Een harteloze moordenaar?'

De lucht tussen ons kwam tot stilstand. 'Niet harteloos,' zei hij zacht.

Ik moest eerst een paar keer ademhalen en toen vroeg ik: 'Hebben de president en de First Lady je gestuurd om mij en mijn zoon angst aan te jagen als dat nodig mocht zijn?'

'Ze hebben me gestuurd om te doen wat gedaan moet worden als Eddie in moeilijkheden mocht verkeren.'

'Maar je keurt het huwelijk evenmin goed als zij. Evenmin als ik.'

'Op de dag dat Eddie geboren werd, heb ik gezworen haar te beschermen. Dat houdt ook in dat ik alles bescherm wat haar dierbaar is – dus ook haar nieuwe echtgenoot en zijn familie. Zolang zij de vrouw van je zoon wil blijven ben ik hier om haar te steunen. En omdat jij haar schoonmoeder bent, ben je bij de prijs inbegrepen.' Hij zweeg even. 'Misschien wil ik dat je me net zo hoogacht als de wespen deden.'

'Ik heb geen idee wat ik moet denken.'

Hij ademde langzaam uit. 'Vertel me wat Edwina heeft gezegd.'
'Dat is vertrouwelijk.'
'Was het zo erg?'
Ik kon mijn ellende niet snel genoeg voor hem verbergen. Hij bestudeerde mijn gezicht en zei zacht: 'Verdomme.' Voor ik nog iets kon zeggen, stond hij op en hielp mij aan mijn goede arm overeind. Hij begon somber en zonder iets te zeggen bladeren uit mijn haar te vegen, mijn gezicht bestuderend op zoek naar aanwijzingen voor mijn veranderende stemmingen. Zelf een mysterie. Ik zou bang moeten zijn. Een lange man, nog steeds een vreemde, zorgeloos maar precies, en zo stil dat ik hem zelfs op de berg niet had horen aankomen.

De wind wakkerde aan, kronkelde om ons heen, zong een koud lied om ons bij elkaar te brengen voor warmte. Ik keek een moment koortsachtig naar hem op, draaide me toen om en klom zonder gratie over de rotsen en de laurier, onhandig zonder mijn schoenen en met een gewonde schouder die aanvoelde alsof er iets gescheurd was. Jakobek klom achter me aan. Ik struikelde en voelde zijn brede hand in mijn rug.

Toen we de kant van de weg bereikten, sprong hij over de vangrail en tilde daarna mij eroverheen. Ik ben niet echt fijngebouwd en ik was verrast door zijn kracht. Hij zette me niet meteen neer en ik vroeg hem ook niet me neer te zetten. Hij bleef me staan vasthouden en keek me aan, en ik hem. 'Ik wil dat je in mij gelooft, en ik móét jou geloven,' zei ik.
'Iemand moet dat doen.'
'Dat is een vreemd antwoord, Jakob.'
'Hoe noemde je me?'
'Ik... Ik kan je niet bij je achternaam blijven noemen. *Jakob* heeft een bijbelse klank. *Nick* klinkt te hard. Als ik je een spiritueel klinkende naam geef, zul je misschien een spirituele man blijken te zijn, Jakob.'
'Afgesproken.'
'Oké dan. We zitten in hetzelfde schuitje, Jakob, precies zoals je gisteren zei. Ik ben niet bereid het huwelijk van mijn zoon te saboteren, ook al denk ik dat het voor zijn bestwil is.'
Jakobek knikte. 'Dan zijn we een team. We steunen het huwelijk. We kijken het een tijdje aan. We staan het niet in de weg.' Hij aarzelde even. 'En we staan niet toe dat Edwina het in de weg staat.'
De stilte die tussen ons ontstond was zo verwarrend en krachtig

als een stilte maar kan zijn. De aanwakkerende wind rukte aan ons en ik hoorde de scherpe geest van mijn man erin. 'Zet me nu maar neer,' beval ik zacht. 'Ga weg en laat me in mijn eentje terug komen rijden zodra ik daar klaar voor ben. Ik ben hier gekomen om met mijn dode man te praten, Jakob.'

Hij knikte, zette me neer en deed een stap achteruit. 'Maar vergeet het niet. Hij is dood. Ik leef, en ik luister.'

12

Een uur slaap, tien koppen koffie, een handvol peppillen op kruidenbasis, een dubbele dosis artritismedicijnen voor mijn arm, een koud stuk appeltaart en een lange, tranenrijke douche en ondergetekende, de nieuwbakken schoonmoeder, was eindelijk klaar om geluk te veinzen. Jakobek bleef wijselijk op afstand.

'Bedankt dat u met mijn ouders wilde gaan praten,' zei Eddie zacht. 'Nicky zei dat het er diplomatiek aan toe ging.'

'We zijn overeengekomen jullie beslissing te steunen.'

Eddie zuchtte. Davis fronste zijn voorhoofd. 'We hadden niet verwacht dat iedereen een gat in de lucht zou springen van blijdschap, maar enig enthousiasme zou wel leuk zijn. Als je wilt dat we weggaan...'

'Nee, dit is je thuis. Jullie kunnen hier blijven. En daarmee basta.'

Ik liep naar buiten. Eddie en Davis volgden. Ik gooide een handvol voerballetjes in de kleine vijver onder de bomen in de achtertuin terwijl zij onbeholpen naast me stonden. Ze deden hun best aardig tegen me te zijn door achter me aan te lopen en de juiste dingen te zeggen. De opkomende zon wierp prachtige vegen licht over het ondiepe, glinsterende water. Davy had de vijver ooit gemaakt als verjaardagscadeau voor mij, compleet met twee goud met witte komeetstaarten die onder mijn hoede snel uitgroeiden tot enkele decimeters lengte en meer komeetstaarten voortbrachten, die ik verkocht.

'Je bent hebzuchtig, Moeder Natuur,' zei Davy toen dat gebeurde. 'Je kunt geen levende ziel accepteren puur voor het plezier dat die geeft. Het moet geld opbrengen of je trots maken. Als je iets zou kunnen verzinnen om winst met ze te maken, zou je me vast meer kinderen hebben geschonken.'

'Moeder?' zei Davis. 'Gaat het?' Er vlamde een pijnscheut door mijn gewonde arm; bij de herinnering aan Davy's woorden kromp ik ineen en liet ik de zak met voer vallen. Davis raapte hem op. 'Heb je last van je slechte schouder?'

'Een beetje. Niet erger dan gewoonlijk.'

Hij wendde zich tot Eddie. 'Moeder ging een keer met pa op hertenjacht, lang voor hij stierf. Ze gleed uit en viel van de hoogzit. Hij droeg haar drie kilometer terug naar de auto. Bleef in het ziekenhuis constant aan haar zijde en zat hier thuis dag en nacht bij haar. Moeder zegt dat ze de tijd die ze toen samen doorbrachten, en hoe hij voor haar zorgde, nooit zal vergeten.'

Eddie keek met stralende ogen van mij naar hem. 'Wat moet u prachtige herinneringen aan de vader van Davis hebben. Dat zijn precies het soort herinneringen dat Davis en ik hier verwachten op te bouwen.'

Ik wilde maar al te graag dat dat verhaal over de jacht waar was geweest. Ik zette mijn handen op mijn heupen en ademde een paar keer diep in. 'Laten we even iets ophelderen. Jullie tweeën zijn toch wel van plan terug te gaan naar Harvard als de baby geboren is, of niet?'

Davis zei niets. Eddie glimlachte triest. 'Dat is niet langer wat we willen. Geen van beiden.'

Mijn huid trok samen en er dansten sterretjes voor mijn ogen. Ik ging op een bankje zitten en liet het visvoer weer vallen. Deze keer nam Davis niet de moeite de zak op te rapen. Hij kwam naast me zitten. 'We vragen je om werk hier op de boerderij. Werk en een thuis voor ons en ons kind, en een toekomst waarin we je helpen de toekomst van het familiebedrijf nog beter te maken. Je hebt altijd gezegd dat de zaak ooit voor mij zou zijn als ik hem wilde hebben. Nou, ik wil hem hebben. Laat me nu beginnen daarnaartoe te werken.'

'We hebben zoveel ideeën,' opperde Eddie gretig. 'Zoveel projecten en dromen en plannen. Ik wil echte mensen leren kennen, mevrouw Thackery. Ik wil iets betekenen in een gemeenschap waar ik word gewaardeerd om mijn eigen vaardigheden en inzet, niet om de roem of de politieke macht van mijn ouders. Wees alstublieft niet teleurgesteld over onze beslissing om niet terug te gaan naar Harvard. Een universitaire opleiding is geen substituut voor echte levenservaringen.'

Ik stikte bijna. Wat ik niet gegeven zou hebben voor hun kansen om de grote wijde wereld in te trekken – om weer zo oud te zijn als zij, zonder monden om te voeden en zonder appels die ongeduldig op de oogst wachten, en zonder meer verantwoordelijkheid dan het achternalopen van een jonge soldaat die Jakobek heette – vreemd, die gedachte in dat rijtje. Ik hield van de Hollow, maar ik zou ook van Harvard hebben gehouden. En van Jakobek.

'Moeder?' vroeg Davis weer. 'Gaat het echt wel?'

Ik schudde mijn hoofd. 'Als je deze erfenis eer wilt aandoen, ga dan de wijde wereld in en zorg dat je zo pienter en belangrijk wordt dat je op een dag naar huis kunt komen en voor altijd voor dit land kunt zorgen. Niet alleen maar jaar na jaar, of zelfs generatie na generatie de kost bijeen scharrelen zoals we altijd hebben gedaan. Davis, je kunt al die andere kansen niet laten schieten door je nú hier te vestigen!'

'Ik heb geen universitaire graad nodig om een succesvol bedrijf te leiden, moeder. Daar ben jij het perfecte voorbeeld van.' Hij zweeg even. 'Waar het op neerkomt is dit: we vragen je om je zegen.'

'Die zul je moeten verdienen.'

'Dan doen we dat.'

En misschien moet ik hem zelf ook helemaal opnieuw verdienen.

Eddie sprak aan de telefoon met haar vader en moeder. 'Ja, moeder, ik geloof je als je zegt dat je blij voor me bent. Nee, pap, het is niet nodig dat je me komt opzoeken. Ja, ik weet dat je dat wilt. Maar je zult een bende verslaggevers en zoveel veiligheidsmensen meebrengen dat je het appelseizoen in de war schopt. En het gaat prima met me. Maak je geen zorgen. Ik hou ook van jou. Ik ben blij dat we het eens zijn over mijn keuzes.'

Aan het eind van het gesprek legde ze de telefoon neer en begon te huilen. 'Ik moet toegeven dat ik graag had gewild dat pap me naar het altaar leidde,' kreunde ze terwijl Davis over haar heen hing en troostende echtgenootdingen zei, die niet hielpen. Jakobek en ik keken elkaar bezorgd aan.

Ik trok hem mee de veranda op. 'Het is misschien een verloren zaak, maar ik moet proberen er weer een beetje regelmaat in te brengen – zowel omwille van hen als omwille van mezelf. Ik zet haar en Davis aan het werk. Dat is wat ze willen, maar het zal misschien niet zijn wat ze verwachten. Beslist niet aanlokkelijk. Ik geef haar een baantje in de keuken. Dan is ze uit het zicht van het publiek en het werk is fysiek niet al te zwaar. Alleen saai. Heb je daar problemen mee?'

'Ik ben er helemaal voor. Saai werk is veilig werk. Goed, en ik? Hoe moet ik mijn kost hier verdienen?'

Een seconde lang verrieden mijn ogen me en schonk ik hem een blik die heel goed verkeerd geïnterpreteerd kon worden. Tegen de tijd dat ik mezelf betrapte, had hij mijn blik beantwoord. Hij leunde tegen een van de palen van de veranda met net voldoende humor in zijn ogen om me een gemakkelijke uitweg te bieden. 'Wordt dat per uur of per week betaald?'

Ik trok een wenkbrauw op. 'Dat baantje bestaat alleen in je verbeelding, kolonel.'

'Zonder gekheid.'

We zouden doen alsof het niet gebeurd was. Oké.

'Wil je werken, Jakob? Dan geef ik je werk. Ik zet je op mijn loonlijst. Karweitjes op de boerderij, appels versturen, inpakken, laden. Gruncle is de baas over dat alles. Doe dus gewoon wat Gruncle je opdraagt. Ben je bereid bevelen aan te nemen van een knorrige en onredelijke oude man?'

'Ik heb veel ervaring. Ik heb in het leger gezeten. U hebt me zojuist aangenomen, mevrouw Thackery.'

Ik verzamelde familie, werknemers, Davis, Eddie, Smooch, Logan en Jakobek in de appelsorteerruimte in de schuur. Meer dan veertig mensen stonden in de gangen tussen de houten draagstellen van de lopende banden en kratten en spoeltafels en stalen goten die de versgeplukte Sweet Hushes naar plastic tassen en kleine kratten en mooie mandjes zouden voeren die in appelrood cellofaan met een rode strik bovenop zouden worden verpakt voor de verkoop in winkels. De muurventilatoren van de schuur voerden de geur binnen van appelflappen die in de ovens van de keuken in de schuur ernaast werden gebakken. Van de ouderwetse vloer onder mijn voeten steeg de geur van houtkrullen op. Het leven was goed en geurig, in elk geval in mijn appelschuren.

'Ik heb fantastisch nieuws,' loog ik tegen de hele menigte, terwijl ik naar oude en jonge gezichten keek met rode Sweet Hushpetjes of hygiënische rode mutsjes met Sweet Hush-logo boven een lappendeken van schone, witte Sweet Hush Farms-schorten over blauwe spijkerbroeken en flanellen shirts met het wapen van

Sweet Hush Farms erop – een dierbare en loyale en hardwerkende menigte mensen die met grimmige verbazing van mij naar de sombere Jakobek keken en daarna naar de dapper glimlachende Eddie en de streng kijkende Davis, die Eddies hand vasthield en in de houding stond.

Ik vertelde het hun zonder omwegen. *Dit is Eddie Jacobs Thackery. Ja, jullie hebben het goed gehoord. Eddie en Davis zijn getrouwd. Ze blijven dit seizoen hier om met ons mee te werken. En ja, er is nog meer goed nieuws. Zoals jullie allemaal misschien al wel weten word ik oma.*

Er steeg een aarzelend applaus op, terwijl alle ogen van de pas gehuwden naar Jakobek en weer naar mij gingen. Davis klemde zijn lippen op elkaar bij de niet bijster enthousiaste reactie van zijn verwanten en staarde de schuldigen aan, terwijl een spier in zijn wang zich zichtbaar aanspande. 'We zijn hierheen gekomen om deel uit te maken van de familie en de gemeenschap en het erfgoed dat mijn ouders met jullie hulp hebben opgebouwd. Ik weet dat jullie van Eddie zullen houden en haar zullen verwelkomen. Ze wil behandeld worden zoals iedereen. Ik verwacht... nee, ik weet... dat jullie haar met vriendschap en respect zullen behandelen.'

Hij vertelde hun allemaal dat hij naar huis was gekomen en Harvard met plezier had opgegeven om me te helpen het familiebedrijf te leiden, maar toen hij dat zei schudden sommige van zijn jongere neven en nichten – die hem en zijn avonturen in de wereld verafgoodden – hun hoofd. Sommige van de minder beleefde oude mannen en vrouwen veegden tranen van teleurstelling van hun wangen.

Anderen gluurden naar Eddie alsof ze de vleesgeworden, een meter zeventig lange, magere, verleidelijke ondergang was – en nog zo'n verdraaide liberale Jacobs op de koop toe. Hun wrevel gold ook de lange Jakobek met zijn gehavende gezicht. Hij had Davis een bloedneus bezorgd en de wespen van me af geblazen. Stammensymboliek bracht de verdediging van mijn familieleden aan de oppervlakte – een vreemdeling was het koninkrijk binnen komen stappen, had de prins neergeslagen en geprobeerd de koningin, die weduwe was, te verleiden. Hamlet in de Hollow.

Ik wist wat me te doen stond, graag of niet. Familieharmonie vereist net zoveel tandenknarsend gemanoeuvreer als een politieke campagne, en vaak net zoveel verdraaiing van de waarheid. Ik stapte naar Eddie toe, trok haar hand uit Davis' greep en gaf haar een ceremoniële omhelzing om al mijn familieleden te laten zien dat ik haar had geaccepteerd. Ze uitte een kreetje van verbazing en sloeg toen haar armen om me heen en fluisterde hakkelend in mijn oor: 'Dank je. Ik zal je niet teleurstellen.'

'Jij moet ook wat doen. Stel je neef Jakobek voor en smeer iedereen wat stroop om de mond omwille van hem,' fluisterde ik terug, 'anders zullen ze hem in de kuil gooien die hij voor een ander gegraven heeft.'

Ze keek me even verbijsterd aan maar richtte zich toen tot de aanwezigen. 'Jullie zijn allemaal een legende voor me. Davis heeft me alles verteld over zijn familie en deze prachtige plek en zijn liefde voor het land en zijn moeder en de herinnering aan zijn vader en het trotse bedrijf dat ze samen hebben opgebouwd. Ik kom zelf ook uit een achtergrond van sterke familiewaarden. Ik heb respect voor wat jullie allen hebben bereikt. Ik ben hier omdat ik wil dat mijn keuzes in het leven om dezelfde waarden draaien. In die gedachtegang wil ik u graag mijn familielid voorstellen, die hier alleen maar voor mij is gekomen, alleen om mijn ouders te vertegenwoordigen die hier vandaag niet kunnen zijn. Ik heb Hush gevraagd of ik hem zelf mocht voorstellen.' Eddie stak een hand uit naar Jakobek. 'Mijn vaders neef, mijn neef en... en surrogaat oudere broer en...' haar stem brak '... een van mijn ware helden, samen met Davis: luitenant-kolonel buiten dienst Nicholas Jakobek.'

Jakobek stak zijn grote handen in de zakken van zijn gekreukte broek en knikte iedereen toe, maar zag er nog altijd stug en werelds uit, en zo lief als een rottweiler achter een bewakingshek. Hij stond tegenover mijn argwanende familie in kaki en oud flanel, net zo eenvoudig als wij allemaal, en toch niet zoals wij, niet als iemand die we kenden, een wolf in de kleren van een appelboer. Hij boog zijn hoofd als dank voor de introductie. 'De president en de First Lady groeten u,' zei hij. 'Ze zijn van plan boven op de situatie te blijven zitten.'

Dat klonk meer als een dreigement dan als een vriendelijke boodschap voor de nieuwe, aangetrouwde familie. Er klonk bezorgd gemompel. Jakobek fronste zijn voorhoofd en keek mij aan, vragend om advies. 'Het is goed, Jakob,' fluisterde ik. 'Hier verwachten ze dat mannen iets gaan schieten of te hard rijden of zich bezatten om te laten zien dat het hun iets kan schelen. Je hoeft geen lange, sentimentele toespraak te houden, maar misschien wil je er iets aan toevoegen van "de beste wensen" of zo.'

Hij wendde zich weer tot de mompelende menigte. 'En ze verheugen zich erop al Davis' familieleden en vrienden te leren kennen. Ze... sturen u allen hun beste wensen.'

Het gemompel viel stil, maar de mensen keken hem nog steeds argwanend aan.

Jean Fruitacre Bascomb, een oude nicht van mijn grootmoeder van haar vaders kant, stapte met een blik van kil ongeduld op haar gezicht naar voren. Lima Jean had de leiding over de keukens. 'Lieve Davis,' zei ze tegen mijn zoon met een stem die gebarsten was als oude verf, 'je moeder kwam meer dan twintig jaar geleden met het wilde plan om schuren te bouwen en appels te verkopen aan rijke dwazen uit Atlanta. We steunden haar, en ze had gelijk. We geloven in haar en ze heeft ons nog nooit in de steek gelaten. Kijk maar om je heen; je ziet oude mensen met een pensioen en verzekeringen. Je ziet jongelui met geld voor een studie. Je ziet vaders en moeders die goed voor hun kinderen kunnen zorgen. Allemaal omdat we elkaar hebben geholpen – en dat allemaal dankzij je moeder. Waag het niet dat overhoop te gooien. Kom hier niet aan om te vertellen dat je je studie eraan hebt gegeven en om met een beroemde bruid te pronken en te zeggen: "Ik ben een man en ik ben appelboer en ik kom alles hier wel even regelen." Je moet het recht om hier te blijven verdienen. Het gaat er niet om wat je opgeeft. Het gaat erom wat je aanpakt.'

'Jawel, juffrouw Jean, dat weet ik,' zei Davis stijfjes. 'Ik ben niet hier om aalmoezen te vragen.'

'Goed, want die krijg je niet. Je moeder heeft daar ook nooit om gevraagd en kijk maar eens wat ze voor ons allemaal heeft opgebouwd. En jij, juffrouw Eddie, je lijkt me een aardig, pienter meisje. Ik heb niet op je vader gestemd maar ik heb niets tegen hem, afgezien van zijn beleid. Maar ben jij geboren voor appels? Ben je voor ons of tegen ons of kan het je gewoon geen donder schelen?'

'Ik ben voor jullie,' zei Eddie hartstochtelijk. 'Mevrouw, ik ben de dochter van een vrouw die van ganser harte gelooft in de eerlijke en rechtvaardige behandeling van alle mensen en de dochter van een man wiens familie een trotse Amerikaanse droom heeft opgebouwd die op Ellis Island begon met niets anders dan de kleren die ze aanhadden.'

'Praatjes,' zei Jean zachtaardig, 'maar daar betaal je geen rekeningen mee.'

Gruncle, de oude, gekwelde krijger, kromgebogen in een sweater van Sweet Hush Farms en een te wijde overall met opgestroopte mouwen, stapte uit de groep naar voren en wees met een knokige vinger naar Jakobek. Ik gebaarde naar de dichtstbijzijnde oudtante dat ze hem moest tegenhouden, maar het was al te laat.

'Laten we gewoon zeggen waar het op staat. We hebben gehoord wat je hebt gedaan toen je hier aankwam, jongen!' Iedereen onder de zestig was een jongen of meisje voor Gruncle. 'We houden niet van vreemden die zich vrijheden veroorloven tegenover onze Hush.'

'Ho even, allemaal. De man heeft zich geen vrijheden veroorloofd,' riep ik. 'Mijn vrijheden zijn volstrekt veilig, dus laten we kalm blijven.'

'Maar de man heeft je zoon pijn gedaan, meisje! Ben je van plan je hoofd af te wenden voor die belediging?'

'Gruncle, ik was getuige van wat er gebeurde en ik kan je vertellen dat de kolonel geen enkele blaam treft. Het incident was iets tussen hem en Davis. Ze hebben vrede gesloten en verder gaat het alleen hen aan.' Ik zweeg even. 'Davis is een volwassen man. Hij kan wel voor zichzelf zorgen.'

'Nee, het gaat de hele familie aan als een gevaarlijke bonze zijn tenten opslaat op je eigen erf! Ik heb over die Jakobek gehoord in het radioprogramma van Haywood Kenney.' Gruncle keek Jakobek vals aan. 'De president heeft je niet voor niets al die jaren uit het zicht gehouden, jongen. Met welke duivel dans je, jongen, en wat voor ellende zul je in ons midden brengen, en hoeveel mensen zul je toegeven te hebben gedood? Heb je gedood uit lage hebzucht of heb je gedood voor God en vaderland, jongen?'

'Mijn neef is een held,' zei Eddie. 'Ik verzeker u dat zijn reputatie is verdraaid en...'

'Ik geef niet om God of vaderland,' onderbrak Jakobek haar kalm. We stonden plotseling allemaal als verstard en keken naar hem als kleine wezentjes die de hoge jachtroep van de havik hoorden. Ogen vernauwden zich. Handen ging naar bijbelverzen in borstzakken en plaatjes van de vlag in portemonnees. De meningen verhardden zich. Jakobek beantwoordde hun blikken met de kalmte van een standbeeld in een oorlogsmonument. Hij was onverzettelijk.

'Waar geef je dan wel om?' riep iemand.

Voor hij antwoord kon geven werd een gerommel ergens in de verte luid genoeg om onze aandacht te trekken. Lucille en haar collega's liepen naar de grote spiegelende ramen van de schuur, hielden hun handen boven hun ogen en keken naar de lucht. Jakobek en ik volgden, en daarna ook de rest, tot we allemaal gespannen naar buiten en naar boven stonden te kijken. Een kleine, blauw met witte helikopter kwam over de beboste hellingen van de Ataluck dichterbij. Jakobek wendde zich tot Davis en Eddie. 'Haal haar bij het raam weg.'

'Ja,' stemde Lucille snel met hem in.

Eddie verstijfde. 'Nee, ik weiger te reageren alsof ik altijd en eeuwig een doelwit ben voor iedere gek of monster op deze aarde. Nooit meer. Hier op de boerderij ben ik zo veilig als...' Davis pakte haar op, droeg haar naar het midden van de schuur en zette haar daar neer. Ze fronste haar wenkbrauwen en keek verbaasd en gekwetst naar hem op. 'En gij, Brutus?'

'Ik sta achter je standpunt over de kwestie,' zei hij, 'maar niet achter je standpunt bij het raam.'

'Het is een cameraploeg,' riep Lucille. De helikopter was nog maar dertig meter van het openbare terrein van de boerderij verwijderd en ik kon het logo van een kabelnetwerk zien, een niet bepaald fatsoenlijke nieuwszender, als ik dat er nog bij moet vertellen. Een cameraman hing in een harnas uit de open deur van de helikopter en filmde de schuren en boomgaarden. Ik pakte Logan bij zijn arm. 'Ze maken inbreuk op onze privacy. Dit is privé-terrein. Nieuwsgierige klootzakken! Dat kunnen ze niet maken.'

'Wat wil je dat ik doe, zus? Ze neerschieten?'

'Ja, verdorie.'

Jakobek liep naar een grote dubbele deur terwijl wij in onszelf stonden te mopperen, en voor ik het wist duwde hij de deuren open, stapte naar buiten, stak zijn hand in zijn shirt en haalde een slank automatisch pistool met lange loop te voorschijn. Ik rende achter hem aan naar buiten. 'Hoe kwaad ik ook ben, Jakob, ik bedoelde niet echt dat je die verdraaide helikopter uit de lucht moest schieten.'

'Ben je bereid te bluffen?'

'Bluffen?' Ik gebaarde naar de cameraman. 'Hij filmt alles wat je doet. Daag hem niet uit.'

'Hij filmt niet alleen mij.' Hij keek me scherp aan terwijl hij de veiligheidspal van het pistool omzette. 'Hij filmt ons! Ik regel dit wel. Ga terug naar binnen.'

Even later schudde ik mijn hoofd. 'Nee, laten we die klootzak samen bang maken.' Hij glimlachte, hief zijn pistool en richtte het op de helikopter. De cameraman dook de open deur in als een krab die zich terugtrekt in zijn hol. Ik ving een glimp op van de piloot die met wijdopen ogen woorden sprak die ik niet hoefde te horen om ze te begrijpen.

De helikopter steeg snel op en verdween achter de horizon. Iedereen verzamelde zich rond Jakobek en mij en keek met bezorgdheid en respect naar hem op. Hij liet het pistool zakken en stak het weer onder zijn shirt. 'Ik zorg voor mijn familie,' zei hij. 'Dáár geef ik om.'

Hij draaide zich om en liep tussen de menigte door terug. Iedereen maakte ruimte voor hem. Ik ook.

Eddie maakte een zacht, klaaglijk geluid. 'Misschien had ik Davis niet moeten overhalen me mee hierheen te nemen. Het spijt me zo dat onze kennismaking ontsierd is door een aanval op juist de autonomie en de privacy die de Hollow tot zo'n veilig toevluchtsoord maken.'

Er gebeurde iets vreemds. Mijn verwanten – allemaal eenvoudige, onafhankelijke individuen, op veel terreinen zeer vaderlandslievend, hartstochtelijk als het om de familietrouw en de verdediging van huis en haard en de heiligheid van het land gaat, maar nog altijd geschokt door Jakobeks dramatische demonstratie van wat juist was omwille van vrienden en verwanten – keken nog eens naar Eddie Jacobs en zagen in plaats daarvan Eddie Thackery.

Ze was op z'n minst de vrouw van Davis, de moeder van zijn kind, die behoefte had aan sympathie en bescherming, of ze die nou verdiend had of niet. Als bruidsschat had ze een sterke neef meegebracht, deze Jakobek, een man die bereid was te zeggen wat hij dacht en een wapen te trekken tegenover indringers, ongeacht de consequenties. Als hij inderdaad met de duivel danste, had hij in elk geval voor elkaar gekregen dat de duivel zich door hem liet leiden.

'Het spijt me zo,' zei Eddie weer.

Davis sloeg vermoeid een arm om haar heen. 'Het is goed, schatje.'

'Nee, dat is het niet. Ik sta mijn hele leven al in de schijnwerpers, maar ik wil jouw familie niet blootstellen aan...'

'Tijd om aan het werk te gaan,' zei ik. 'Eddie, Davis... jullie staan allebei op mijn loonlijst. Er moeten appels verkocht worden. Er is nu geen tijd voor weekhartigheid. We hebben jullie nodig.'

Davis schonk me een blik die de boosheid tussen ons beiden bijna deed smelten. Eddie legde een hand op haar hart en glimlachte. De familie knikte. Een van de tantes Thackery – een grote, mollige vrouw met handen die sneller een berg appels konden schillen dan een machine – zette een Sweet Hush-pet op Eddies zachte bruine krullen. 'Ik eis haar op voor de keuken. We komen een man tekort in de productielijn van de beignets. Er moeten nog ruim vierhonderd eenheden worden ingepakt voordat de man van UPS ze morgenvroeg komt ophalen.' Iedereen keek met ingehouden adem naar Eddie. De dochter van de president. Beignets maken.

'Ik zal met plezier in de keuken werken,' zei Eddie oprecht. 'Toen ik opgroeide, leerden mijn moeder en ik de culinaire kunsten van enkelen van de beste chef-koks van de wereld. We brachten elke zomer een hele week door in de French Laundry in California, waar we als assistenten van de eigenaar werkten. Mijn vader ging overdag golfen in een van de plaatselijke clubs en 's avonds aten we samen de heerlijkste gerechten. Koken was onze speciale gezinshobby...' Haar stem stierf weg en tranen blonken in haar ogen bij de herinnering aan gelukkiger tijden met haar van haar vervreemde ouders. Ze veegde snel haar gezicht droog en keek Davis aan met ontroerende zelfdiscipline. 'Wat is een beignet?'

Terwijl hij haar de nuances van in deeg gebakken appelschijfjes uitlegde, draaide ik me om en keek ik Jakobek na. De herfstige schoonheid van de bergen omlijstte hem toen hij over de grindweg naar de parkeerplaats liep. Hij tikte zachtjes met zijn hand tegen zijn rechterbeen. Vier van de honden, twee katten en een zwartwitte babygeit die uit onze kinderboerderij was ontsnapt, volgden hem met de toewijding van simpele wezens die zowel zijn vriendelijkheid als zijn kracht voelden.

Ik merkte dat ik in koortsachtige verbazing mijn hals en lippen aanraakte. Eigenlijk volgde ik hem ook, maar ik had de moed niet om het toe te geven.

Het leven in de Hollow zou nooit meer hetzelfde zijn, en die dag had dat bewezen.

Lucille installeerde haar agenten in hotelkamers en herbergen verspreid over het district, maar huurde zelf een appartement in Logans praktische, cederhouten bungalow aan een kronkelende laan net buiten Dalyrimple. Hoe mijn broer en Lucille tot die overeenkomst waren gekomen, vroeg ik niet. Puppy hechtte zich aan de grote blonde vrouw en gaf haar de bijnaam Lucy Bee. De vrouw met de nieuwe bijnaam was op frisse namiddagen vaak te zien op de veranda van Logans huis terwijl ze, in een sprei met ingeweven appels gewikkeld, Puppy zat voor te lezen uit Logans tijdschriften over de jacht. Het onderwerp was waarschijnlijk 'Bambi, gestoofd, gebraden of gegrild?' maar Puppy was niettemin verrukt over Lucy Bee.

Deel II

13

De filmbeelden van Hush en mij schouder aan schouder in een potentiële aanval op een nieuwshelikopter, was op elke nationale televisiezender te zien. Kenney vertelde zijn radiopubliek dat ik getest zou moeten worden op hondsdolheid – en dat het ernaar uitzag dat ik Eddies nieuwe schoonmoeder ook al had besmet.

'Ik wil dat je weet hoezeer het me spijt,' zei ik.

'Ik kan het wel aan,' zei Hush, maar ze keek niet blij. Ze stond op dat moment midden in een opslagschuur zo groot als een pakhuis, omringd door grote kratten vol met haar appels, de ene vierkante, sterke hand op de bediening van een mechanische palletverplaatser, en de andere rond een walkietalkie. Uit grote koelunits aan het plafond kwam koude lucht. De frisse geur van duizenden appels omringde ons. Haar omgang met en controle over die hele appelwereld intrigeerde me. 'Twee komma vijf pond per eenheid à vijfendertig per kist,' sprak ze in de walkietalkie. Klik. Antwoord op een andere vraag: 'Ik zal ons contract met de mensen van de afdeling telefonische verkoop van de U-Market op dat punt nog even controleren.' Klik. En tegen weer iemand anders: 'Zet de karameldip-unit op zesentachtig tot we de propaanleiding onder die ketel hebben gecontroleerd.'

Elke vijf seconden had een van haar werknemers een vraag voor haar. Ze praatte in de walkietalkie, verplaatste pallets en keek me aan alsof haar gastvrijheid was uitgeput. 'Ik kan het wel aan,' herhaalde ze. 'Je hebt mijn arm niet omgedraaid.'

'Misschien denken de mensen dat wel. Hoe is het trouwens met je arm?'

'Prima.' Hush zei verder niets, ze keek me alleen aan met haar gekwelde groene ogen, waaronder de dunne maansikkel van haar litteken bleek afstak tegen haar rozige wangen. Er liep een rilling over mijn rug. De arm. Ik zou dat onderwerp in mijn achterhoofd houden. Het zat me dwars. 'Dus ik ben nu persona grata, althans bij jou?'

'Ik neem het oordeel van de wespen serieus. En Puppy vindt je aardig; die laat zich niet gemakkelijk inpalmen.' Ik zweeg even. 'En dan is er natuurlijk nog de babygeit.'

Die mij de schuur in gevolgd was.

Een mooie afleidingsmanoeuvre. Ik keek op het kleine zwart-witte geitje neer. Het knabbelde aan mijn broekspijp. 'Dierlijk magnetisme,' zei ik. Er gebeurden dingen in mijn binnenste die ik niet wilde. 'Dat is een gave.'

'Ja, dat is zo,' zei Hush heel serieus. Ik keek haar ernstig aan. Ze fronste haar voorhoofd en wendde haar blik af. De stem van Davis klonk over de walkietalkie. 'Moeder, ik heb tante Smooch gevraagd telefoontjes van de media af te handelen. Er komt er gemiddeld een per minuut binnen, uit de hele wereld. Oom Logan heeft twee satellietbusjes weggestuurd, maar dat zal krantenverslaggevers er niet van weerhouden om vermomd als klanten binnen te glippen. Ze zwerven waarschijnlijk al door de schuren rond. Ik heb tegen iedereen gezegd dat ze "geen commentaar" moeten antwoorden als een vreemde vragen begint te stellen over Eddie. Dat geldt ook voor jou, moeder. Afgesproken?'

'Geen commentaar.'

'Goed, je hebt hier een hekel aan. Het spijt me. De chaos zal groter worden dan we verwacht hadden, maar de stunt van Jakobek heeft niet bepaald geholpen. Het sociopathische familielid van de president had beter niet kunnen dreigen een cameraman neer te schieten.'

Hush keek me uitdagend aan, wetend dat ik elk woord dat zij en Davis zeiden kon verstaan. 'Ik geloof dat Jakobek wel weet dat het geen goede pr-stunt was,' zei ze tegen haar zoon, 'maar het was wel effectief. Jakobek is de minste van mijn zorgen. En hij zou ook de minste van de jouwe moeten zijn.'

'Ik zal hem vragen weg te gaan als je dat wilt. Ik geloof dat pap dat ook zou doen.'

'Als ik wil dat Jakobek weggaat, vraag ik hem dat zelf wel, maar toch bedankt.'

Ze zette de walkietalkie uit. Slierten roodbruin haar bungelden uit de speld die ze in haar nek droeg. Ik kon mijn ogen niet afhouden van de golvingen van haar borsten, heupen en lange benen. 'Je weet tenminste hoe hij over je denkt.'

'Was je man er trots op dat je hem niet nodig had?'

Haar rug verstarde. Na een langdurige stilte zei ze: 'Daar weet je het antwoord al op. Maar Davis weet dat niet, en ik ben van plan het zo te houden.'

'Komt voor elkaar,' zei ik, en ik liet haar daar achter, tussen haar zwijgende appels.

Wat werd ik verondersteld te denken toen ik op een middag wegreed van de voorste schuren, met stapels dossiers en diskettes voor een avondje in mijn blokhut-kantoor, en Jakobek plotseling voor me stond met een lange, sjofele vreemdeling met een grijze baard, gekleed in een verbleekte overall, een slobberige legerjas en een pet met het logo van de Chicago Bears erop?

'Dit is een vriend van me,' zei Jakobek. 'Ik heb hem vandaag buiten de stad opgepikt. Hij kan wel een maaltijd gebruiken. Vind je het goed als ik hem mee naar binnen neem?'

Jakobek had voorzover ik wist helemaal geen vrienden. En hij had evenmin eerder belangstelling getoond om vreemden mee te tronen naar mijn huis of mijn gezin. En vooral geen ongure oude zwerver, en al helemaal niet in de buurt van Eddie. Ik was dus sprakeloos. Lucille stond op mijn veranda en ik keek haar aan.

'Eddie is hier niet,' zei ze. 'Dus heb ik er geen problemen mee om deze meneer enige, beperkte toegang tot uw huis te geven.'

Nou brak mijn klomp helemaal. Dat was ook niet bepaald het gedrag dat ik van Lucille gewend was. Toch had ik geen reden om wilde scenario's uit te denken of andere dingen te vermoeden. Bovendien was ik opgevoed door een vader en een moeder die uit de bijbel citeerden over het onbewust ontvangen van engelen en die leefden naar het motto 'doe voor de minsten op aarde wat ge ook voor mij zou doen'.

Dus stapte ik op de bezoeker af en stak hem mijn hand toe. 'Neem me niet kwalijk dat ik aarzelde. Onze situatie is op het moment wat ongebruikelijk, maar ik heb nog nooit een gast geweigerd, dus wees welkom in mijn huis. Mijn naam is Hush McGillen Thackery.'

'Dank u, mevrouw, voor uw vriendelijkheid.' Hij schudde me plechtig de hand. *Schone hand voor een landloper*, dacht ik.

Op dat moment kwamen Eddie en Davis aanrijden in een van

onze eigen trucks. Ze hadden de hele dag in de keukens gewerkt. Ze waren met bloem bestoven en roken naar appels en kaneel. Beiden droegen oude spijkerbroeken en zachte T-shirts onder dikke sweaters. Eddies buik begon al iets op te bollen onder haar kleren en haar gezicht straalde. Davis glimlachte en trok een blauwe halsdoek uit haar zachte bruine haren. Bloem stoof de koele lucht in. Ze lachte.

De oude vreemdeling – die nog niet het fatsoen had gehad me zijn naam te noemen, zoals ik hem net wilde vertellen – stond plotseling zo stil als een standbeeld en keek naar hen terwijl ze hand in hand over het pad tussen mijn azalea's dichterbij kwamen. Ze zag eruit als een met suiker bestoven engel.

Ik wist niet wat ik moest denken van de belangstelling van de oude landloper voor mijn zoon en schoondochter, maar die was te intens naar mijn zin.

'Jakob?' zei ik op hoge, waarschuwende toon tegen Jakobek, maar hij keek zonder enige bezorgdheid naar de oude man en Eddie, net als Lucille, trouwens.

Eddie glimlachte beleefd naar de bezoeker, maar toen bevroor haar glimlach op haar gezicht. Ze sloeg haar hand voor haar mond en slaakte een zacht, blij, huilerig kreetje. Davis draaide zich bezorgd naar haar om. 'Wat is er aan de hand, schatje?'

'Niets. Helemaal niets. Ik had moeten weten dat Nicky een manier zou vinden om...' Huilend, lachend haastte ze zich naar de slungelige, bebaarde oude man in overall en sloeg haar armen om hem heen. Hij maakte een zacht geluid en nam haar in zijn armen en even wiegden ze elkaar.

Ze plukte aan zijn nepbaard. 'Pap,' huilde ze. 'Je ziet eruit als de gitaristen van ZZ Top.'

Ik viel bijna achterover in de azalea's. Jakobek pakte me bij een arm en hield me overeind. Zijn mond krulde om in een rustige, tevreden, wolfachtige glimlach.

De president stond veilig en in het geheim op mijn erf.

Er werden tranen vergoten en tedere, persoonlijke gesprekken gevoerd en Al zei stijfjes tegen Davis dat hij een ernstig gebrek aan goodwill en respect moest overwinnen.

'Dat weet ik, meneer,' antwoordde mijn zoon rustig, 'maar de weg naar het hoogste goed voor een familie, een gemeenschap of een natie is niet noodzakelijkerwijs de gemakkelijkste, en evenmin is het zeker dat die weg gemakkelijk bijval zal oogsten.'

'Citeer je me nu uit een van mijn eigen toespraken?'
'Ja, meneer.'
'Welke was dat?'
'Uw toespraak voor de National League of Families. Twee jaar geleden.'
'Hoeveel van mijn beleidstoespraken heb je gelezen?'
'Allemaal, meneer.'
'Waarom?'
'U bent Eddies vader. Ik wilde uw visie op de wereld begrijpen.'
'En?'
'Ik wil graag gebruikmaken van het recht om te zwijgen tot u besluit dat u me hoe dan ook aardig vindt, meneer.'
Al lachte.
Het was een goed gesprek. Ik was trots op Davis, maar wat de rest van het gesprek betrof, en de toekomst van onze kinderen…
'Ik denk dat ik maar terugga naar Tel Aviv om aan de wereldvrede te werken,' zei Al vermoeid. 'Dat is eenvoudiger.'
Al kon maar een uur blijven voor Jakobek hem weer terugbracht naar een helikopter op een plek die Jakobek niet noemde. 'De media worden nerveus nadat ze een paar uur in de persruimte op Camp Davis opgesloten hebben gezeten,' legde Al uit. 'Ik word verondersteld de middag door te brengen met de Chinese minister van Handel. Vanavond houden we een gezamenlijke persconferentie waarin we de details van een nieuw handelsverdrag uiteenzetten.'
'Dus… wat doet de Chinese minister van Handel op dit moment?' vroeg ik.
'Hij golft met Edwina en de vice-president.'
'Mijn God.'
'Ja. Edwina is erg fanatiek als er om geld gespeeld wordt, en de vice-president speelt een lelijke effectbal. Ik maak me een beetje zorgen.'
Al en ik brachten een paar minuten bij mijn goudvissenvijver door, waar we in oude stoelen zaten te roken. Ik mijn lange pijp – hij kon het maar net zo goed meteen zien, vond ik – en hij een sigaar die hij van Jakobek had afgetroggeld. We rookten de vredespijp. Rookslierten van onze verschillende families kringelden boven het water in elkaar.
'Dank je dat je voor mijn dochter zorgt,' zei hij. 'Ik wilde dat ik de problemen tussen haar en haar moeder kon uitleggen. Ik kan je alleen maar verzekeren dat mijn vrouw niet altijd zo moeilijk doet als het gaat om wat het beste is voor Eddie.'

'De verhouding tussen moeder en dochter is behoorlijk scheefgetrokken, en is niet gemakkelijk of snel te herstellen.'

'Ik was er niet bij op de dag dat die man Eddie en Edwina wilde doden. Als Nicholas er niet was geweest... Edwina is nooit meer over de angst heen gekomen die ze die dag voelde, en wat ze Nicholas zag doen, en wat het haar duidelijk maakte over de realiteit van de wereld waarin wij een dochter het leven hadden geschonken. Ze heeft Eddie sindsdien obsessief beschermd, en ik ook. Ik denk alleen dat ik het wat diplomatieker aanpak.'

'Dochters kunnen van hun vader meer verdragen dan van hun moeder. Net zoals zoons hun moeder sneller vergeven dan hun vader.'

'Je kunt trots op je zoon zijn. Ik moet het hem wel moeilijk maken. Dat is mijn plicht als Eddies vader.'

'Daar ben ik het helemaal mee eens. Pak hem maar flink aan.'

'Alles wat Eddie me over hem vertelt lijkt oprecht. Mijn dochter deelt echt haar gedachten met me en we staan elkaar echt heel na. Ook al lijkt dat in de huidige omstandigheden misschien niet zo.'

'Ik begrijp het. En voor de goede orde, ik stuur ze zo snel mogelijk terug naar Harvard. Hoe dan ook, dat zweer ik je.'

'Aan dat plan zullen we werken, ja. Zeg het niet tegen mijn vrouw, maar Eddie vertelde me dat ze van plan is uiteindelijk hier ergens naar college te gaan en over te stappen van strafrecht naar burgerlijk recht. Ik hoef je niet te vertellen dat het regelen van vette contracten voor grote oliemaatschappijen niet de idealistische gerechtelijke carrière is die mijn vrouw voor haar in gedachten had.'

'Ik ben bang dat ik weet waar dat idee van Eddie vandaan komt. Het gaat niet om het werk voor grote maatschappijen, Al. Ze wil voor mij werken, of liever gezegd met Davis samenwerken. Ze zijn van plan een "divers conglomeraat" op te bouwen, zoals ze het noemen, met Sweet Hush Farms als kernonderneming. Eddie is dus van plan alle gerechtelijke werkzaamheden voor ons familie-imperium op zich te nemen. Ik voelde me net de Godfather toen ze dat zei. Slecht, maar trots.'

'Ik begrijp het. Wil je dat je appelonderneming wordt omgezet in een conglomeraat?'

'Niet speciaal. Appels hoeven de wereld niet te veroveren, Al. Ze zíjn de wereld. Mijn wereld, in elk geval.'

'Eddie vertelde me dat je een modelburger bent. En dat je echtgenoot geliefd was bij iedereen die hem kende – bovenal bij zijn zoon. Ik weet dat je trots bent.'

Ik veranderde van onderwerp. 'Vertel me over Jakobek, alsjeblieft.' Ik zweeg even. 'Wie is hij?'

Al wist precies wat ik bedoelde. 'Een vechter, een eenling, een liefhebber – en daarmee bedoel ik een man die diep liefheeft – en een held.'

'Waar heeft hij gezeten, al die jaren nadat hij uit Chicago was weggegaan? Wat deed hij precies voor het leger?'

'Hij ging overal heen waar niemand anders heen wilde. Plaatsen die niet op de landkaarten staan. Hij vocht voor mensen voor wie we niet geacht worden te vechten. Bondgenootschappen waar onze regering niet over kan praten. Mensen die hulp nodig hebben onder de radar van de politiek. Ik dacht altijd dat hij een simplistische kijk had op goed en kwaad, maar ik heb sindsdien moeilijke beslissingen moeten nemen, mensen de strijd in moeten sturen, mensen heen moeten zenden om andere mensen te doden. Alle subtiliteit wordt ter zijde geschoven als leven en dood de consequenties zijn.'

'Maar waarom ging hij bij zijn familie weg om dat soort werk te doen? Waarom ging hij zo ver weg van mensen van wie hij duidelijk heel veel houdt?'

'Ik weet het niet zeker. Nadat hij de man had gedood die mijn vrouw en dochter had aangevallen, was hij niet meer dezelfde. Dat waren we geen van allen. Ik denk dat hij zich toen nog meer een verstotene voelde. Niets wat Edwina en ik deden of zeiden had effect. Nicholas praat niet vaak over zijn gevoelens of beweegredenen. Hij doet gewoon wat er volgens hem gedaan moet worden. Hij biecht zijn zonden niet op en hij vraagt niet om vergeving. Of om complimentjes. Of begrip. Als hij ons nodig heeft weten we dat niet. Maar als wij hém nodig hebben, dan is hij er.'

'Hij heeft jullie nodig, geloof me. Hij heeft een goed hart. En hij is wel degelijk een man voor een gezin.'

'Ik heb al veel over Nicholas horen zeggen, maar jij bent de eerste die dat van hem zegt.'

'Ik heb het uit gezaghebbende bron.'

'O?'

'Van de wespen.'

'Ik ga je niet eens vragen me dat uit te leggen, Hush, maar ik geloof dat je gelijk hebt. Maar nu moet je hém daar nog van zien te overtuigen. Mijn grootste angst is dat hij nooit een plek zal vinden waar hij zich thuis kan voelen, of iemand die hem tot rust kan brengen. Dat hij alleen zal sterven.'

Er voer een rilling door me heen. 'Nee. Dat mag hem niet overkomen.'

'Hoewel ik goede hoop heb. Ik heb hem nog nooit zo gezien als nu.'

'Hoe?'

'Gelukkig.'

'Is hij gelukkig? Hoe kom je daarbij? Waar zie je dat aan?'

Al keek me alleen maar aan en zei niets.

Presidenten zijn erg gesloten in die dingen.

September ging over in oktober. Mijn familieleden hadden een verzameling aangelegd van koppen uit grote kranten en roddelbladen. Zware kost voor mensen die niet meer publiciteit hadden genoten dan een vermelding in de voorname reispagina's van *Southern Living* of de handelskolommen van *Apple Grower's Digest*.

BEDREIGDE CAMERAMAN BEZOEKT TRAUMAPSYCHOLOOG – OVERWEEGT CONTROVERSIËLE NEEF VAN DE PRESIDENT EN EDDIES SCHOONMOEDER TE LATEN VERVOLGEN

EDDIE JACOBS VERBAAST LAND DOOR GEHEIM HUWELIJK

KEURIGE PRESIDENTSDOCHTER ZWANGER, ONDERGEDOKEN IN SCHAAMTE

ZOON VAN APPELBOER VEROVERT MISS AMERICAN APPLE PIE

EDDIES PERFECTE LEVENTJE DEKMANTEL VOOR FAMILIEVETES

'FAMILIEWAARDEN VAN JACOBS TONEN FALEND LEIDERSCHAP,' ZEGGEN OPPONENTEN

PRESIDENT VAST IN MIDDEN-OOSTEN TERWIJL GEZIN THUIS INSTORT

EDDIES NIEUWE ECHTGENOOT INTELLIGENTE, GESPIERDE BOER MET RACELEGENDE ALS VADER

Ik deed mijn uiterste best de verhalen niet te lezen en niet naar het commentaar op de televisie te luisteren of, God vergeve me, Haywood Kenneys verdomde praatprogramma op de radio te horen. Maar ik kon er niets aan doen. *Hotpants-Eddie en haar Harvard-boerenpummel*, noemde hij Eddie en Davis. Hij uitte dagelijks schimpscheuten over hen, altijd met gemene terloopse opmerkingen over de regering en de persoonlijke waarden van Al Jacobs.

Jakobek kwam op een middag mijn kantoor binnen en betrapte me erop dat ik mijn draagbare radio tegen de muur smeet. Ik denk dat het feit dat ik werd verrast tijdens een aanval van hulpeloze woede me net zo van streek maakte als Kenneys aanval op mijn zoon. Jakobek zei echter kalm: 'Radio's stuiteren terug. Dat weet ik uit ervaring.' Hij raapte de radio op, zette hem terug op mijn bureau en zette rustige jazzmuziek op.

Ik wankelde, mijn handen tot vuisten gebald, tranen van woede in mijn ogen. 'Ik kan hem wel vermoorden.'

Jakobek pakte me bij mijn schouders. 'Kenney is te waardeloos om te vermoorden. Dat heb ik lang geleden al besloten. Hij is de moeite niet waard.'

'Ik heb iets nodig om me hiervan af te leiden. Ik heb zin om het uit te schreeuwen.'

'Ik weet wel iets.'

Hij kuste me.

Snel en dringend, en heel, heel gevaarlijk. Ik had weinig provocatie nodig, dus binnen vijf seconden kuste ik hem terug en trok ik hem aan de voorkant van zijn shirt dichter naar me toe.

We stopten midden in de wanhopige behoefte om verder te gaan. Zelfdiscipline is dodelijk. Mijn huid voelde branderig en rijp aan; de details van zijn lichaam waren in het mijne geschroeid. Zijn gezicht was verhit en hij had al één arm stevig om mijn schouders geslagen. We keken elkaar meedogenloos aan. 'We kunnen dit niet doen,' fluisterde ik.

Hij schudde zijn hoofd. 'Maar ik heb er geen spijt van.'

Dat had ik ook niet.

Wat Jakobek in zijn verleden als geoefend soldaat ook had gedaan, hij was nu hoofdzakelijk gewapend met een fluit, een camera en mijn onverdeelde aandacht.

Hij speelde heel zachte, zoete melodieën wanneer de zon opkwam, en kwam dan op zijn grote stille voeten naar beneden, alsof hij me in mijn eigen keuken besloop. Hij werkte zonder klagen van de vroege ochtend tot de late avond zij aan zij met mijn mensen. Hij maakte appelmoes in de bakkerij, laadde vrachtwagens vol, en hees herfstpompoenen achter in terreinwagens voor blozende moeders en bleke vaders die naar hem staarden zoals een kleine hond misschien zou doen als een pitbull in de buurt van zijn teefje kwam. Bovenal schaduwde hij Eddie en Davis, met een pistool onder zijn shirt verborgen. De regeringsagenten respecteerden hem met het subtiele gemak van gezag. Zelfs Lucille, een vurig leider, liet hem zijn gang gaan.

'Hij is overal op aarde geweest,' vertelde ze me. 'Ze zeggen dat

we in dit land veilig zijn dankzij de dingen die hij heeft gedaan.'
'Ik voel me veilig,' antwoordde ik.
Behalve wanneer ik aan hem dacht, boven op me in bed.
Ik had vaak genoeg aanbiedingen van mannen gehad sinds Davy was overleden, maar geen van allen waren ze de moeite waard geweest. Ik hield van mannen, het idee van mannen, en ik wilde wel een man, een echt goede man. Die waren echter moeilijk te vinden, en voor de rest waren het net puppy's met mooie ogen en grote poten; ik wist gewoon dat ze weldra hun charme zouden ontgroeien en mijn meubels omver zouden lopen en naar de maan zouden blaffen. Ik vond het niet prettig om te kiezen; ik kon nooit een zwerfhond wegjagen of buiten zetten als ik hem eenmaal binnen had gehaald. Dat wist ik van mezelf, dus vermeed ik dat ik de keuze moest maken. Anders zou de Hollow vol zitten met mannen die de hele dag voor mijn voeten liepen en een beurt nodig hadden.
'Moet nodig snoeien,' hoorde ik mezelf zeggen toen ik in de keuken aan het aanrecht stond.
'Wat snoeien?' vroeg Smooch vanaf de tafel. Ze keek me argwanend aan. 'Alles goed met je?'
Ik draaide me om en ze trok haar wenkbrauwen op. 'Ik ben gewoon in mijn persoonlijke boomgaard bezig,' zei ik.
Ik liep die nacht door mijn donkere huis als een slaapwandelaar en ging uiteindelijk door de gang naar een kamer met zachte leren banken en kleine bijzettafels met glazen appels als poten en een grote stenen haardmantel versierd met Davis' academische gedenkplaten en sporttrofeeën onder een portret dat hij door een kunstschilder had laten maken. Het was gemaakt naar een foto van zijn vader en mij tijdens een dansavond in een countryclub die was gesponsord door een fruitgroothandelaar in Atlanta. Op het schilderij keek zijn vader op de wereld neer als een knappe en succesvolle huisvader in smoking. Ik zag er betoverend en gelukkig uit in een groene zijden baljurk. Wat een leugen.
In een hoekje, half verborgen achter een grote lelie in een oude terracotta pot op een primitieve vurenhouten wastafel die mama's enige erfstuk was geweest, hing een oude zwartwitfoto van haar en papa op hun trouwdag. Ze zagen er straatarm en uitgeput uit. Mama was veertien en zwanger van mij. Naast die foto hing een ingelijst kiekje van mij, zwanger, samen met Davy senior en de opgeknapte, opgevoerde Impala. Een magere tiener met kastanjebruin haar en de ogen van een bandietenliefje, naast de bandiet. Ik had beide foto's in mijn woonkamer in de buurt van het grote por-

tret gehangen, zodat ik nooit de waarheid zou vergeten.

Ik deed een lamp aan en bleef verrast staan. Davis en Eddie lagen op de bank te slapen, haar hoofd op zijn schouder, zich niet bewust van de lessen van twee generaties jonge huwelijken en zware tijden. Alleen maar... gelukkig.

'Hier,' fluisterde Jakobek. Hij was me gevolgd. Hij had een gehaakte sprei in zijn handen en deed zijn best er niet belachelijk uit te zien met bloeiende appelbomen van garen in zijn eeltige handen. Ik knikte, en samen stopten we voorzichtig de volwassen kinderen onder die voor ons lagen en glipten toen het huis uit.

Verlangen is warm en pulserend, een levende, onzichtbare kracht met hechtranken zo sterk als die van de klimop die de ene kant van het huis had overgenomen. Het had zich al aan mijn huid vastgehecht, en aan die van Jakobek. We zouden daar iets aan moeten doen, maar ik wist niet hoe. Ik was naar Davy gaan verlangen in de loop van jaren van kinderlijke vriendschap. Tegen de tijd dat we seks hadden, droegen we meer bagage mee dan de meeste tieners en een jaar later waren we de ouders van een jonge zoon. Sinds Davy's dood had ik nooit een man ontmoet die ik moeilijk kon vergeten. Tot nu.

Jakobek en ik dronken appelwijn bij een kampvuur naast de goudvissenvijver, bewust ieder aan een kant van het vuur, maar we keken samen naar de sterren.

Ik droomde die nacht over een soldaat die ik heb gedood in een plaats waarvan ik de naam niet zal noemen. Het volstaat te zeggen dat mijn mannen en ik een kleine groep uitschakelden in een bloederig man-tegen-mangevecht. Het was een van de laatste missies waaraan ik deelnam voordat Al zijn verkiezingscampagne aankondigde en ik uit het leger stapte. Na het gevecht strompelden we tussen de lijken door, verzamelden we alle identiteitsbewijzen die we konden vinden. Ik struikelde over een dode jongen – hij kan niet ouder zijn geweest dan veertien – en toen ik in de zak van zijn camouflagejack van Russische makelij voelde, vond ik een gehavend kiekje van een knap meisje met de kap van haar mantel opzij getrokken, en haar glimlach omlijst door lang zwart haar. Op de achterkant stonden haar naam en een woord dat *mijn verloofde* betekende.

Ze zal zich altijd blijven afvragen hoe hij is gestorven, dacht ik. Ik stond daar met die foto in mijn bebloede vingers en had het gevoel dat het leven uit mijn hart ook de grond in zou sijpelen en dat ook niemand dat zou weten. Een vijand bestond uit troepen die te sterk waren om in leven te laten – mannen die handelden in de dood, die onschuldige mensen kwaad deden. Die jongen was slechts hun slaaf geweest, niet van hun soort. Ik dacht nog weken aan hem en zijn meisje. Zo verliefd te zijn dat je haar foto bij je droeg tijdens een gevecht. En wanneer je stierf. Ik spoorde haar op in het huis van haar familie en stuurde haar de foto via een lokale contactpersoon die ik kon vertrouwen. Ik deed er een anonieme boodschap bij: *Hij was dapper. Hij was een soldaat. Hij dacht aan jou.*

Toen ik ontwaakte uit die droom, zocht ik in mijn plunjezak naar de dubbelgevouwen foto van Hush in haar boomgaard. Ik pakte een dikke leren portefeuille die ik altijd en eeuwig bij me had en stopte haar foto tussen de kaartjes en legitimatiebewijzen die elk land op aarde vertelden wie ik was.

Hij was dapper. Hij was een soldaat. Hij dacht aan jou.

Op zondagavonden, als het zware werk van het weekend achter de rug was, maakten we vaak een kampvuur op een open plek in de boomgaard en gingen daaromheen zitten, pakweg tien tot vijftien mensen – werknemers, familieleden en ik, allemaal moe en stoffig en geurend naar appels – terwijl er een grote ketel hutspot of chili boven het vuur hing te pruttelen. We aten en dronken koffie en bespraken de opbrengst en de problemen van het weekend. Zoals voetbalspelers na de wedstrijd hun spel doorspreken. Soms speelde er iemand gitaar. Soms zongen we... meestal oude muziek uit de heuvels, scherp en bijna Keltisch van ritme, vertroostend in zijn elementaire filosofie.

De eerste keren dat Eddie bij het kampvuur kwam zitten, voelde iedereen zich opgelaten. Tot ze op een zondag plotseling opstond en een valse vertolking van *Staying Alive* gaf en Davis begon te dansen als John Travolta. Iedereen viel om van het lachen. Zelfs Jakobek glimlachte.

'Ze is een beste meid,' fluisterde een van mijn nichten.

Ik knikte.

Een voor een ging iedereen weg, tot alleen Jakobek en ik nog bij het vuur zaten. Ik keek met onbeholpen waardering naar het licht en de schaduw van het vuur die over zijn gezicht en lichaam dansten. Hij stond op en keek op me neer, beoordeelde toen de privacy van de nacht die ons omringde. 'Ik heb iets voor je. Ik ben zo terug.'

Ik boog gespannen voorover op een oude houten bank en sloeg

mijn armen om mijn romp in mijn wollen jas. Hij verdween in het donker. Hij bleef een hele tijd weg en toen hij terugkwam had hij een uitpuilende zachte leren aktetas bij zich. Hij ging op de grond bij mijn voeten zitten, opende de aktetas en haalde er een dik dossier uit.

'Dit zijn Als medische en financiële gegevens. Niemand buiten de familie krijgt deze te zien. Niemand. Ben je benieuwd naar zijn prostaatklachten? Zijn slechte investeringen? Je leest het hier.' Hij legde het dossier op mijn schoot en pakte toen een ander. 'Edwina. Antidepressiva, woedebeheersingstherapie, plastische chirurgie.' Terwijl ik daar sprakeloos zat haalde hij een derde, kleinere map uit de aktetas. 'Ik,' zei hij, en hij legde het dossier op de andere op mijn knieën. 'Documenten over elke opdracht die ik ooit heb uitgevoerd, inclusief die op de plaatsen waar we volgens de regering nooit komen. Geef dat dossier aan de juiste journalist en de internationale betrekkingen zullen nooit meer hetzelfde zijn.'

'Waarom doe je dit?' wist ik uiteindelijk uit te brengen.

'Omdat het niet meer dan eerlijk is. Je voelt je onteerd door Edwina's tactieken. Je hebt gelijk. Zie dit als vergelding.'

'Jakob, ik...'

'Lees de dossiers. Wat je er verder mee doet moet je zelf weten.'

Bevend nam ik de dossiers in mijn armen, stond op en liep naar het vuur. Ik verbrandde ze een voor een. Jakob kwam naast me staan. Ik voelde zijn blik op me gericht en zag zijn dossier in rook opgaan. 'Ik weet alles wat ik over je moet weten van de wespen,' zei ik.

Het kostte me na het incident met de dossiers een paar dagen om mijn evenwicht te hervinden. Ik twijfelde er trouwens toch al aan of ik ooit weer met beide voeten stevig op gewone grond zou komen te staan, met al die tv-busjes aan het eind van de oprit naar de boerderij en al die mensen die nog steeds de vreemdste bokkensprongen maakten van opwinding over Eddie. En dan was er nog het grote probleem dat ik het onderwerp van nauwkeurig onderzoek was, om nog maar te zwijgen van mijn beroerde relatie met Edwina. En natuurlijk wat er tussen mij en Jakobek gaande was.

Smooch mocht hem nog steeds niet en de rest van de familie bleef op haar hoede. Davis zei weinig, maar was duidelijk niet blij met Jakobek en zag hem als een bedreiging voor zijn vaders plaats in mijn leven. Zoons kunnen niet goed omgaan met een ander leven van hun moeder als vrouw, hoe hard ze ook roepen dat ze er geen problemen mee hebben, en hoe goed de man ook is die hun moeder heeft gekozen als vervanger van hun vader.

Jakobek was een goede man – vriendelijk, sterk, grappig en pienter. Hij las diepzinnige boeken, werkte hard en paste zich goed aan aan de arbeidersmentaliteit van de mannen in mijn familie, maar had toch een zekere elegantie, die erop wees dat hij ook op zijn gemak was met verfijnde zaken en ideeën. Hij was oud genoeg om het heiligdom van mij en de boerderij te waarderen, jong genoeg om me er weg te halen als hij dat wilde. Hij had het lichaam van een man in de bloei van zijn leven, goed gevuld, hard maar met kussentjes, een verweerd gezicht, zijn huid niet overal even zacht en glad, zijn haar nog altijd dik en stug. Ik wilde geen glad, glimmend stuk fruit; ik had mijn appels liever ongepoetst, dat vergrootte de gewaarwording voor je lippen. Toen ik hem had gekust, had hij vol en rijk en vaardig gesmaakt.

Niet dat ik mezelf kon toestaan nog een hap van die verboden vrucht te nemen.

Ik zwoer het. Ik zwoer het. Echt waar.

'Heb je Jakobek gezien?' riep ik mensen toe uit het raampje van een wit met rode Sweet Hush-pick-up. Ze schudden het hoofd. Iedereen in de stad kende hem, net zoals ze Eddie kenden. Ik zette de auto op een parkeerplaats voor de ijzerhandel en tuinwinkel in Dalyrimple en riep uit het raampje naar andere voorbijgangers die uit kleine winkels aan het plein kwamen. 'Hebben jullie de kolonel gezien? Hij is met Davis en Eddie hierheen gegaan om te winkelen.'

Als Eddies bodyguard, maar dat zei ik er niet bij. Eddie vond het vreselijk om door Lucille en haar team te worden gevolgd. Dus werd ze in plaats daarvan soms gevolgd door Jakobek. Hij kleedde zich tenminste niet als een golfer in komkommertijd. Ik beet op mijn onderlip en zag wolkjes van mijn eigen adem in de koude oktoberlucht verdwijnen.

Waar was hij? Ik vond het vreselijk als mensen geen mobiele telefoon bij zich droegen.

Ik zat daar in de pick-up in mezelf te mompelen ('Het ironische is, Jakob, dat je geen moment uit mijn gedachten bent, maar dat ik je niet aan de telefoon kan krijgen. Waarom ben je niet paranormaal begaafd? O ja, dat is precies wat ik nodig heb – een man die ik niet uit mijn hoofd kan zetten en die paranormaal is.') toen hij van achteren aan kwam lopen, en ik zag hem pas toen hij naast mijn open raampje opdook en rustig glimlachend naar me keek. Het was een van die momenten waarop je iemand vanuit je ooghoek opmerkt en meteen met je mond gaat trekken, alsof je niet in jezelf zat te praten, maar gewoon je kaakspieren aan het oefenen was. Ik deed alsof ik in mijn spiegeltje keek om mijn lippenstift te controleren, alleen heb ik nooit lippenstift op als ik naar de ijzerhandel ga. Ik had in die dagen nauwelijks het benul om deodorant te gebruiken. Ik wilde snel onder mijn oksels ruiken, maar er was geen beschaafde manier om voor te wenden dat ik iets anders deed.

'Ik hoorde je denken,' zei hij. 'Is er iets?'

'Er staat een truck met oplegger op mijn erf. Uit Washington. Vol huwelijksgeschenken voor Eddie en Davis. Een gigantische oplegger, Jakob.'

Hij keek boos. 'Dat is Edwina's werk. Ze probeert in het gevlei te komen bij Eddie en dat jou in te peperen.'

'Nou, dat is haar wel gelukt.'

Juist op dat moment kwamen Eddie en Davis met hun armen vol pakjes een winkel uit die Baby Boutique heette. Ze glimlachten toen ze me zagen. Ik keek Jakobek aan. 'Ik heb Eddie naar de Baby Boutique gestuurd om het een en ander uit te zoeken.' Ik zweeg even. 'Ik had haar de hele winkel moeten geven.'

Ik had gelijk dat ik me naar het tweede plan geduwd voelde. In de oplegger zat (tussen honderden andere doorgestuurde cadeaus) een zilveren soepterrine in de vorm van een olifant met robijnen als slagtanden, van de koning van Thailand. Een bekende filmster had een compleet twintigdelig couvert van het fijnste porselein gestuurd, met monogrammen. Het hoofd van de directie van een grote multinational stuurde een kleine, ingelijste schets van een paar olijfbomen. Van Picasso.

En laten we de cadeaus van Edwina en haar rijke verwanten niet vergeten. Zilveren serviezen en kristallen glazen en fijn linnen en meubelerfstukken en nog meer. En een heuse secretaresse. Zij noteerde alle geschenken en maakte honderden bedankbriefjes terwijl Smooch, Eddie en Davis tussen de stapels prachtig ingepakte dozen en kratten snuffelden. Smooch greep telkens weer naar haar borst en gilde zacht. Eddies eigen kreten van verrukking vormden een schril contrast met Davis' groeiende stilzwijgen.

Jakobek en ik stonden bij de open achterkant van de oplegger. 'Dit is niet goed,' fluisterde ik.

Hij knikte instemmend. 'Het is nooit goed als een man zich realiseert dat het hem een heel jaarsalaris zou kosten om de gouden theepot te kopen die haar tante haar zomaar geeft.'

'Kijk eens wat mijn tante Regina me stuurt,' zei Eddie opgewekt terwijl ze met de glimmende gouden theepot in haar handen naar de achterkant van de oplegger kwam lopen. 'Is het niet...' Ze keek naar Davis en haar stem stierf weg, waarna ze vervolgde: 'Is het niet vreselijk opzichtig? Ik ben dol op mijn tante Regina, maar dit ding is absurd.'

Davis keek haar aan met zwaarmoedige bravoure. 'Misschien kunnen we er een speciale boekenplank met imitatiehoutnerf voor ophangen als we ons onze eigen camper kunnen veroorloven.'

'De theepot is echt afzichtelijk,' hield Eddie aan, daarbij erg haar best doend oprecht over te komen. 'En het merendeel van die andere overdadige spullen... nou, het gaat gewoon terug, begrijp je me? Moeder kan het laten opslaan, aan liefdadigheidsinstellingen schenken, of wat dan ook. Sommige van die dingen zijn beslist politieke geschenken en moeten verantwoord worden...'

'Nee, het is allemaal van jou, schatje, en je moet je er niet door bezwaard voelen.'

'Het is van ons, Davis. Niet van mij, van ons!'

Hij schudde het hoofd. Onverzettelijke trots stak de kop op. Eddies gezicht verkleurde. Ik boog naar Jakobek toe en fluisterde: 'We moeten iets doen.'

'Sla het op,' riep hij. Iedereen keek verbaasd naar hem. 'Zet het ergens in de opslag. Stuur de bedankbriefjes en beslis later wat je ermee wilt doen.'

Eddie knikte. 'Dat is een fantastisch idee, Nicky. Heel praktisch.'

Davis haalde zijn schouders op. 'Ja. Ik heb gewoon wat tijd nodig om hierover na te denken. Om het te laten bezinken.'

'Lieverd, dat begrijp ik toch,' koerde Eddie.

Hij nam haar in zijn armen. 'Als je de theepot wilt houden, dan hou je hem gewoon. En dan zetten we hem op een échte houten plank.' Ze lachte. Davis en zij kusten elkaar.

Jakobek en ik keken elkaar met grimmige opluchting aan. 'Verdomde Edwina,' zei ik.

14

EDWINA WAS NOG NIET KLAAR. ZE HAD BONDGENOTEN.

Op een koele goudkleurige oktoberochtend kwamen Jakobek en ik uit een van de voorste schuren en zagen Smooch en Gruncle naar een aantal Japanse heren kijken die kratten uit een vrachtwagen laadden die naast mijn vijver in de achtertuin geparkeerd stond.

'Ze brengen je geschenken van de keizer van Japan,' fluisterde Smooch. 'Lucille heeft toestemming gegeven, maar ik weet niet...'

'Verdomde smerige moorddadige Jappen,' zei Gruncle, en Smooch moest hem meenemen naar binnen om te voorkomen dat vijftig jaar van Aziatisch-Amerikaanse diplomatie in rook zou opgaan vanwege de herinneringen van een oude soldaat.

De woordvoerder van het Japanse contingent boog voor Jakobek en mij. Ik kende het protocol niet, en maakte dus maar net als Jakobek een buiging. 'Ik zal mijn zoon en zijn vrouw gaan halen...'

'O nee, mevrouw.' De man sprak perfect Engels met een charmant Japans accent. 'Dit is een geschenk voor u, mevrouw Thackery... u bent de zeer bewonderde moeder van de bruidegom, een zakenvrouw die immens respect geniet. De keizer heeft alles over u gelezen. Hij en zijn vrouw zouden zeer vereerd zijn als u dit blijk van hun achting zou willen aanvaarden.' Hij opende een kleine container en ik keek naar twee gele koikarpers. Ik wist genoeg van koikarpers om kampioenskenmerken te herkennen. 'Ze zijn prachtig, maar ik kan...'

'Ze moeten vrij zwemmen in hun nieuwe thuis, mevrouw Thackery. Het is zo zonde om hen en hun vrienden nog langer in die kleine bakken te laten zitten. Niet gezond voor ze.'

'Accepteer de vissen,' fluisterde Jakobek.

'Ik ben u vreselijk dankbaar,' zei ik wat onbehaaglijk en met weer een buiging. 'Maar ze zouden hier niet veilig zijn. Ik raak elk jaar zo'n vijf vissen kwijt.'

'Kwijt?' zei de Japanse woordvoerder verbaasd.

Ik boog naar hem over, alsof ik bang was dat de vissen het zouden horen. 'Aan hongerige wasberen.'

'O!' Hij leefde helemaal op. 'Mevrouw Thackery, mijn mannen en ik kunnen een prima anti-wasberenhek rond uw vijver bouwen.' Hij zweeg even. 'Maar als ik vragen mag... wat is een wasbeer?'

Jakobek en ik stonden beneden in mijn gastenbadkamer, een kleine ruimte met tweedehands marmeren tegeltjes die ik tijdens een zoektocht in North Carolina had gevonden, een sprankelende witte commode van goed eikenhout, die glansde omdat mijn hulp hem elke week in de was zette, een witte porseleinen wasbak, oude appelstudies in appelhouten lijstjes tegen behang met appels erop en nu, op de commode, een klein keramisch beeld van een aap met een gleufhoed op en een overjas aan. Edwina had het gestuurd. 'Cadeautje van moeder aan moeder,' stond op het kaartje. 'Veel plezier ermee.'

'Ze heeft me een beeldje gestuurd van een lelijke aap gekleed als Humphrey Bogart aan het eind van *Casablanca*,' zei ik. 'Wat moet dat verdorie voorstellen?'

Jakobek veegde een vage glimlach van zijn gezicht alvorens me te antwoorden. 'Volgens mij is het een bijzonder stuk van de hand van een Afrikaanse beeldhouwer die ze erg goed vindt. Waarschijnlijk een hoop geld waard.'

Ik keek hem bedaard aan. 'Dit is het artistieke equivalent van de middelvinger. Jakob, de mensen hier kennen een ordinair, oud gezegde: "Wie geen goud kan schijten, moet zijn drollen vergulden." Dit is Edwina's manier om te zeggen dat haar wereld gevuld is met schatten, om tegen haar dochter en mijn zoon te zeggen: "Kijk eens wat jullie kunnen hebben als jullie aan de andere kant van het hek komen." Of erger nog: "Eddie, kijk eens naar de wereld die je kunt hebben als je je man verlaat."'

Jakobek keek me aan met kalm vertrouwen. 'En, wat gaat Hush McGillen Thackery doen om dat recht te zetten?'

Ik wist wanneer ik uitgedaagd werd.

'Dit gaat te ver!' schreeuwde Davis boven het geratel van een dozijn open tweetons fruitvrachtwagens. Eddie drukte haar handen tegen haar keel. Gekleed in een sweatshirt van Gucci en een overall, waarin haar zwangere buik zichtbaar begon te worden, zag ze er jong en kwetsbaar uit. 'Hush, je hoeft mijn ouders geen extravagant cadeau te sturen! Mijn moeder probeerde je gewoon te provoceren!'

Dat is haar dan gelukt, dacht ik, terwijl ik overeind kwam boven op een berg appels die in zachte bedden van houtkrullen werden geladen waarmee de vrachtwagens waren bekleed. Ik keek naar de opslagruimtes in onze grote schuur. Vlakbij leidde Jakobek een lopende band gevuld met rode appels een volgende vrachtwagen in. 'Die appels zijn niet zomaar een cadeau,' riep ik naar Eddie. 'Het zijn boodschappers. Ze zullen je moeder eraan herinneren dat je de vrucht van haar schoot bent. Maar nu vraag ik je dit: ben jij bereid met de appels mee te gaan?'

Ze keek van mij naar Jakobek en trok haar wenkbrauwen op. 'Volgens mij heb jij met Hush zitten konkelen om mij zover te krijgen dat ik bij mijn moeder op bezoek ga.'

'Ik konkel niet,' zei hij met een uitgestreken gezicht.

Ze wendde zich tot Davis. 'Wat denk jij? Moet ik naar haar toe gaan? Zal het niet lijken of ik toegeef en naar haar goedkeuring verlang?'

Davis gebaarde naar twee ton appels. 'Nee, ik denk dat het zal lijken of je haar recept voor appelgebak wilt hebben.' Ze glimlachte nerveus. Hij pakte haar hand vast. 'Laten we naar je moeder gaan. Ze heeft met al die cadeaus al blijk gegeven van haar goedkeuring.'

'O, Davis, je hebt gelijk.'

'Dan gaan we dus.'

Ze bogen zich naar elkaar toe en nestelden zich in elkaars armen.

Ik kroop van de vrachtwagen af en fronste mijn voorhoofd toen Jakobek me een halsdoek gaf om mijn ogen droog te wrijven. 'Ze leven in een zalige mist van romantische idealen,' fluisterde ik.

Hij vouwde de met tranen bevlekte halsdoek op en stopte hem netjes in de borstzak van zijn werkhemd. 'Fijn voor hen,' zei hij.

De karavaan vrachtwagens van Sweet Hush Farms was een hele dag in het nieuws terwijl hij vanuit de bergen van noordelijk Georgia onderweg was naar de hooglanden langs de kust van de beide Carolina's, Virginia en ten slotte Washington D.C. Smooch hield een paar appels achter om ze op eBay te veilen. Souvenirjagers hadden eerder al de brievenbus van de Hollow gestolen, en de reclameborden die mensen vanaf de snelweg naar ons toe leidden. Onze appels waren ook te verzamelen.

Toen de geheime dienst ons eenmaal toestemming had gegeven door te rijden, parkeerden we de karavaan op de lange oprit die naar het Witte Huis leidde. Jakobek stapte uit en leunde tegen de voorste cabine aan, zijn handen in zware werkhandschoenen gestoken, zijn gezicht opgewekt. Ik zat boven op de berg appels op die voorste vrachtwagen, blozend door de herfstwind, en deed mijn best niet te bibberen, ondanks een dikke jas en een blauwe skibroek. Edwina – en een gevolg aan personeel met open mond – kwam naar de cadeautjes kijken.

Een fotograaf van het Witte Huis maakte foto's; Edwina glimlachte naar me. 'Wel, wel, als dat niet "Johnny Anna Appleseed" is.'

Op dat moment stapten Eddie en Davis uit de cabine van de vrachtwagen achter de mijne. 'Moeder,' zei Eddie zachtjes, en daarna begon ze te huilen. Edwina vergat mij en liep met uitgestrekte armen op haar dochter af. Ik leunde achterover op mijn appelberg en keek naar Jakobek, die naar me opkeek met een uitdrukking in zijn ogen die mijn huid verwarmde. Hij stak zijn duim naar me op. Ik knikte.

Ik had Edwina overtroffen. Ik had haar met gratie en stijl en geslepenheid in verlegenheid gebracht. Omdat ik haar een mooier cadeau had gebracht dan alles wat ze mij had gestuurd.

Haar dochter.

'Ons werk hier zit erop,' zei Jakobek. 'Nog wat wijn?'

'Absoluut.'

Hij schonk een rijke merlot in mijn halflege glas, en daarna in het zijne. We toastten boven een uitstekende kotelet en een gegrilde zalm, op het afleveren van Eddie bij haar moeder. Onder de ramen van onze hotelkamer – nou ja, míjn hotelkamer – spreidde zich het schitterende panorama van nachtelijk Washington en de Potomac uit.

O, Edwina had erop aangedrongen dat we in het Witte Huis zouden overnachten, maar nee, ik zou voor geen goud onder haar dak slapen. Al was in China, dus hoefde ik er niet over in te zitten dat ik hem zou beledigen door te weigeren. Dus zei ik dat ik niet in de weg wilde lopen. Ze verdiende wat *quality time* met Eddie en mijn zoon. Ik legde nogal wat nadruk op dat *mijn zoon*, op een toon die haar waarschuwde dat ze Davis maar beter goed kon behandelen. Ik moet zeggen dat wat ik zag daar weinig twijfel over deed bestaan. Zelfs nadat ze een zekere kille waardigheid had hervonden omtrent Eddies onverwachte komst leek ze blij kennis met hem te maken.

'Je zoon is veilig bij me,' beet ze terug.

'Je moet je voorhoofd niet zo fronsen, anders heb je straks nog meer Botox-injecties in je voorhoofd nodig.'

Een juweeltje aan informatie van Jakobek. Ze had het lef niet om te vragen hoe ik dat wist, hoewel ze zich met een scherpe blik tot Jakobek wendde, die deed alsof hij het Washington Monument bestudeerde.

Al met al een goede dag.

Maar toen ontdekten de mensen Jakobek en mij in de lobby van het hotel en kwamen ze me om een handtekening vragen. Er had nog nooit iemand om mijn handtekening gevraagd, en ik gaf die ook nu niet. Maar meer dan dat, de mensen herkenden Jakobek, en niet in positieve zin. In de tien minuten dat we aan de ontvangstbalie stonden te wachten om ons in te schrijven, staarde een half dozijn dappere en onhebbelijke zielen hem angstig aan. Ik kon de kalme vastberadenheid op zijn gezicht zien, de vage, cynische humor van bekeken te worden als een waakhond die niet verondersteld wordt vrij rond te lopen.

Dus deed ik alsof ik behoorlijk van streek was door dat gedoe over die handtekeningen en vroeg Jakobek of hij er bezwaar tegen had om met mij apart te eten. Hij had meteen door dat ik dat omwille van hem vroeg.

'Als je soms denkt dat ik stoïcijns een uitnodiging om naar je kamer te komen zal afslaan,' zei hij, 'dan heb je het mis.'

We wisten tenminste waar we aan begonnen.

'Voel je je goed?' vroeg hij toen we klaar waren met eten. De stemming tussen ons was plotseling erg vredig, erg intens.

Ik legde mijn servet op mijn bord. 'Heel goed.'

'Dit is de eerste keer dat we bij elkaar hebben gezeten om te eten – alleen.'

'Het was fantastisch. Zo plezierig... dat ik er nerveus van word.'

'Je maakt het te ingewikkeld. Ik hou van eenvoud.' Met een vage glimlach om zijn mond en een ernstige blik in zijn ogen gebaarde hij naar zijn lege bord. 'Als ik honger heb dan zeg ik dat.' Hij liet die woorden neerdalen in de diepe stroom van seksuele energie die we deelden. Zijn glimlach vervaagde. 'Als ik naar jou kijk, sterf ik van de honger.'

Op dat moment had hij me te pakken. Hij had me daar waar ik leefde en ademhaalde en niet hoefde na te denken. Hij had me op een manier die fluisterde: *hij is een zegen, en je hebt hem verdiend.*

'Jakob,' kreunde ik.

Hij kwam omhoog uit zijn stoel en ik kwam omhoog uit de mijne.

Toen werd er aangeklopt.

Eddie en Davis stonden voor de deur. Zij had gehuild. Davis keek boos. Achter hen schonk Lucille met haar agenten ons een vermoeid knikje.

'Ik ben lang genoeg bij mijn moeder geweest, dank je wel,' zei Eddie. 'We kunnen terug naar huis.'

Het had nog geen drie uur geduurd voordat Edwina het bommetje tot ontploffing had gebracht. Ze was in het begin heel voorzichtig geweest, God zegene haar paranoïde bange hart, en had ze alleen de opmerkingen gemaakt die elke liefdevolle moeder zou maken. At Eddie wel gezond, hoe sliep ze, voelde ze zich goed en wat vond ze van de gynaecoloog die ze in Atlanta bezocht? Het was een arts die ik haar had aangeraden, een vriendin.

Ja, prima, prima en prima, antwoordde Eddie beslist. Alles was prima.

Maar toen vergiste Edwina zich en zei ze: 'Ik heb begrepen dat je arts in haar vrije tijd een uitstekende amateur-tuinier is en dat Hush en zij elkaar daarvan kennen. Toen Hush voor het tuindersgenootschap een workshop gaf over het kweken van oude zuidelijke appelvariëteiten.'

Op dat moment verstarde Eddie. 'Hoe kun je dat weten, moeder, aangezien jij en Hush nauwelijks met elkaar praten en ik je nooit heb verteld hoe ze elkaar ontmoet hebben?'

'O, nou, ik... nou ja, luister, ik weet zeker dat je me dat verteld moet hebben, ik bedoel, zo'n onschuldige kleine anekdote...'

'O, moeder! Je hebt mijn dokter laten natrekken, nietwaar? Je hebt onderzoek naar haar gedaan. Je bespioneert me nog steeds!'

En het enige wat Edwina kon doen, als een moederrat in de moederval, was bekennen.

Ik had bijna medelijden met haar, behalve als ik dacht aan de nacht die Jakobek en ik waren misgelopen, toen we de vrachtwagens terugreden naar Georgia in plaats van de belofte van een hongerig hart gestand te doen.

15

Nu een verzoening tussen Eddie en haar moeder opnieuw in de ijskast stond, ging alles in de Hollow weer z'n gangetje, en Jakobek noch ik durfde het te hebben over wat er in Washington bijna was voorgevallen. We hadden een mat soort zelfbeheersing die zei dat we elkaar niet zouden aanraken zolang zijn ongelukkige nichtje en mijn behoedzame zoon onder hetzelfde dak woonden als wij. Als koeler gedachten overheersten, hield ik mezelf voor dat Edwina ons ervan had weerhouden aan iets te beginnen wat ons geen van beiden gelukkig zou hebben gemaakt. Hij was geen appelboer. Ik was dat wel, en zou het altijd blijven. Hij had twintig jaar lang de hele wereld bereisd en geleefd vanuit een plunjezak. Ik was mijn hele leven op dezelfde plek geworteld geweest.

Niet dat ik Edwina aardiger vond omdat ze ons die nacht ontstolen had…

Jakobek zei niets, maar dat was ook niet nodig. Hij laadde vastberaden talloze kratten vol appels. Hij nam de laatste herfstmaaibeurt op zich van de paden in de boomgaarden, gezeten op een tractor met een toornig mes erachter; hij was buiten in het koudste ochtendgloren en nog steeds buiten in de donkerste nacht, werkte harder dan wie ook op de boerderij, mij uitgezonderd, en maakte daarmee vreselijk veel indruk op mijn verwanten. Hij verzette al dat werk echter niet om bij hen in de gunst te komen. Hij deed het om de nacht te vergeten die we waren misgelopen.

Net als ik.

Tijdens een gemiddeld najaar verwelkomde Sweet Hush Farms doordeweeks zo'n vijfhonderd bezoekers per dag, tweeduizend op zaterdag, en duizend op zondag. Dankzij de nationale nieuwscampagne en de roddels over het huwelijk van Eddie en mijn zoon, steeg ons gemiddelde naar tweeduizend bezoekers op doordeweekse dagen en vijfduizend op zaterdag én op zondag.

De omzet was verbazingwekkend. Het werk was slopend. Smooch, die Jakobek uit de weg ging en tegen mij nog steeds stekelig deed, genoot niettemin van haar rol als marketing director van de Eddie Jacobs Thackery-show. Eddie negeerde heel hoffelijk het feit dat ze waardevol was. Davis deed grimmig alsof er niets aan de hand was en bracht elke avond uren door achter de computer in hun slaapkamer, waar hij en zij een ondernemingsplan uitdachten dat Sweet Hush Farms de nieuwe eeuw in zou lanceren. Overdag laadde Davis gebakken waren in onze vrachtwagens, terwijl Eddie appelbeignets en appeltaart en karamelappels maakte en nobel overgaf en al mijn familieleden voor zich innam met haar opgewekte intelligentie.

Ze was hét gespreksonderwerp in Chocinaw County en ondanks mijn pogingen onze relatie zuiver te houden door geen geld aan haar te verdienen, rolde het geld binnen. 'Ik vind het niet erg om je beroemde melkkoe te zijn,' zei ze rustig tegen me. 'Dat hoort erbij.'

'Ik vind het wel erg,' zei ik. 'Je bent mijn schoondochter.'

Ze omhelsde me, en ik omhelsde haar.

Eddies invloed op de gemeenschap drong pas goed tot me door tijdens de novemberbijeenkomst van de Kamer van Koophandel van Chocinaw County. Onze restaurants, onze kleine herbergen en al onze winkels hadden ontzettend goed gedraaid sinds september, dankzij de overvloed aan nieuwsgierigen die door Eddie waren gelokt.

Dus ontving Eddie een sleutel van het district, samen met een gedenkplaat die haar bedankte omdat ze ons op de wereldkaart had gezet. 'Ik voel me zeer vereerd, maar het enige wat ik heb gedaan is appelbeignets maken,' zei Eddie met een glimlach tegen tweehonderd toonaangevende burgers in het heiligdom van een plaatselijke kerk.

Ze lachten en applaudisseerden. Davis grinnikte om de reactie. Lucille en haar team keken discreet toe vanuit de vestibule en vanaf het koor, als gewapende engelen. Jakobek, gekleed in corduroy broek en bruin leren vliegeniersjack, zat naast me in een bank en werd door iedereen aangestaard, en niet bepaald goedkeurend. Toen Bernard Dalyrimple, kort van stof, discreet, een plezierige vriend en zakenpartner, zich naar me over boog en fluisterde: 'Je ziet er goed uit. Bel me,' draaide Jakobek zich langzaam om en staarde hem aan. Bernard ging weer zitten en slikte moeizaam.

En God helpe me, ik vond het schitterend.

Hoe verliefder ik werd op Hush – zonder veel hoop dat we ooit de kloof van familieverplichtingen en goede voorbeelden zouden overbruggen die we met elk flintertje zelfbeheersing dat we hadden in stand probeerden te houden – hoe meer ik ernaar verlangde foto's van haar te maken. Die ene in mijn portefeuille was niet genoeg. Ze scheen me geworteld en rijp en vol en... ik zocht naar een ouderwets woord... overvloedig. Ik hield van de taal van oude boeken, hoffelijke taal, elegant, hoofs. Ik bleef mezelf in nieuwe lagen wikkelen tegen de kou. Aanstonds of onverwijld, vroeg of laat moest ik mijn huid blootstellen aan een uitzonderlijk warm iets of iemand.

Hush.

'Wat doe je?' vroeg ze in de appelschuren, de boomgaarden, soms op haar eigen veranda.

'Een foto van je maken. Ik maak foto's van alles en iedereen hier. Maar jij bent mijn lievelingsonderwerp.' Ik zweeg even. 'Jij en de babygeit.'

We konden grappen maken over onszelf, als er geiten bij betrokken waren.

Dat weekend betrapte ik een paar tieners erop dat ze de geit, die mijn beste vriend was geworden, probeerden te stelen. Ik had hem Rambo genoemd. Ze waren bezig hem in de kofferbak van hun moeders Lexus op te sluiten toen ik ze bereikte. 'Hé man, we wilden alleen iets uit de presidentiële collectie,' zei de leider van de twee lummels. Ik schudde hem hard genoeg door elkaar om zijn tanden te doen klapperen, pakte de sleutels, bevrijdde Rambo en droeg de twee over aan de broer van Hush.

'Niemand neemt onze geit mee,' zei Logan, blozend van woede, en hij sleurde de deugnieten mee om hun moeder te gaan zoeken.

Ik droeg Rambo naar het huis en sloot hem op in de afgeschermde veranda aan de achterkant met een pan water en een appelbrood en zei: 'Hier blijven, vuile stinkerd.' Toen ik terugliep naar de openbare schuren, stonk ik alsof ik drie dagen in de geitenstront had gestaan.

Rambo knaagde een gat in de hordeur van de veranda en volgde me naar het open paviljoen, waar ik tussen de stalletjes met producten door liep. 'Jakobek, je vriend is terug,' riep een McGillennicht met haar hand voor haar glimlachende mond, en iedereen begon te lachen. Ik vond een stuk touw, bond het ene eind als een halsband om Rambo's nek en het andere eind aan mijn riem. 'Hij is een ervaren beveiligingsgeit,' zei ik. De kleine klootzak bleef aan de lijn, zo trots als een poedel tijdens een poedelwedstrijd.

Aan het eind van elke zondag verzamelde Hush haar hele ploeg werknemers en kozen ze met hun allen de werknemer van de week. De prijs was een gratis etentje voor twee in de Apple Valley Inn aan een klein meer buiten Dalyrimple en een geëmailleerde speld in de vorm van een appel met een gouden sterretje in het midden. Sommige van de werknemers hadden tientallen van die speldjes op hun rode vesten of op hun petten.

Die zondag won ik de speld omdat ik Rambo had gered.

'Gewoon glimlachen en blij kijken,' zei Hush zacht terwijl ze me de speld ten overstaan van iedereen overhandigde. Ze verwachtte niet dat ik hun traditie zou volgen en het rare ding zou dragen. Ik stak de appelspeld echter op de borstzak van mijn werkshirt. 'Ik voel me zeer vereerd,' zei ik. 'Mijn geit en ik danken jullie.'

Iedereen applaudisseerde. Hush glimlachte naar me met een ongewoon soort goedkeuring die op haar gezicht verscheen als ze dacht dat niemand haar erop zou betrappen aangenaam verrast te zijn. Ik nodigde haar uit om het gewonnen etentje de volgende avond met me te delen, en terwijl we aan een tafeltje over het kleine meer uit zaten te kijken, praatten we over van alles en nog wat en wikkelden we onszelf om elkaar heen zonder elkaar zelfs maar aan te raken. Toen we terugreden naar de boerderij smeulde er genoeg vuur tussen ons om de koude herfstnacht te verwarmen.

Davis en Eddie zaten, in dekens gewikkeld, op de veranda voor het huis op ons te wachten. 'Jullie zijn veel te laat thuis, kinderen,' zei Davis droogjes.

Hush ging nors naar bed en de avond was voorbij.

Maar God helpe me, ik had nog nooit zo'n goede avond gehad. Of een geit als huisdier.

Ze heetten Marcus, Simon en Bill. Drie verwaande, zachtaardige maar roekeloze mannen van Harvard die al met Davis bevriend waren sinds zijn eerste jaar. Ze hadden niet meer van hem kunnen afwijken wat achtergrond, ras of religie betrof, maar onderhuids deelden ze dezelfde stabiele beenderstructuur: familie, geloof, vrienden. Alle drie waren ze de afgelopen jaren met mijn zoon naar de Hollow gekomen, dus toen ze op een vrijdagavond arriveerden in een oud blauw busje, zwaaiend met champagneflessen en schreeuwend dat het tijd was voor Davis' beter-laat-dan-nooit-vrijgezellenfeestje in Atlanta, omhelsde ik hen een voor een.

Eddie was echter minder begripvol. Ze riep Davis ter verantwoording in mijn keuken terwijl Jakobek en ik daar met een glas wijn vóór het eten aan tafel zaten en deden alsof we niet luisterden. 'Ben je van plan met hen naar een striptent te gaan?' vroeg ze.

Davis staarde haar met open mond aan. 'Nee! De laatste keer dat ik... nou ja, dat was lang voor ik je leerde kennen. Nee dus. Waarom denk je in godsnaam...'

'O, ik begrijp het. Dus jullie gaan gewoon maar naar een bar om je te bezatten?'

'We gaan naar een van de clubs in Buckhead om wat te eten en een paar biertjes te drinken.'

'Om je te bezatten,' hield ze vol. 'Je te bezatten en te doen alsof je geen getrouwde man en geen aanstaande vader bent die zijn dagen doorbrengt met het verdedigen van zijn vrouw die alleen en depressief is, zijn vrouw die haar eigen moeder al weken niet heeft gesproken, zijn vrouw die weet dat hij het vreselijk vindt om gevangen te zitten in die belachelijke publiciteit die we krijgen, zijn vrouw die zich op het moment heel erg eenzaam voelt.'

'Eenzaam? De hele wereld houdt een oogje op je. Je bent een plaatselijke heldin. Mijn moeder maakt zelf appelmoes voor je – en dat doet ze niet voor iedereen.'

'Je verandert van onderwerp! Jij gaat naar kroegen in Atlanta om te drinken en te roken en naar de meisjes te kijken. De niet-zwangere meisjes. De slanke meisjes die niet elke ochtend hoeven over te geven.' Daarop liep ze huilend naar boven.

Davis was stomverbaasd. 'Ik wil gewoon een paar biertjes gaan drinken met mijn vrienden.'

'Je praat tegen een zwangere vrouw boordevol hormonen,' antwoordde ik. 'Je maakt geen schijn van kans. Ik zal wel koken voor jou en de jongens. Vergeet dat bier en die sigaretten. Hou je feestje hier. Laat Eddie mee feesten.' Mijn herinneringen aan een leven als zwangere echtgenote van een dolende man stonden me niet toe zijn kant te kiezen.

'Nee, ik ga naar Atlanta en ik ga genieten van een avondje uit met mijn vrienden. Vrienden die me kenden voordat de media de pik op me hadden.' Hij sloot zijn ogen, ademde diep in, keek toen naar het plafond alsof hij tegen Eddie in de kamer boven ons praatte. 'Ik ga omdat mijn vrouw me zou moeten vertrouwen!' Toen wierp hij mij een boze blik toe. 'En jij zou haar moeten aanmoedigen me te vertrouwen, moeder. Je hebt pap altijd vertrouwd, ook al was hij vaak van huis.'

Ik hield mijn ogen op mijn wijnglas gericht en zocht wanhopig naar de juiste woorden, de juiste leugen. Jakobek kwam met een oplossing. 'Ik ga wel met je mee. Ik zal je chauffeur zijn, je voor Eddie in de gaten houden. Zorgen dat je je netjes gedraagt.' Zijn mond krulde zich in wat een glimlach zou kunnen zijn – of niet. Bij Jakobek was dat altijd moeilijk te zeggen.

'Vergeet het, kolonel. Ik heb geen chaperon nodig. Of een lijfwacht.'

Ik keek op naar Davis. 'Je vertelt mij altijd wat je vader zou doen. Ik zal je zeggen wat hij nu zou doen. Hij zou rekening houden met de gevoelens van zijn vrouw. Hij zou het familielid van zijn vrouw uitnodigen om mee te gaan, gewoon om haar te plezieren. Hij zou een compromis sluiten.'

Ik raakte doel. Davis kauwde een paar seconden op zijn tong en knikte toen naar Jakobek. 'Beschouw jezelf als uitgenodigd, kolonel. Ik ga naar boven om het Eddie te vertellen.'

Toen hij de keuken uit was gelopen, richtte ik mijn blik weer op mijn wijnglas. Ik hoorde het klinken van Jakobeks glas toen hij dat neerzette en het zachte ruisen van zijn kleren toen hij opstond. 'Slim,' zei hij.

Ik sloeg mijn harde, vermoeide ogen op naar zijn sombere. 'Zorg alsjeblieft voor mijn zoon. Wat hij denkt dat zijn eigen vader gedaan zou hebben is een fantasie die hij niet mag kwijtraken.'

Jakobek bracht een enkele vinger naar mijn wang, veegde een traan weg en knikte.

Niemand – en het minst van al Hush – vroeg me om de vader uit te hangen voor Davis. En Davis wilde zeer zeker niet toegeven dat iemand anders dan zijn ouweheer een plaats kon hebben in het leven van zijn moeder. Luister, ik zou hetzelfde hebben gereageerd als mijn moeder nog had geleefd. Dus accepteerde ik heel veel van Davis.

Racers, zo luidde de naam van de bar in grote goudkleurige neonletters. Het interieur leek een reclameposter voor de NASCAR – racesouvenirs en -posters, met voor de dames hier en daar een paar varens. De bar was in de buurt van de hoofdstraat van Buckhead, een deel van Atlanta dat voorheen een rustige buurt was met veel oud geld, maar nu luidruchtig en vol patserige nieuwe rijken. Op een koude vrijdagavond in november was het publiek vrij tam – goedgeklede studenten van de universiteit, een paar herkenbare buitenvelders van de Braves, een paar liefhebbers van rapmuziek met zware platina kettingen om, en een paar knappe meisjes die erg hun best deden Britney Spears te zijn. De muziek was luid en het bier was geïmporteerd. Ik zat in mijn eentje aan een tafeltje in een hoek aan iets donkers en Iers te nippen en een boek te lezen dat ik uit de bibliotheek van Hush had geleend. *Appels: een geschiedenis van de oudste vrucht op aarde*. Ik was verdiept in het hoofdstuk over entmethoden toen een dronken joch dat jong genoeg was om mijn zoon te zijn langsliep en boven de muziek uit riep: 'Jezus Christus, man, zit je hier een boek over appels te lezen?' en daarna lachte.

Ondertussen hing Davis met zijn maatjes aan een tafeltje aan de andere kant van het vertrek een dure hamburger en een duur glas bier te negeren; hij zag er vrij ellendig uit. Zijn maten waren dronken genoeg om dat niet in de gaten te hebben en zaten te joelen bij racevideo's op het reusachtige televisiescherm van de bar.

Het eerste uur of zo gebeurde er dus niet veel, tot Davis' vrienden op het fantastische idee kwamen om naar luidruchtiger oorden te trekken. 'Haal de limousine, mijn beste Jeeves,' zei maat Marcus, die grinnikend naast me stond en een mollige hand op mijn schouder legde. Maat Marcus zag eruit als een kleine zwarte boeddha met een bril op. Hij was een rechtenstudent uit New York. Maat Bill was een magere, lutherse laatstejaars economie uit het Midwesten, en maat Simon, ook laatstejaars economie, was de enige joodse jongen uit zijn woonplaats in Californië die het worsteltoernooi van de staat had gewonnen. 'Ja, Jeeves, beste man,' echoden de drie.

Ik mocht hen wel. Ze waren onschuldig en vrolijk en hadden nog nooit iemand pijn gedaan. Ik voelde me als een honderd jaar oude sergeant met een stelletje babyrekruten. 'Kop dicht en doe je best niet te kotsen op weg naar de auto, klootzakken.' Ten antwoord zong het vrolijke koor: 'Jawel, luitenant-kolonel,' en salueerden ze naar me terwijl ze door een zij-ingang naar buiten wankelden. Ze waren zo dronken dat ze Davis vergaten, die was blijven staan om te betalen. 'Volg je peloton en zorg dat ze niet onder een auto komen,' zei ik tegen hem. 'Ik reken wel af. Fijn feestje.'

'Wat is er fijn aan? Mijn vrouw is boos op me, ik heb niets meer gemeen met mijn maten en mijn moeder zit gewoon te wachten tot ik toegeef dat ik niet had moeten stoppen met mijn studie om naar huis te komen.'

'Heb je er genoeg van om appeltaart in te pakken voor de kost? Mooi zo.'

'Nee, ik heb er genoeg van dat mijn moeder me niet serieus neemt als erfgenaam van het familiebedrijf. Vorige week heb ik haar een tienjarenplan voor de onderneming gepresenteerd en ze zei: "Dat is fijn. Kun je zorgen dat de karamelketels voor negen uur morgenvroeg schoongeschrobd zijn?" Ik geef haar een doctoraalscriptie over bedrijfsmanagement en zij geeft mij een schrobborstel.'

'Is het je ooit opgevallen dat je moeder tot haar nek in het werk zit? Dat ze 's avonds voor de kachel in slaap valt met een warmtekussentje op haar schouder? Dat ze voor het ochtendgloren alweer in haar kantoor zit? Let op wat ze je wil laten zien, Davis. Ze werkt als een paard. Ze heeft waarschijnlijk meer karamelketels schoongeschrobd dan jij kunt tellen. Ben jij bereid zo hard te werken? Hou jij zoveel van de boerderij? Dat is wat ze wil weten.'

'Ik zie dat je behoorlijk veel belangstelling hebt voor de dagindeling van mijn moeder. Vooral hoe ze in slaap valt en hoe laat ze opstaat. Handen thuis, kolonel. Er hebben al veel mannen geprobeerd mijn moeder te krijgen, maar ze negeerde ze allemaal. In haar ogen kan niemand tegen mijn vader op. Dus probeer haar of mij niets te flikken. Ik doorzie je motieven.'

'Hé, hij is het echt!' riep iemand. 'Ja, het is hem. Hé, jij daar. Ben jij niet de man van Eddie Jacobs? Hé, meneer Jacobs!' Gelach volgde.

Davis en ik draaiden ons langzaam half om naar een tafel vol herrieschoppers in universiteitstruien, onder wie de jonge idioot die had gelachen om mijn voorkeur voor boeken. 'Ze zijn de moeite niet waard,' zei ik. 'Laten we gaan. Nu!'

'Nee, ik word al maanden openlijk voor aap gezet. Hier heb ik tenminste de kans op een persoonlijk weerwoord.'

'Het heeft geen zin om te vechten met een varken. Je wordt er alleen maar smerig van en het varken vindt het gewoon leuk. Een van je moeders uitspraken. Laten we gaan.'

'Bemoei je hier niet mee. En kom niet met citaten van mijn moeder aanzetten.'

'Je hebt een zwangere vrouw die er geen behoefte aan heeft je thuis te zien komen met je tanden uit je mond. Schelden doet geen zeer. Neem het als een man.'

'Verdomme, je luistert niet, is het wel? Vertel mij niet hoe ik hiermee om moet gaan – en vertel me ook niet hoe ik voor mijn vrouw moet zorgen. Jij weet niet waar een echtgenote behoefte aan heeft. Je behandelt vrouwen als missies van de commando-troepen – snel erin, het probleem verhelpen en snel eruit. En vertel me ook niet wat een man doet. Mijn vader was een man – hij wist dat de mensen tegen hem opkeken en hij zorgde voor ons, en hij heeft zijn leven gegeven om zijn naam betekenis te geven. Jij hebt het hart niet om een man te zijn zoals hij.'

Hij liep naar het groepje toe. Ik dacht even over mijn volgende actie na en besloot te blijven waar ik was. 'Mijn naam is Thackery,' zei Davis met het lijzige stemgeluid van bergbewoners tegen de vreemdelingen. 'En als jullie verbluffende, verstandelijke uitblinkers dat niet kunnen onthouden, is dat jullie probleem, en niet het mijne.'

'Word nou niet kwaad, man. Hé, je bent beroemd, dat is alles. Je neukt de dochter van de president. Hé man, heeft ze net zo'n dikke kont als haar moeder?'

Einde gesprek. Vanaf toen alleen nog vuisten.

'Nicky, je werd verondersteld op hem te passen.'

Eddie keek Jakobek boos aan, terwijl ze een washandje tegen de bloedende mond van mijn zoon hield. We zaten in de keuken. Bloederig ijswater drupte op de vloer. Ik legde voorzichtig twee ijspakkingen op Jakobeks uitgestoken handen. Afgezien van rauwe, gezwollen knokkels was er aan Jakobek verder niets te zien. Davis had echter een bloedende mond en een blauw oog. 'Ik was na de eerste twee klappen bij hem,' zei Jakobek. 'Daarna heeft niemand hem meer aangeraakt.'

'Omdat ze er niet bij konden,' mompelde Davis. 'Ik lag op de vloer.'

'Hadden ze hem knock-out geslagen?' kreunde Eddie.

'Neergeslagen!' zei Jakobek.

Davis hoestte. 'Maakt geen verschil.' Hij keek door zijn gezwollen oog omhoog. 'Bedankt, Nick.'

'Geen probleem.'

Nick. We waren een stap verder gekomen. Ik keek Jakobek teder aan.

'Je hebt zes jonge mannen achtergelaten, die diverse gewonde delen van hun lichaam vasthielden, en Davis naar buiten gesleept voor de politie kwam. Maar het gevecht zal geen geheim blijven. Ze hebben Davis herkend. Ik kan maar beter een advocaat bellen.'

Ik wilde opstaan, maar Jakobek legde een met ijs bedekte hand op mijn arm. 'Ik heb al een goede geregeld. Ik heb hem op weg naar huis gebeld.'

'Wie?'

'Al. En die heeft de minister van Justitie gebeld.'

Ik ging weer zitten. Ik wist niet of ik moest lachen of huilen. Waar mijn eerste advocaat, Fred Carlisle, ook mocht zijn, ergens in een met bourbon doordrenkt hiernamaals waarschijnlijk, ik hoopte dat hij dit moment kon waarderen.

Later die nacht, toen Davis en Eddie naar bed waren, zaten Jakobek en ik nog tegenover elkaar aan de tafel. Onder het zwakke licht van een hanglamp, stak ik Jakobeks grote, pijnlijke handen in een aardewerken schaal gevuld met een warme brij van appelazijn en fijngestampte tabaksbladeren. 'De oude mensen hier zweren dat dit brouwsel het venijn uit de pijn haalt.'

'Misschien heb ik wel al het venijn nodig dat ik kan vasthouden.'

'O, je hebt nog genoeg venijn over, geloof me...' Ik zweeg; pleegde zelfcensuur op de flirterige woorden, maar werd ook tot zwijgen gebracht door Jakobeks serieuze gezichtsuitdrukking. 'Jakob, wat zit je dwars?'

'Ik heb Davis dat gevecht in laten stappen. Hij was vervelend tegen me, dus liet ik hem een paar klappen opvangen voor ik me ermee bemoeide. Daar bied ik je mijn verontschuldigingen voor aan.'

Ik boog mijn hoofd, dacht zorgvuldig over mijn woorden na en zei toen: 'Niemand anders zou het tegen zes forse dronkelappen hebben opgenomen om mijn zoon te helpen. Dank je. Je hoeft je nergens voor te verontschuldigen. Je hebt heel veel geduld met hem gehad. Dank je.'

'Het is mijn taak om mensen te beschermen. Dat is het enige waar ik goed in ben.'

'Je doet net alsof het heel simpel is, maar dat is het niet. En het is niet het enige waar je goed in bent.'

Er groeide een krachtige stilte tussen ons. Jakobek schraapte zijn keel. 'Op weg naar huis zei Davis dat zijn ouweheer voor hem zou hebben gevochten zoals ik heb gedaan.'

Er welde een zacht geluidje uit mijn keel op. 'Dat was een groot compliment.'

'Ik denk niet dat we ooit vrienden zullen worden. Hij gelooft dat ik het territorium van zijn vader binnendring.' Hij keek me veelbetekenend aan. 'Zegt dat je nog nooit naar andere mannen hebt gekeken en dat ik mijn tijd verspil.'

Ik voelde dat mijn gezicht rood werd. 'Ik heb genoeg aanbiedingen gehad. Heb er hier en daar een paar aangenomen. Davis weet dat niet.'

'Bernard Dalyrimple.'

Ik leunde achterover, slaagde erin niet te gaan stamelen. 'Lief, gescheiden. Besloot dat ik te angstaanjagend was achter gesloten deuren.'

Soms kun je zien dat je de ogen van een man doet glanzen, wat jou dan weer raakt op de plek waar je leeft en je doet smelten. Ik zag die blik nu in Jakobeks ogen verschijnen. 'Laat me mijn eigen beeld maar vormen,' zei hij.

'Je zult wel moeten. Ik bloos.'

'Dan heb ik nog iets gehoord over ene J. Chester Baggett.'

Ik zuchtte gelaten. De volksvertegenwoordiger van Chocinaw County was aardig, weduwnaar en erg godsdienstig geweest. Maar hij was destijds eenzaam, net als ik. 'Ik heb hem verleid tot de zonde en me er daarna schuldig over gevoeld. We zijn nog steeds vrienden. En nu ophouden. Ik wil het hier niet meer over hebben.'

'Niet alle mannen zijn bang of streng gelovig.'

'Maar de meeste mannen willen mijn bedrijf voor me leiden. Of denken dat ze meer van mijn tijd verdienen dan de boerderij.' Ik zweeg even. 'Is het trouwens waar? Zit je achter me aan?'

Even later zei Jakobek zacht: 'Ik dacht dat dat wel duidelijk was. Zit jij achter mij aan?'

Ik trok mijn handen uit de schaal en stond op. 'Dat lijkt me ook wel duidelijk. Maar ik denk ook dat het een vergissing zou zijn als we elkaar te pakken krijgen, voor ons allebei. Op heel veel gebieden hebben we niets met elkaar gemeen.'

'Niets. Juist.'

Ik deed hem pijn. Hij deed mij pijn. We keken elkaar een seconde lang met blikken vol spijt aan en trokken ons toen allebei terug. 'Welterusten,' zei hij grimmig.

'Welterusten.'

Ik stootte mijn pijnlijke schouder tegen het deurkozijn naar de gang, haastte me naar mijn slaapkamer, zat een hele tijd op mijn douchevloer met mijn armen om mijn knieën geslagen te jammeren. Ik kon niet van ganser harte van een man houden. Of kon dat niet toegeven als het wel zo was. Ik droeg nog steeds het venijn van Davy in me.

Maar ik wilde Jakobek. Hij wilde mij. Zonder een woord van aanmoediging of hoop dat de situatie ooit zo eenvoudig zou zijn dat we konden doen wat we wilden. Ik ging in mijn bed liggen, knieën hoog opgetrokken, strekte me toen uit, beroerde mezelf, beroerde mezelf opnieuw en lag een minuut later in mijn kussen te huilen. Ik kon me alleen maar voorstellen wat Jakobek in de kleine slaapkamer recht boven de mijne bij zichzelf deed. De volgende ochtend zouden we weer beleefd tegen elkaar zijn.

Maar we zouden die nacht nooit vergeten.

Boven deed ik precies wat zij dacht dat ik deed, en dacht daarbij constant aan haar.

16

'WERKEN OF IK SCHOP JULLIE ERUIT!' ROEPT EDDIES GEMENE SCHOONMOEDER. LEES DE COLUMN VAN HAYWOOD KENNEY EN BEKIJK DE EXCLUSIEVE FOTO'S VAN EDDIE JACOBS AAN HET WERK IN DE BAKKERIJ VAN HET FAMILIEBEDRIJF VAN HAAR NIEUWE ECHTGENOOT

'De kruidenier vertelde me hier al over voor de krant in het rek lag,' zei Smooch op hoge fluistertoon, terwijl ze vanuit de deuropening van mijn kantoor met de krant stond te zwaaien. 'O, Hush, dit moet iemand van het personeel zijn geweest. Moet je die foto's van Eddie zien! Ze zijn op maar een paar meter afstand genomen.'

Ik pakte de krant in mijn vuisten. 'Koop alle exemplaren die je kunt vinden,' zei ik, 'en verbrand ze.'

'Haast u, kolonel,' zei een man toen ik uit een vrachtwagen van Sweet Hush Farms sprong. 'Ze zag er woest uit.' De mensen die voor de pompoendecoraties en schommelstoelen onder het zonnescherm van de Dalyrimple Diner stonden, weken voor me uiteen en wezen naar binnen. 'Haar broer zal zo wel hier zijn,' riep iemand anders. 'Hij zat helemaal in het noorden van het district. Daarom hebben we maar naar de boerderij gebeld. We dachten dat u wel eerder hier zou zijn.'

Ik duwde de dubbele deur open, waarop aankondigingen hingen van de uitvoering van *Bye Bye Birdie* door de High School en een strijkkwartetconcert gesponsord door Sweet Hush Farms. Ik liep tussen lege tafeltjes met roodgeruite plastic kleedjes door. Godzijdank was de lunchmenigte al weg en waren er alleen een paar werknemers aanwezig geweest toen een McGillen-nicht van middelbare leeftijd die MerriLee heette schreeuwend naar binnen was komen rennen, gevolgd door een rustig lopende, vastberaden Hush.

'Zoals Arnold in een *Terminator*-film,' had de beller me gewaarschuwd.

Twee serveersters en de manager stonden bij de deur naar de keuken. 'De koelruimte,' zei de manager wijzend. 'Hush heeft haar daar naar binnen gejaagd en de deur op slot gedaan. Hush kent dit restaurant namelijk, weet u. Haar moeder is hier jaren geleden serveerster geweest. En nu is Hush voor de helft eigenaar, samen met Bernard Dalyrimple. Ze hebben ooit even wat gehad, maar we geloven niet dat u zich zorgen hoeft te maken...'

'Vertel me de roddels later maar,' zei ik. Jezus, er werd over Hush en mij gepraat. Tegen die tijd was ik al in de achterste opslagruimte. Hush, gekleed in een stoffige spijkerbroek, lage schoenen, een met meel bestoven flanellen shirt en een met kaneel bestoven schort, stond met een hand tegen de gesloten stalen deur geleund en haar hoofd voorovergebogen. 'MerriLee, je vertelt me nu wie er nog meer achter het maken en verkopen van die verdraaide foto's van mijn schoondochter aan Haywood Kenney steekt of ik draai de thermostaat zo laag dat ze je straks met een soldeerbrander moeten ontdooien.'

Vanuit de koelruimte klonken gedempte geluiden. 'Als wij niet een paar foto's hadden genomen, had een vreemde het vroeg of laat wel gedaan. We hebben niet tegen meneer Kenney gezegd wat hij moest schrijven. Ik in elk geval niet. Papa heeft met hem gesproken.'

Hush leunde met haar hoofd tegen de stalen deur van de koelcel en sloot haar ogen. 'Die hebberige, rancuneuze klootzak. En Kenney ook.'

Ik legde een hand op het slot. 'Zijn Davis en Eddie nog steeds in Dahlonega voor de lunch op die universiteit?'

Ze knikte. 'Lucille is bij hen.'

'Goed.'

Ze wrong haar vingers onder de mijne en duwde de pin verder in het slot. 'MerriLee?'

'Ja?'

'Ik wil jou en je gezin nooit meer in de Hollow zien. Nooit.'

'Hush, je kunt ons niet verbannen. Je kunt je eigen...'

'Ik moet geklets accepteren van vreemden, maar niet van mijn eigen familie. Je hebt mijn vertrouwen beschaamd. Geen herkansing.'

'Hush!'

Hush liep naar buiten met mij achter haar aan. 'Laat MerriLee daar nog tien minuten zitten,' zei ze tegen de manager. 'Ik wil niet dat ze meteen haar vader gaat bellen, want ik wil hem verrassen.' We liepen de voordeur uit en de menigte week uiteen.

'Heb je haar de angst voor God aangejaagd?' vroeg iemand.

'Nee, de angst voor mij,' zei Hush. Ze bleef staan. 'Jakob, het heeft geen zin nog meer publieke controverse toe te voegen aan wat je allemaal al met je meedraagt. Blijf hier. Even goede vrienden.'

'Die foto's van Eddie gaan mij ook aan. Dus nee, ik laat je niet alleen gaan. Als dit om familie gaat dan... dan hoor ik erbij.'

Na een stil, krachtig moment onder de starende blikken van de menigte, knikte ze. 'Laat mij het woord doen. Ik zal praten. Jij blijft achter me staan en kijkt hem dreigend aan.'

'Afgesproken.'

Ik stuurde de grote roodwitte vrachtwagen over een stadsplein opgesierd met grote schaduwbomen die geel begonnen te verkleuren voor kleine winkeltjes en bankjes en alles waarvan we graag denken dat het bij kleine Amerikaanse stadjes past. Soms past een stad in dat plaatje. HISTORISCH DALYRIMPLE stond er op een bord. Dankzij de nijverheid van Sweet Hush Farms en het geld dat er door bezoekers aan Sweet Hush-appelgebied werd achtergelaten, was Dalyrimple zo'n stadje.

'Daarheen,' zei Hush, met een met meel bestoven vinger naar een heuveltje wijzend. Een modern complex, bestaand uit een mooi bakstenen gerechtsgebouw, de districtsgevangenis, en de districtsbibliotheek, deelde de heuveltop met nog meer grote gele bomen, gazons die een laatste keer voor de winter werden gemaaid door een oude man die naar ons zwaaide, en een levensgroot bronzen standbeeld van een knappe pioniersvrouw in lange rokken die een onbekende toekomst tegemoet stapte met een bronzen mand met bronzen appels in haar armen.

PLANT, KWEEK, OOGST
GESCHONKEN DOOR HUSH MCGILLEN THACKERY
NAMENS SWEET HUSH FARMS

Ik las die inscriptie terwijl Hush voor me de trap op liep, onze eigen onbekende toekomst tegemoet. 'Je ziet er goed uit als standbeeld,' zei ik.

'Ik heb ervoor betaald, ik heb ervoor geposeerd.' Ze zweeg even. 'En volgende week zullen de roddelbladen wel zeggen dat mijn hart net zo koud is als dat standbeeld.'

Ik volgde haar het gerechtsgebouw in en een gang door met aan weerskanten kleine kantoortjes achter deuren met opgetrokken jaloezieën. GOD ZEGEN AMERIKA EN CHOCINAW COUNTY stond op de ramen tussen de gang en de kantoortjes. 'Mijn vaders neef Aaron McGillen is de regeringsvertegenwoordiger voor het district,' legde Hush uit. 'Ik heb zijn verkiezing gesteund omdat hij een vrek en een geslepen bestuurder is. Dat is een goede zaak in een regeringsfunctie, maar niet binnen je eigen familie.'

Ze duwde een dubbele glazen deur open en stapte een kamer in, waar een jonge secretaresse zat die zei: 'Nicht Hush, mevrouw, uh... mevrouw,' waarop Hush antwoordde: 'Neem even een plaspauze, Chancy. Je hebt niets gezien.'

Het meisje pakte haar tasje en stond op.

We liepen het kantoor achter haar bureau binnen. Een slungelige, oudere man keek ons meteen nors aan. Op het bordje op zijn bureau stond: AARON MCGILLEN – HARD MAAR EERLIJK.

'Ik weet wat je hebt gedaan,' zei Hush. 'En er is niks eerlijks aan het verkwanselen van de privacy van mijn schoondochter.'

'Je hoeft tegen mij niet zo hoog van de toren te blazen. Je verdient zelf bakken met geld aan Eddie Jacobs.'

'Je hebt mijn vertrouwen beschaamd en me in verlegenheid gebracht.'

'Je kunt de waarheid niet langer naar je hand zetten. En je kunt de roddels niet zo aanpassen dat ze jou van pas komen. De feiten zijn een grote, donkere, stinkende rookwolk die uit je schoorsteen komt en je hele huis dreigt te verbranden. De mensen beginnen de stank te ruiken. Geniet maar van je eigen dosis van het "nauwkeurig openbaar onderzoek" waar je een paar jaar geleden mee liep te pochen toen je me "aan de kaak stelde" omdat ik de jongens van de immigratiedienst had gevraagd eens naar je Mexicaanse appelplukkers te kijken. Ik probeerde de wet ten uitvoer te brengen, en jij schilderde me af als een monster.'

'Omdat die Mexicanen harder voor hun geld werken dan ik ooit iemand heb zien doen en ik niet van plan was hen te laten afbekken in naam van wetten die niet veel meer zijn dan racistische lariekoek.'

'Jij staat boven de wet. Dat heb je altijd al gedacht.' Hij sloeg met zijn vuist op zijn bureau. 'Maar ga dan niet lopen huilen nu de wereld op je deur komt kloppen omdat ze alles over je willen weten. Je hebt altijd net gedaan alsof je wist wat het beste was voor iedereen hier. Je runt deze stad en dit district en je denkt zelfs dat je de baas over mij kunt spelen. Dus ik ben niet van plan toe te kijken terwijl jij je machtsbasis verder uitbreidt nu je een beroemde schoondochter op een gouden presenteerblaadje aangereikt hebt gekregen die je nog meer prestige geeft. Ik ga je persoonlijke boom ver terugsnoeien, om bestwil van deze gemeenschap! En er is maar één manier om dat voor elkaar te krijgen – door de mensen te laten zien hoe jij en de jouwen werkelijk zijn.'

'Je kunt mij aanvallen zoveel je wilt, Aaron, maar...'

'Ik zal je misschien niet onder aan de stam kunnen omzagen, maar ik weet zeker dat ik je takken kan afhakken.'

'Wat wil je daar nou weer mee zeggen?'

'Logans zogenaamde echtgenote, bijvoorbeeld. Een vrouw die niemand ooit aan de telefoon heeft gehad of...'

'Ze was Duitse. Ze is in Duitsland gestorven toen Puppy een maand oud was en Logan daar nog in dienst zat. Dat weet iedereen.'

'Nee, dat zegt iedereen omdat jij hebt gezegd dat ze dat moesten zeggen; ook al is er nergens ook maar één foto van Logans vrouw te vinden, en is niemand van haar familie Puppy komen opzoeken, en is er gewoon geen spoor van haar te ontdekken. Ik zal je zeggen wat de mensen denken dat je broer werkelijk gedaan heeft. Ze denken dat hij daarginds een meisje zwanger heeft gemaakt en dat ze de baby niet wilde, en dat jij hem gedwongen hebt zijn kleine bastaard mee naar huis te brengen en te doen wat juist was.'

Hush was hevig geschokt. Ze boog zich over zijn bureau heen. 'Als je ook maar iets zegt om mijn broer en Puppy te kwetsen, dan...'

'Hush,' zei ik. Haar naam, een bevel, een stille waarschuwing. *Rustig en hou je dreigementen voor je*. Ik stond daar maar en zou het liefst haar familielid bij zijn kraag hebben gepakt en hem tegen een muur hebben gegooid, maar nu stak ik een arm tussen haar en hem, trok haar weg van zijn bureau en zei: 'Met praten kom je niet verder.'

Ze keek me aan met koortsachtig begrip, maar ook met een smeekbede om hulp in haar ogen die ik daar nooit eerder had gezien en waar ik van schrok – ook al bevond ik me nu op een terrein waarop ik precies wist wat ik moest doen. Vrouwen die hulp nodig hadden waren mijn specialiteit. 'Ik regel het wel,' zei ik. Ik wist niet hoe ik de situatie zou afhandelen, maar dat deed er niet toe. Goede bluf – zoals tegen de cameraman in de helikopter – had vaak meer effect dan feitelijke daden. 'Jij hoeft je geen zorgen te maken om je neef Aaron,' zei ik tegen Hush. 'Ik handel de zaak wel met hem af.'

Aaron sprong overeind. 'Bedreigt u mij?' schreeuwde hij. Hij had toegehapt.

Hush keek me aan, op zoek naar aanwijzingen. Ik hield haar stevig vast, een arm om haar schouders, en gaf haar zachte knijpsignalen die ze juist interpreteerde als een code om niets te zeggen. Ik keek Aaron aan. 'Ik doe niet aan dreigementen.'

'U bedreigt me wel.' Zijn gezicht werd bleek. 'Ga mijn kantoor uit.'

'Ik ga al. En Hush ook. Kom, Hush.'

Ik deed alleen maar wat Aaron had bevolen, maar hij werd nog bleker, en beefde nu.

'Denkt u dat ik dergelijk sinister gedrag tolereer? Verdomme, ik ben niet bang voor u.'

'We gaan. Ik heb gezegd dat ik dit probleem voor Hush zou afhandelen, en dat zal ik doen ook. Meer valt er niet te zeggen.'

Ik zag het wit van zijn ogen. 'Blijf bij me uit de buurt, man! We schatten dat het huwelijk van Eddie en Davis nog geen jaar zal duren, en de dag dat zij voorgoed vertrekt, zijn we ook van u af. U bent niet meer dan een getrainde politiehond, en u kunt niets in de...'

'Genoeg,' zei Hush. Ze liep, bleek en stijf, achterstevoren de kamer uit, en trok mij mee.

Ik keek Aaron nog één keer aan en wees met mijn vinger naar hem. Ik wees alleen maar. Hij viel hard op zijn stoel neer.

Ik draaide me om en liep Hush achterna. Ze haastte zich naar buiten en het gazon op. Zonder enige waarschuwing drukte ze de slip van haar met bloem bespikkelde schort tegen haar mond, boog zich over de struiken langs een kleine parkeerplaats heen en gaf over. Ik keek snel of er niemand naar buiten was komen lopen, pakte toen haar schort van haar af en gooide hem in een grote vuilnisbak. 'Laten we snel een fonteintje opzoeken.'

'Bedankt. Voor alles. Je bent geweldig.'

'Hij was een gemakkelijk doelwit. Volgende keer zal ik het alfabet opzeggen, dan wordt hij pas echt bang.'

'Nee, ik kan hem niet uitlokken.' Ze wankelde. Haar blik was onbuigzaam en gekweld. Ze veegde met de rug van haar hand over haar mond.

Ik staarde haar aan. 'Bedoel je dat wat hij over Logan en Puppy zei de waarheid is?'

'Nee.'

'Dan...'

'Ik kan er niet over praten, Jakob, dat is alles. Vraag me er niet naar. Nooit.'

Mijn nekharen gingen overeind staan. Verrast, verward en oké, gekwetst, kon ik daar alleen maar met een uitgestrekte hand blijven staan, vragend om iets wat ik niet kreeg. 'Zijn we het punt waarop je mij geen informatie kunt toevertrouwen over je leven en je familie niet al lang voorbij?'

'Er zijn bepaalde dingen die ik nooit met jou of wie dan ook zal bespreken.'

Ik nam haar bij de schouders. 'Wat voor spelletje speel je nu? Begrijp je niet dat Haywood Kenney op zoek is naar precies het soort onzin waarvan jij niet wilt dat hij erachter komt? Denk je dat hij het niet zal vinden?'

'Je lijkt Edwina wel.'

'Heeft zij je gewaarschuwd?'

Hush lachte bitter. 'Voor mijn eigen bestwil. "Vertel alles. Aan mij, Edwina. Biecht je zonden op. De zonden van je familie. Voor je eigen bestwil." Onzin!'

'Ze had gelijk.'

Hush staarde me aan, deed een grote, symbolische stap achteruit en zei zacht: 'Ze weet feitelijk helemaal niets over mij of mijn familie, en jij ook niet. En ik ben van plan dat zo te houden.'

'Dan begrijp ik precies waar ik sta ten opzichte van jou. Nergens.'

Ze gaf weer over in de struiken, weigerde mijn hulp om terug in de vrachtwagen te komen en zei geen woord meer terwijl ik haar terugreed naar de Hollow.

Nergens.

Edwina hing meteen aan de telefoon.

'Kon je niets beters bedenken dan dit – je familieleden sluipen de ruimte binnen waar mijn dochter "slavenarbeid verricht" en nemen foto's van haar? Is dit de manier waarop je familie voor jullie eigen mensen zorgt? Is dit de manier waarop je voor mijn dochter zorgt?'

Daar had ik geen weerwoord op. Ik had gefaald bij de bescherming van Eddie. Mijn familie had daarin ook gefaald. 'Ik bied je mijn excuses aan,' zei ik vermoeid. 'Je hebt het volste recht om kwaad te zijn.'

Gelukkig was Edwina zo geschokt dat ze simpelweg 'Nou, goed dan,' zei.

En toen hing ik op.

Ik had Jakobek vreselijk pijn gedaan, en dat vond ik heel erg, maar ik kon daar niets meer aan doen, afgezien van hem de waarheid vertellen die ik niet hardop wilde uitspreken. Dingen die zo diep in mij begraven lagen dat ik wel moest geloven dat niets of niemand – zelfs niet de Haywood Kenneys van deze wereld – ze kon opgraven zolang ik mijn mond erover hield. Het enige wat ik moest doen was mijn geloof bewaren – het geloof en de stille kracht en de vreselijke, eenzame volharding die ik mijn hele leven had afgekeken van mijn stoïcijnse bomen, mijn dappere soldaten en de Hollow zelf.

Maar het tij was al aan het keren. Mijn geluk was werkelijk aan het opraken.

'Hush, het is niet erg,' zei Eddie smekend, achter me aan het paviljoen in lopend. 'Heus. Doe het niet, alsjeblieft.'

'Moeder, stop,' beval Davis.

Jakobek stond een beetje ter zijde, zijn ogen halfgesloten, naar me te kijken. Smooch, geagiteerd als een wesp in steekstemming, liep over de met zaagsel bestrooide vloer te ijsberen. Logan hield zijn hoed in een van zijn gespierde handen geklemd en wisselde bezorgde blikken uit met Lucille.

Ik keek iedereen aan die voor me werkte. Er was heel wat gemopperd op Aaron en MerriLee, de mensen hadden voorgesteld Aaron uit zijn functie te zetten en MerriLee te verbannen, maar ik had gezegd: *Nee. Nee. Dat doen we elkaar niet aan.*

Ik moest zorgen dat we allemaal de tijd kregen om op adem te komen. De verslaggevers van onze nek halen, de nieuwsgierigen bij onze ramen vandaan en de camera's uit de schuren.

'Met ingang van vandaag is de boerderij gesloten voor publiek. Ik wil niet nog meer publiciteit riskeren. Ik weet niet meer wie ik nog kan vertrouwen. Ik sta niet toe dat mijn familie het mikpunt van spot wordt. Het kan me niets schelen wat Haywood Kenney over mij zei, maar niemand zal het imago van deze familie en deze boerderij te grabbel gooien. Jullie krijgen gewoon betaald tot het eind van het seizoen. Sluit nu de keukens af, zet de appels in de koelcellen en ga naar huis. We gaan binnenkort wel weer door met het afleveren van bestellingen, maar ik wil hier dit seizoen geen klanten meer zien.'

Sommigen begonnen te huilen. Ze probeerden het me uit mijn hoofd te praten. Het was pas november.

'Dit is allemaal mijn schuld,' zei Eddie.

Ik trok haar tegen me aan. 'Nee. Dit is lang voor jouw geboorte al begonnen.'

Daar begreep ze niets van, maar ik begreep de oogstcyclus van waarheid en opoffering en geheimen maar al te goed.

Ik liet iedereen daar staan en liep terug naar het huis.

Tegen december was de boerderij stil en verlaten, en een vreemde voor ons. Het voelde niet veiliger maar minder veilig aan nu de menigten verdwenen, de poorten op slot en de schuren leeg waren.

Davis droeg nu een wapen onder zijn shirt, net als Jakobek. Lucille had er een paar waakhonden bij gehaald. Twee keer per dag liepen de Duitse herders door mijn huis en de schuren te snuffelen. Alle post voor de boerderij werd gescand, bestraald en vervolgens in een schuur geopend door mensen met latex handschoenen aan. Ik stemde ook met wat andere maatregelen in en weldra stonden enkele van mijn grote oude ruiten in de kelder, en waren ze vervangen door getinte, kogelvrije ruiten met onbreekbare kozijnen.

Eddie stond naast me bij die ramen, en keek verdrietig naar buiten. 'Wat ben ik toch naïef geweest,' zei ze zacht. 'Deze prachtige oude Hollow is net als de rest van de wereld. Slechts zo veilig als ik mezelf voel.'

Ik sloeg een arm om haar heen. 'We moeten onze veiligheid met ons meedragen, als het schild van een schildpad. Altijd ons huishouden opzetten waar we op dat moment zijn, er altijd op vertrouwen dat we alles bij ons hebben wat we nodig hebben voor onze veiligheid.'

Ze glimlachte zacht. 'Maar jij hebt nooit ergens anders gewoond.'

'Appels zijn moeilijk mee te sjouwen boven op een schildpadschild.'

Ze leunde met haar hoofd tegen het mijne. 'Wat moeten Davis en ik nu doen? Al onze plannen omgooien?'

'Nee. Afwachten en uitrusten, en luisteren of je antwoorden hoort. Want de appelbomen praten tegen ons, weet je.'

'Hush!' Ze grinnikte.

'Het is waar.'

'Dan zal ik proberen te luisteren.'

Ze legde mijn hand op haar buik. Ik voelde mijn kleinkind tevreden bewegen.

Veilig binnen ons schild.

Ik zat in een koude, met sterren bezaaide nacht op de rand van de hooizolder. Gewoon te zitten.

Natuurlijk wist Jakobek me daar te vinden en hij kwam zonder een woord naast me zitten.

'Ik kreeg binnen geen lucht,' zei ik. Een halve maan en miljoenen sterren vulden de zachte zwarte hemelkoepel en er rees zelfs geen zweem van de lichten van de wereld boven de rand van de bergen uit. We waren alleen op aarde. Hij, ik en een groot, zwijgend afgrijzen. 'Ik weet niet wat ik moet doen, Jakob.'

'Ja, dat weet je wel.'

Zeg me wat je verbergt, dacht ik dat hij wilde zeggen, maar in plaats daarvan trok hij me in zijn armen en hield me tegen zich aan. Hij streelde over mijn haar en zei niets... hield me alleen maar vast. En we kusten elkaar. Het was zo simpel als de nacht zelf, en zo gecompliceerd als de nachtelijke hemel. Onder mijn huid kroop weer een gevoel van angst naar boven. Al mijn bergbewonersgezegden en bijgeloof en oude en nieuwe gewoonten konden dat gevoel niet tot stand brengen. 'Er staat daar in het donker iets vreselijks te gebeuren,' fluisterde ik, met een knikje naar de wereld voorbij de bergen. 'Er ligt iets op de loer.'

'Dat heb ik mijn hele leven al geweten,' antwoordde hij.

Ik had altijd appels verkocht alsof ze beschermende talismans waren die ik de wereld in stuurde. Maar 's nachts droomde ik van afschuwelijke bomen die opgroeiden uit zaden die ik niet had gezaaid en die ik niet kon temmen. De wurgende angst kwam en ging in vlagen; ik wist wat het was... een voorgevoel. De wereld drong op naar alles wat mij dierbaar was. De dreiging kwam niet per se van haatdragenden en krankzinnigen, maar van het verleden, het verleden. Op manieren die geen enkel hek of wapen of bewaker kon tegenhouden. Ik hield de telefoon in de gaten, alsof een enkel telefoontje me zonder waarschuwing kon elektrocuteren.

Het kwam een paar dagen voor Kerstmis.

17

Ik weet wanneer vrouwen pijn hebben. Je hoeft geen extreem gevoelig man te zijn om de pijn in een ander mens aan te voelen, maar gezien mijn achtergrond ben ik een groter expert dan de meeste mannen. Ik wist dat er iets was gebeurd wat Hush nog meer pijn deed dan haar geheimen al hadden gedaan.

Terwijl ik in mijn bed lag in de kamer boven de hare, hoorde ik de telefoon in haar slaapkamer door de vloer heen zachtjes overgaan. Ik hoorde haar daarna urenlang heen en weer lopen. Ik stapte uit bed en begon ook rusteloos heen en weer te lopen; de planken kraakten onder mijn blote voeten en zij hield op te bewegen.

Zij hoorde mij. Ik hoorde haar.

Maar ze vroeg me niet om hulp. De volgende ochtend was ik niet snel genoeg in de keuken om haar in een hoek te drijven voor Eddie en Davis naar beneden kwamen. Davis maakte het ontbijt klaar voor Eddie. Hush maakte het ontbijt klaar voor Davis, en voor mij. Eddie en ik deden de vaat toen iedereen klaar was. We hadden gevieren een systeem. In maar een paar maanden tijd waren we een gezin geworden. Ik heb zelfs nooit geprobeerd Hush te vertellen wat die tijd voor me betekende.

'Ik ga een dag naar Chattanooga,' kondigde Hush aan. 'Misschien ben ik pas morgenochtend terug.'

'Ga je naar Abbie?' vroeg Davis. Niets wat zijn moeder deed leek hem te verbazen, zelfs niet dat ze midden in de week een dag vrij nam terwijl haar verwanten in de schuren druk bezig waren zijn spoedorders in te pakken voor verzending.

'Ja. Ze heeft wat problemen met haar man. Ik moet erheen.' Ze kuste Eddie boven op haar hoofd, woelde door Davis' donkere haren, negeerde mij en liep de keuken uit.

Ik zat daar loze gebaren met mijn handen te maken boven een bord pannenkoekjes die ze voor me had klaargemaakt. 'Abbie?'

'Oude vriendin van mijn ouders. Abbies man en mijn vader waren allebei dol op autoraces. Haar man heeft geld. Veel geld. Hij investeerde in paps team.' Davis viel aan op zijn eigen pannenkoekjes terwijl Eddie met een tengere hand in een kom cornflakes zat te roeren. De andere hand lag beschermend op haar uitpuilende buik. Ze had me een paar dagen eerder gevraagd te komen voelen toen de baby bewoog. Ik had bijna de verminkte hand op haar buik gelegd, maar bedacht me toen en koos de andere. Ik wilde de baby niet laten schrikken. Ik voelde hem schoppen. 'Hij kent nu al kung fu,' zei ik.

'O, Nicky, lieve oude soldaat.' Ze had gelachen en me omhelsd.

'Oude vrienden?' bleef ik Davis porren.

Davis zette een kannetje stroop tussen ons in als een grenspaal. De blik in zijn ogen zei: *bemoei je niet met mijn moeders zaken.* 'Moeder is haar vrienden trouw. Ze laat alles vallen als Abbie haar nodig heeft.'

Nee, dacht ik. *Ze laat alles vallen als Abbie haar midden in de nacht belt om haar te waarschuwen.*

Voorbij de bergen, net over de grens met Tennessee, kocht ik een beker koffie en een appel bij een benzinestation met winkel langs de snelweg, ging in mijn auto zitten en sloot mijn ogen. Toen beet ik in de appel, puur om mezelf eraan te herinneren dat de wereld buiten de Hollow geen beschermende magie kende. Geen zoete uitbarsting van genot op mijn tong. Ik zat hier helemaal alleen met een alledaagse appel te wachten tot de hamer van God op mij en de mijnen neer zou komen.

Op betere dagen hield ik van Chattanooga. De historische oude stad was het visitekaartje van het erfgoed van het Oude Zuiden, maar had geen overdreven hang naar het verleden. Vrienden van me hadden een belangrijke rol gespeeld bij het omvormen van rijen bouwvallige pakhuizen langs de brede Tennessee River tot een wijk vol winkels en restaurants. Vlakbij glom het hoge glazen dak van het Tennessee Aquarium, dat uitkeek over de rivier. Ik ontmoette Abbie op de bovenste verdieping van het Aquarium.

VAN DE BERGEN NAAR DE ZEE, stond op een bordje bij een educatieve tentoonstelling. De berghabitat rook naar laurier en mos, water en aarde en rotsen. Otters speelden in een stenen grot. Achter glazen wanden zwommen schildpadden en forellen en zeebaarzen met grote mond tussen reusachtige boomstronken en ruisende stroomversnellingen. Dit deel van het aquarium deed me altijd denken aan de Hollow, wild maar beschermd.

'Hush,' fluisterde Abbie huilend en we omhelsden elkaar. Ze was tien jaar jonger dan ik, maar leek op mij. Kastanjebruin haar, groene ogen, lang maar niet tenger. Daarmee eindigde de gelijkenis. Haar accent was veel stadser dan het mijne ooit zou kunnen worden; ze had een doctoraal gehaald op Vanderbilt; ze kwam uit een bankiersfamilie, een rijk voorgeslacht; en haar man, Nolan, was de erfgenaam van een van Tennessees grootste verzekeringsmaatschappijen en speelde een belangrijke rol achter de schermen van de staatspolitiek. Abbie wijdde haar tijd aan hun landhuis aan de rivier en hun twee zoontjes.

We bogen onze hoofden naar elkaar in een donkere houten koof, hoog in die door de mens gemaakte planeet. 'Ze hebben me gebeld,' fluisterde ze hees, mijn arm vastgrijpend om niet meer los te laten. 'De mensen van Haywood Kenney. Een van zijn assistentes. Die vrouw zei: "We hebben uit bepaalde bronnen vernomen dat wijlen de schoonvader van Eddie Jacobs een dubbelleven leidde. En dat u een verhouding met hem had toen hij overleed. We hebben getuigen. Bewijzen. Is het toeval dat uw man een van de grootste geldschieters van president Jacobs in Tennessee is?" Ik zei haar dat dat nergens iets mee te maken had en dat ik geen idee had waar ze op doelde. "Davy Thackery is al meer dan vijf jaar dood. Zijn vrouw en ik zijn goede vriendinnen. Ik ben getrouwd met de meest fantastische man die er bestaat." Ze zei: "Ach, kom nou. Wat vindt de president van die oude soap, nu zijn dochter met Thackery's zoon getrouwd is? Meneer Kenney zou graag uw commentaar horen, dat is alles. De losse eindjes aan elkaar knopen voor zijn publiek. U kunt zich echt niet verstoppen, dus u kunt maar beter met meneer Kenney praten. Als hij uw connectie met de schoonouders van Eddie Jacobs heeft ontdekt, zullen de andere media snel genoeg volgen. En misschien steekt er meer achter het verhaal, hmm?"'

Abbie zakte tegen me aan. Ik hield haar overeind. 'Abbie, ze hebben twee en twee bij elkaar opgeteld en zijn op vijf uitgekomen. Idioten. Het wil niet zeggen...'

'O, Hush, het enige wat ertoe doet is dat ze de waarheid boven water halen, langzaam maar zeker.' Ze hief haar hoofd op en keek me met gekwelde ogen aan. 'Ze zullen de rest ook ontdekken. Hush, Nolan kent de waarheid, maar mijn kinderen...' Ze keek steeds om zich heen, hoewel we helemaal alleen waren. 'Hush, ik wil niet dat een van mijn kinderen hieronder te lijden krijgt.'

'Nee.' Ik hoorde mijn eigen stem als een lege echo. 'Nee, ik laat...' Ik legde een koude, bezwete hand over de hare die op mijn arm lag.

'Wat kunnen we doen?' kreunde ze.

'Daar moet ik over nadenken. Ik weet het nog niet.'

'Het ergste is dat dit allemaal mijn schuld is. Nolan en ik overleven het wel. Maar je band met Davis en...'

'Het is niet jouw schuld. Het is de mijne, misschien, omdat ik geloofde in een gulden regel die ik had bedacht toen ik te jong was om beter te weten.'

'Wat voor regel?'

'*Geef mensen een goed verhaal en ze malen niet om de waarheid.*'

'O, Hush. Dat is waar, meestal tenminste.'

'Oké, we praten verder als ik wat heb bedacht.'

'Laat me alsjeblieft niet alleen met dit dilemma.'

'Ik ben in de herberg. Vlakbij.' De kunstmatige omgeving en de waarheid en het verleden en de toekomst benamen me plotseling de adem. Ik trok aan de zachte kraag van de leren jas die ik droeg. 'Ik moet naar buiten. Ik moet weg. Ik bel je straks. Laat het me weten als je vandaag nog iets anders hoort. Dan kom ik meteen.'

Ze omhelsde me. 'Hush, het spijt me zo.'

Ik had haar moeten haten en benijden om wat haar vrijerij met Davy in mijn leven had aangericht, maar ze had alleen maar domme fouten gemaakt, net als ik toen ik jong was. In zekere zin kwam het door mij. Davy had haar uit een menigte gekozen toen ze nauwelijks eenentwintig was en rijp voor problemen. Hij was achter haar aan gegaan omdat ze hem aan mij had doen denken toen ik nog jong en zacht en gemakkelijk te betoveren was. Ze was de enige van Davy's vrouwen die ik niet op het eerste gezicht had willen vermoorden.

Ik maakte de juiste geluiden, zei de juiste dingen, maar begon vanbinnen te rouwen. Spijt betuigen hielp niet.

Ik ben een spoorzoeker. Ik volgde Hush naar Chattanooga, zag haar het Aquarium binnengaan, wachtte buiten in de koude decemberochtend en zag haar naar buiten komen. Ze droeg een lange jas, een zachte bruine broek en een witte blouse die te dun was voor de temperatuur. Ze moest het ijskoud hebben, maar leek het niet te merken, of zich er niets van aan te trekken. De wind van een helderblauwe dag in de bergen blies haar jas open toen ze, haar hoofd gebogen en haar vuisten diep in haar jaszakken, het plein voor het Aquarium overstak. Nadenkend. Blindelings lopend. Ik trok mijn schouders op in mijn eigen zware donsjack.

Je hebt het koud. Ik zal je mijn jas geven. Kijk op. Zoek me. Je weet dat ik hier ben. Je wist dat ik je zou volgen. Dat doe ik altijd.

Ik volgde haar door een rustig straatje in een historisch gedeelte met leuke winkeltjes. Ze sloeg af naar de rivier en ik ging ook die kant op. De stad had een oude, smalle brug voor auto's omgebouwd tot een mooi wandelpad over het water. Ik kreeg kippenvel toen ze in de ijzige wind die lange overspanning van draagbalken en beton op liep. De brug was leeg die ochtend. Zelfs de harde kern van wandelaars en joggers was weggebleven.

Ze liep zonder op of om te kijken tot ze ongeveer halverwege was, strompelde toen naar de reling en pakte die met beide handen vast, zwaar ademend terwijl ze neerkeek op het gladde, grauwe water van de Tennessee River die meters onder haar diep en langzaam en dodelijk voorbij stroomde.

Ik overbrugde de afstand tussen ons in een paar seconden, zo snel dat ze nauwelijks de tijd kreeg me te horen rennen. Ze draaide zich om, wankelend, maar niet echt verbaasd. Ik nam haar bij de schouders. 'Als jij springt, spring ik ook.'

'Jakob!' Naar me opkijkend vol genegenheid en pijn, nam ze mijn gezicht in haar ijskoude handen. 'Wat doe je hier?'

'Ik geef niet op. En ik laat je niet gaan.'

'Ik was niet van plan te springen. Ik dacht erover wie ik zou willen duwen.'

'Vertel het me dan, dan gooi ik de smeerlap er voor je in. Je wílt me in vertrouwen nemen. Je wilde dat ik je naar hier zou volgen. Ik ben hier. Praat tegen me.'

Met langzaam groeiende verslagenheid, haar zware verdediging en dodelijk vermoeide trots loslatend, sloot Hush haar ogen. 'Abbie was het laatste vriendinnetje van mijn man.' Ze zweeg, slikte een paar keer moeizaam. 'En de moeder van zijn andere kind.'

'Puppy,' zei ik automatisch.

Ze knikte, en voor het eerst sinds ik haar kende, zag ze er moedeloos uit.

Ik kon niets anders doen dan haar in mijn armen nemen en dicht tegen me aan houden.

Er was een leuke herberg dicht bij het historische gedeelte van de stad, hoog op de oever van de rivier. Altijd als ik Abbie opzocht, haar nieuwe foto's liet zien van Puppy en dingen vertelde over haar dagelijks leven, logeerde ik in die herberg. Ik betaalde mijn kamer contant en schreef me in onder een valse naam. Ik nam alle mogelijke maatregelen om dat leven gescheiden te houden van mijn leven in de Hollow. Ik moest Davis beschermen. Puppy beschermen. Abbie en haar man en hun zoontjes beschermen. Sweet Hush Farms en alles waar het voor stond beschermen. En ja, ik moest ook mezelf beschermen.

Hush McGillen Thackery kon haar man niet in haar eigen bed houden, en uiteindelijk liet hij haar in de steek met het kind van een ander, dat ze nu heimelijk grootbrengt. Ze heeft zelfs haar zoon niet verteld dat hij een halfzusje heeft. Mooie legende. Een hoop mensen zouden dat nieuws graag verspreiden.

Dus noemde ik mezelf in Chattanooga juffrouw Ogden. Patricia Ogden. De eigenaars van de herberg gingen er altijd prat op dat ze mijn naam hadden onthouden, schreven me in hun gastenboek in en informeerden naar mijn familie. Ik had een complete familiegeschiedenis voor mezelf verzonnen.

'Als ik terugkom van mijn bezoekjes aan Abbie moet ik mezelf altijd helemaal schoon schrobben,' zei ik tegen Jakobek. 'En proberen terug te kruipen in de huid van Hush McGillen Thackery, de eerlijke vrouw die ik beweer te zijn.'

'Je lijkt mij eerlijk genoeg,' zei hij. 'Een moeder die voor haar zoon zorgt. En voor het halfzusje van haar zoon. Dat is wat ik zie.'

'De weg naar de hel is geplaveid met goede bedoelingen, Jakob.'

'Ja, ik ken die weg,' zei hij.

Ik bleef alleen op de veranda van de herberg zitten terwijl hij naar binnen ging om ons in te schrijven. Ik was te zeer van streek om meer te doen dan naar de winterse hagen en kerstversieringen in de oude, door de wind geteisterde eiken in de tuin te kijken. Een weids uitzicht van rivier en heuvels, huizen en winkels en verkeer en dagelijks leven roerde zich langzaam in de verte. De hoogte. Het uitzicht. Daarvoor had ik de herberg uitgekozen.

Toen Jakob weer naar buiten kwam, legde hij een hand op mijn schouder en schudde me even heel zacht door elkaar. Ik leek wel verdoofd. 'Weet je zeker dat je hier wilt blijven?' vroeg hij.

'Ik kan niet naar huis eer ik heb besloten wat ik moet doen. Ik moet een plan hebben. Mezelf weer onder controle krijgen zodat ik de juiste dingen kan zeggen. Ik weet alleen niet wat dat is. Moet ik Davis nog meer leugens vertellen? De waarheid voor Puppy verborgen houden, voor de rest van haar leven? Of moet ik niets doen en hopen dat de roddelaars zoals Haywood Kenney niet de waarheid over Puppy zullen achterhalen en het verhaal zullen vertellen puur omwille van het roddelen over de aangetrouwde familie van Al Jacobs?'

'De wereld is veranderd sinds we klein waren. De mensen kijken nergens meer van op.'

'Dat geldt niet voor mijn mensen. En niet voor mijn zoon.'

Hij gaf een kneepje in mijn schouder. 'Ik heb hier ook belang bij. Wat Davis kwetst, kwetst ook Eddie.'

'Ik maak me voortdurend zorgen om haar. Ik... ik mag haar, Jakob. Nee, ik hou van haar. Ze is mijn schoondochter en ik hou van haar.'

'En zij houdt van jou.'

Zo zaten we daar, terwijl een koude wind rond het hart van mijn familie wervelde, iets wat ik wanhopig graag wilde tegenhouden. Ik maakte een klaaglijk geluid en Jakobek trok me overeind. 'Laten we naar binnen gaan en daar verder praten. We hebben een kamer met een open haard. We zijn meneer en mevrouw Johnson. Bill en Patricia. Ik heb gezegd dat je met me getrouwd bent, juffrouw Ogden. Ze denken dat ik lesgeef aan een militaire academie waar ze nog nooit van gehoord hebben.'

Ik concentreerde me op het gevoel van zwakte in mijn knieën en het beven van mijn handen. Mijn keel deed pijn. Ik had zelfs Jakobek gecorrumpeerd, hem meegesleept in mijn doofpotaffaire. 'Bill, je schijnt een vrouw te hebben gehuwd die op instorten staat.'

'Mevrouw Johnson stort niet in.'

Ik nam de uitdaging aan en we liepen naar binnen.

Ik zat aan de afgeronde kant van een diepe, donkerrode bank voor de open haard in de kamer, mijn armen om me heen geslagen, in de vlammen te staren. De kamer was opgesmukt voor de kerst, met een in Victoriaans thema versierde boom en de geur van dennen die uit een slinger boven de haardmantel kwam. De meubels waren elegant en vrouwelijk en chic – veel brokaat, kant aan de witte kussenslopen, amberkleurige lampenkappen met kralenfranjes die vlekjes in de kleuren van de regenboog weerkaatsten tegen het hoge, versierde plafond. Een fantasie. Ik was dol op mijn fantasieën, maar ik raakte ze kwijt.

Mijn leven met Davy vloeide uit mijn mond als honing uit een smeltende honingraat. Ik had nooit eerder iemand de akelige feiten verteld die ik Jakobek tijdens die lange dag vertelde. Hij luisterde, stil als een muis, in een grote leunstoel bij de haard, voorovergebogen, zonder zijn blik ook maar een moment van me af te wenden, zijn ellebogen op zijn knieën, zijn grote, ruwe, tedere handen losjes neerhangend, klaar om me te helpen als dat mogelijk was, maar dat was het niet. De schaduwen om ons heen werden langer toen de avond viel. Jakobek schonk thee in van een rieten theewagentje dat de eigenaar had gebracht. Het kostte me de grootste moeite om een slok uit de kop te nemen die hij me aanreikte.

'Ik kwam ruim vijf jaar geleden achter het bestaan van Abbie, toen Davis net was vertrokken voor zijn eerste jaar aan Harvard,' vertelde ik hem. 'Had een gerucht gehoord en ging naar haar op zoek. Ik hield de ontwikkelingen rond de vriendinnen van mijn man altijd bij, gewoon om er zeker van te zijn dat ze geen problemen zouden veroorzaken voor mij en Davis. Ik was niet aardig tegen ze, Jakob. Telkens als ik er eentje vond, deed ik mijn best haar doodsbang te maken. Ik spoorde Abbie op en zei gewoon botweg tegen haar: "Als je mijn man nog eens aanraakt, ben je dood. Wíl je dood?" Dat had bij de andere meisjes altijd gewerkt. Maar deze magere zuidelijke schoonheid, dit rijke meisje – en ze was echt nog maar een meisje, net klaar met haar opleiding aan Vanderbilt – zij keek me met grote trieste ogen aan en zei: "Als de baby er niet was geweest, zou ik zeggen ga uw gang en maak me maar dood."

Als de baby er niet was geweest. Een kind. Davy's kind. Hij had die jonge studente zwanger gemaakt. Toen kon ik hém wel vermoorden. *Als de baby er niet was geweest.*

Abbie wilde geen abortus, maar ze wilde ook niet dat iemand van haar familie wist dat ze zwanger was. Ze wilde het kind, maar wilde het toch ook weer niet. Ze zei dat ze naar vrienden in Californië zou gaan en de baby na de geboorte zou afstaan voor adoptie.

Ik ging naar huis en zette Davy klem. Hij zei dat ik weigerde nog kinderen met hem te krijgen, en dat hij er altijd meer had gewild en dat het dus ook mijn schuld was. Maar ik zei dat hij míj ervan had weerhouden nog meer kinderen te krijgen, omdat ik het verdomde met hem om de ziel van nog een kind te strijden, zoals ik met Davis had gedaan.' Ik staarde in het vuur. 'Om een lang verhaal kort te maken, die nacht ruzieden we om alles wat ons huwelijk was geweest en nooit zou zijn. Het was de ergste ruzie die we ooit hebben gehad en er vielen harde klappen bij.'

Jakobek zei zacht: 'En daarbij ben je gewond geraakt aan je schouder.'

Ik kon mezelf er niet toe brengen ronduit te antwoorden – toe te geven dat ik had samengeleefd met een man die in staat was me van mijn eigen trap te gooien. Jakob verschoof licht in zijn stoel. Ik hoefde het niet toe te geven. Hij wist het. Toen ik naar hem opkeek, waren zijn ogen bijna zwart.

'Ik ben geen deurmat, Jakob. Ik vocht terug. Dus heb geen medelijden met me.'

'Dat heb ik nooit,' zei hij zacht. Een leugen. Een galante man. 'Ga verder.'

'Ik sloeg hem. Sloeg hem met mijn vuist pal in zijn gezicht. Hoe durfde hij datgene in gevaar te brengen dat ik met mijn trots en inzet had bereikt voor hem en onze zoon en mij. Ik deed mijn best hem pijn te doen.'

Ik zweeg even. 'En híj deed míj pijn. Ik kwam op de eerste hulp van het ziekenhuis terecht en zei tegen iedereen dat ik tijdens het jagen van de hoogzit was gevallen.' Ik zweeg weer, strekte mijn handen uit in de richting van het vuur, trok me weer terug in de schaduw en voelde dat Jakobek me nog indringender aankeek. 'Davy was ontroostbaar. Hij had spijt van wat hij me had aangedaan, spijt van Abbie, haar baby, maar het meest van alles... wilde hij niet dat Davis erachter zou komen en hem zou haten. Mijn man had zijn eigen eergevoel. Hij zei geen woord toen ik hem meedeelde dat ik niet zou toestaan dat zijn vriendinnetje het halfbroertje of -zusje van mijn zoon aan vreemden af zou staan, zodat ik nooit zou weten hoe of waar en zelfs óf dat kind wel met liefde werd opgevoed. Een paar uur later reed hij de Chocinaw op. Zijn dood was geen ongeluk, Jakob. Daar twijfel ik geen moment aan. Hij heeft daar zelfmoord gepleegd.'

Jakobek stond op. 'Sommige ereschulden kunnen maar op één manier worden terugbetaald.'

'Ik wilde niet dat hij dood zou gaan. Snap je dat?'

'De zaken zijn nooit zo simpel. Ja.'

'Abbie kwam naar zijn begrafenis. Ik zag haar ergens achteraan staan, ze huilde en zag er vreselijk uit... dat zwangere meisje, helemaal alleen... haar buik verbergend onder een te wijde kasjmieren mantel, rouwend om mijn echtgenoot. Ik wilde haar haten, maar kon het niet, dus hielp ik haar. Bedacht een plan. Logan zou weldra naar huis komen uit Duitsland, uit het leger. Zijn vrouw was gestorven – hij heeft echt een heel lieve Duitse vrouw gehad, Marla – en ik vertelde hem over de baby. En Logan, God zegene hem, Logan zei: "Als jij me helpt, neem ik de baby. Marla en ik wilden zo graag kinderen dat we niet wisten wat we moesten doen. Ze zou willen dat ik deze baby grootbracht. Alsjeblieft." Dus zo is het gegaan. Dat perfecte kleine meisje kwam met mijn broer naar huis en de mensen accepteerden ons verhaal, over dat ze Logans dochtertje was. Onze volksvertegenwoordiger, J. Chester Baggett, hielp me de juiste papieren te krijgen – een buitenlands geboortebewijs en zo – en ik verkondigde dat Logans kleine meisje Hush McGillen de Zesde heette. Hush Puppy. Einde verhaal.'

Ik legde mijn hoofd in mijn handen en wiegde in stilte heen en weer. Jakobek liet zich voor me op zijn hurken zakken. 'Kijk me aan,' beval hij nors.

Toen ik dat deed, streek hij met zijn vingers over mijn haren en mijn vochtige wangen. Zette me recht. Herstelde mijn evenwicht. 'Je gaat morgen naar huis en gaat met je zoon aan tafel zitten en vertelt hem de waarheid... Je moet het hem vertellen voor iemand anders de kans krijgt dat te doen.'

'De waarheid? Moet ik hem vertellen dat ik het lef niet had hem van kleins af aan te vertellen wat voor man zijn vader was? Een zoon heeft het recht om meer te verwachten van zijn moeder. Zou jij dat niet doen?'

Jakobek werd stil, zijn gezichtsuitdrukking hard, peinzend, triest. 'Ik zal je vertellen,' zei hij zacht, 'over de waarheid waarmee ik moet leven. De waarheid omtrent mijn moeder.'

Wat ik had geweten over Jakobek – wat er was gezegd, wat ik had gehoord en wat notoire leugenaars als Kenney de wereld vertelden over de duister afgeschilderde neef van de president – vervloog die avond met de rook door de Victoriaanse schoorsteen van de herberg. Jakobek beschreef zijn jeugd met woorden die mijn maag deden omkeren en mijn verdriet door de fijne zeef van zijn eenzaamheid goten. Het vlakke timbre van zijn stem maakte duidelijk dat hij niet wilde dat het als een smartlap werd beschouwd. Hij gaf me gewoon de feiten. Maar die waren hard.

'Doe dat niet,' zei hij zacht, toen ik met tranen in mijn ogen naar hem zat te luisteren. 'Jij wilt geen medelijden. Ik ook niet.'

'Ik heb geen medelijden met je. Ik lijd alleen met je mee.'

En dat was de waarheid. Ik leed met hem mee. Om wat het leven ons aandoet, te beginnen als we jong en volstrekt zonder verdediging zijn, en hoe beschamend dat is. Beschamend voor de families die het laten gebeuren, en de gemeenschappen die het laten gebeuren, beschamend voor de dagelijkse kleingeestigheid van het dagelijkse leven. Kinderen lijden en groeien als gevolg daarvan hardvochtig op, klaar om de kinderen die na hen komen pijn te doen. Het is een wonder als een enkele ziel door het verlies en de verslagenheid heen weet te breken. Dat is een moment om feest te vieren. Een onverwachte oogst is altijd de zoetste.

Ik knielde voor Jakobek neer, zoals hij voor mij was neergeknield. 'Er is niets waar jij spijt van hoeft te hebben. Ik had gelijk door in je te geloven, zoals de wespen... hoewel ik wel heb geprobeerd er weerstand aan te bieden. Ik heb me eerder laten beetnemen. Maar deze keer niet.' Hij hief zijn hoofd op en keek me aan.

De klok op de haardmantel sloeg tien uur in het donker boven het vuur. Ik stond op, streelde zijn gezicht, liep toen naar de badkamer, waar ik geen licht aandeed, en wachtte in het donker. Het eeuwenoude licht van sterren boven de oude rivier die de stad doorsneed scheen door de gebrandschilderde ruit van een bovenlicht naar binnen. Ik draaide de douchekranen open, stelde de temperatuur bij en liet het water over mijn handen stromen alsof de rivier zelf, warm en vol troost, binnen was gekomen. Ik hoorde Jakobeks voetstappen. Ik voelde zijn lichaam al voor hij zijn handen voorzichtig op mijn schouders legde. We hadden allebei behoefte aan reiniging.

'Ja, ik wist dat je me zou volgen,' zei ik zacht, 'en ja, ik wilde dat je me volgde.'

'Ik volg je al mijn hele leven,' fluisterde hij.

We kleedden elkaar uit in die vruchtbare warmte van die winteravond.

Hush en ik gooiden de kamer niet overhoop, trokken de lakens niet van het bed, bonden elkaar niet aan het hoofdeinde van het bed vast. Dat was allemaal niet nodig. Al die chaos, al die energie, al die verhelderende vreugde en zuiverende lust en tedere, intense seks kan twee mensen uit elkaar trekken en weer aan elkaar binden zonder uiterlijke bewijzen. Het is zo simpel als een kus, een snel ritme, een woord of twee op het goede moment, haar armen rond mijn schouders, mijn gewicht boven op haar. Toen we eindelijk moesten rusten, de dekens over ons heen moesten trekken en stil blijven liggen, wikkelden we onszelf helemaal om elkaar heen en ademden we tegen elkaar aan als sluimerende wolven, nog steeds klaar voor de aanval.

Vertel het haar. Vertel haar dat je van haar houdt en kijk dan wat ze zegt. En als ze zegt: 'Dank je, je bent goed in bed en ik geniet van je gezelschap,' zeg dan: 'Ja, dat is ook alles wat ik bedoelde,' en laat het daarbij.

Ik hou van je. Moeilijke woorden om te zeggen en goed te zeggen, en bovendien hadden we vandaag al genoeg problemen gehad. En daarbij, nee, ik wilde haar antwoord niet weten. Een van de weinige keren in mijn leven dat ik liever in het duister bleef tasten.

'Ik wilde je met rust laten,' zei ik een keer, diep in die schaduwen. Ik had haar haren liggen strelen, langzaam een roodbruine lok om mijn vingers gekruld.

'Je weet dat dat niet waar is,' beschuldigde ze me. 'Ik wachtte alleen tot je het zou toegeven.' Ze ging schrijlings op me zitten, kuste me en liet zich zo snel over me heen zakken dat ik niet om vergeving kon vragen.

Maar voor het eerst in mijn leven hoefde ik dat ook niet.

Als Jakobek me al zijn hele leven volgde, wachtte ik al mijn hele leven tot hij me zou vinden. Hij reed hoog en hard en teder op de juiste plekken; hij wist waar de geslachtsdelen van een vrouw voor dienden, wat ze prettig vonden, wat hij moest doen. En hij wist dat soms slechts een vederlichte aanraking van een vingertop op de juiste plekjes een wonder kon bewerkstelligen. Hij kende mij, instinctief. En ik kende hem.

Na al mijn jaren van woedende seks, geen seks, en seks om mijn huwelijk intact te houden, hoefde ik nu alleen maar de liefde te bedrijven. Een man lief te hebben. Nicholas Jakobek. Jakob. Ik wist niet of hij het aan zijn kant van het bed ook liefde zou noemen. Ik was te bang om het hem te vragen, en misschien was hij ook wel te bang om het mij te vragen. We had voldoende hoop om de nacht door te komen zonder het te zeggen. Ik hield van hem.

Ik had vanaf de dag dat hij de wespen betoverde, zonder reden geweten dat ik van hem hield. Hij boog zijn hoofd naar mijn borst en nam die in zijn mond. Ik riep *Jakob* toen ik klaarkwam en hij

volgde een seconde later in een stormvloed van beweging.
'Je hebt me te pakken,' fluisterde hij, alsof ik hem recht in het hart had getroffen.

18

Vroeg in de ochtend douchten we, kleedden we ons aan en betastten we elkaar nog een keer, en gingen toen op de bank voor de koude haard zitten, los van elkaar bij daglicht, wetend dat ons zware tijden wachtten. Spijt en overleving zijn praktische zaken, af te wegen tegen gezond verstand. Ik moest alles riskeren waarvan ik hield om alles te behouden waarvan ik hield. 'Ik zal eerst met Abbie praten,' zei ik vermoeid tegen Jakobek. 'Daarna ga ik naar huis, naar de Hollow, en ga ik met Davis aan tafel zitten – alleen wij tweeën – om hem de waarheid te vertellen over zijn vader, ons huwelijk en Puppy. Ik heb geen idee wat er dan verder zal gebeuren.'

'Dat heeft niemand. Maar je doet wat juist is.'

Ik keek hem mat aan. 'O? Ik ben niet dapper, en ik voel me zeer zeker niet nobel. Als ik me ergens zou kunnen verstoppen, zou ik dat doen. Maar lieve hemel, het is beter dat Davis de feiten van mij hoort dan van een of andere verslaggever.'

Jakobek knikte. 'Laten we gaan dan.'

'Praat jij met Eddie? Help je haar Davis te helpen begrijpen dat ik geen kwaad in de zin had toen ik die dingen verzweeg? Ik wil ook niet dat Eddie van streek raakt. Ik wil niet dat ze denkt dat ze in een familie vol akelige geheimen en valse eer getrouwd is.'

'Alle families hebben hun akelige geheimen en valse eer. Kijk maar naar de mijne. Kijk maar naar mij.'

'Jakob, er is niets akeligs of vals aan jou. Jij bent de meest waarachtige man die ik ken.'

Hij schraapte zijn keel en veranderde van onderwerp. 'Ik praat wel met Eddie. Ze is een sterke meid. Sterker dan ik me realiseerde... sterker ook dan Al en Edwina zich hebben gerealiseerd. Ze heeft een hoop mededogen in zich. Het komt wel goed met haar.' Hij zweeg even. 'Het komt wel goed met hen allebei. Met haar en Davis. Ze hebben het goed samen.'

'Ze zijn jong. Ze denken dat de liefde alles overwint. Ze hebben het mis, maar ik ben blij dat ze dat denken.'

'Je bedoelt dat wij beter weten,' zei Jakobek, me aankijkend.

Zoek nooit te veel achter de woorden van een man... of te weinig. Mijn nacht met Jakob analyseren zou een karwei voor andere nachten zijn, de eenzame nachten misschien, als en wanneer hij weer zijn eigen eenzame weg vervolgde. 'Ja,' zei ik uiteindelijk, gekweld, zoekend, onzeker. 'Wij zouden beter moeten weten.' Hij en ik wisselden een lange blik, toen knikte hij slechts. Hij wist niet wat hij verder moest zeggen, en ik wist niet hoe ik moest luisteren.

We waren geen van beiden dapper genoeg om toe te geven dat van iemand houden net zo simpel is als het gewoon zeggen.

Beneden in de kleine lobby van de herberg – een emotioneel wonderland van zachte kerstverlichting en versieringen die me kwelde met angsten die ik niet kon beschrijven – legde ik de sleutel van onze kamer op het bureau van de eigenaar terwijl Jakobek de koude, zonovergoten veranda op liep met mijn kleine weekendtas in zijn ene hand, zoekend naar een stompje sigaar dat hij altijd bij zich leek te hebben. Ik bewoog me langzaam, was onwillig om de dag onder ogen te zien, staarde naar de mooie bronzen kamersleutel, ouderwets en stevig. Tradities, waarden. Ik wilde dat ik een stevig slot op de toekomst van mijn gezin kon zetten.

Ik hoorde een gedempt geluid buiten, als een grote hond die door de gedroogde eikenbladeren slofte die het pad naar de herberg bedekten. Ik keek loom door de ruiten van de dubbele voordeur en bleef verbaasd staan. Daar stond Davis te wankelen, zijn gezicht woedend, maar getekend door tranen, een hand nog altijd tot een vuist gebald. Jakobek stond met zijn benen iets uiteen en met zijn rug naar mij toe. Hij haalde een hand over zijn mond. Ik zag bloed aan zijn vingers.

Mijn adem stokte in mijn keel. Ik rende naar buiten, liet de jas vallen die ik over mijn arm had hangen, wierp mezelf tussen Davis en Jakob. Er drupte bloed over Jakobeks onderlip. Hij veegde het er met zijn duim af. 'Je hebt me al vanaf de eerste dag willen slaan,' zei hij tegen Davis.

Davis staarde hem verbitterd aan. 'Behandel me niet als een kind. Dat is omdat je met mijn moeder hebt geslapen.' Hij richtte zijn vaders blauwe ogen op mij, vol woede en pijn. 'En omdat je mijn moeder hebt geholpen om te verbergen dat alles wat ze me heeft geleerd over liefde en over het huwelijk en mijn vaders eer een leugen is.'

Lieve hemel, hij wist het.

Terwijl Jakobek en ik de vorige avond onze ellende en onze strategieën hadden besproken en onze behoeften hadden bevredigd, en meenden dat we nog steeds het lot in eigen hand hadden, was mijn wereld door sluwe kwaadsprekerij in rook opgegaan. Het recht van het publiek om alles te weten is bij tijd en wijle een nobel ideaal, maar meestentijds is het een smoes om de honger naar roddels te rechtvaardigen. We zijn er zo aan gewend de levens van andere mensen als entertainment te beschouwen, dat persoonlijke privacy helemaal niets meer betekent, en de feiten nog minder.

Terwijl Eddie in hun slaapkamer boven in de Hollow lag te doezelen met een babytijdschrift op haar buik en weer een smekende brief van haar moeder in haar met tranen bevlekte hand, was mijn zoon naar beneden gegaan en langs een van de mannen van Lucille de keuken in gelopen om een glas melk te pakken. Dat Jakobek zonder verklaring een nacht wegbleef, deerde hem niet; hij had geen idee dat Nick ook naar Chattanooga was gegaan.

Zijn mobiele telefoon ging. Eddie had hem zo geprogrammeerd dat hij een paar noten van 'God didn't make the little green apples' speelde. Davis ontdekte waar het geluid vandaan kwam. Hij had zijn telefoon op een tafel bij de deur naar de achterveranda gegooid, die vol hing met kerstslingers en appelversieringen. Hij lag tussen werkhandschoenen, een doos speciaal koikarpervoer, gestuurd door het Japanse koningshuis, en een dossiermap met Davis' nauwgezette boekhouding over de orders van Sweet Hush-appels, appelproducten en appelgebak tijdens het herfstseizoen. Een week voor Kerstmis en we hadden al onze eerdere verkooprecords gebroken.

Fronsend, kijkend naar een appelklok waarvan de stam naar middernacht wees, haalde hij de telefoon te voorschijn. Na enkele maanden maffe telefoontjes van vreemden en vragen van de media te hebben beantwoord, en nieuwe geheime nummers te hebben bewaakt die de geheime dienst voor alle telefoons in huis had ingesteld, behalve voor de zakelijke lijn van Sweet Hush Farms, liet

Davis zich aan de telefoon niet zo snel beetnemen. 'U spreekt met Davis Thackery. Mijn vrouw slaapt en het is middernacht. Wie u ook bent, u belt mijn privé-nummer en ik hoop voor u dat het belangrijk is.'

'Meneer Thackery,' zei een zelfvoldane mannenstem, 'u spreekt met Haywood Kenney, ik bel vanuit Chicago en ik zou zeggen dat u maar beter uw vrouw wakker kunt gaan maken. Omdat, meneer Thackery, ik op het punt sta iets te vertellen over haar schoonfamilie waar ze misschien commentaar op wil geven voor het morgenvroeg in het hele land wordt uitgezonden. Dat hoop ik echt.'

En mijn zoon kon niets anders dan in sprakeloos afgrijzen blijven staan luisteren terwijl de afgrijselijke details over het leven van zijn vader over hem werden uitgestort. Toen Kenney hem vertelde dat Puppy zijn halfzusje was, zei Davis: 'Ik moet gaan,' legde hij de telefoon neer en draaide hij zich om naar Eddie, die inmiddels achter hem stond, zwevend als een zacht, zwanger visioen in een lang flanellen nachthemd met kleine appeltjes erop, dat ik haar had gegeven. Ze keek hem gespannen aan: 'Wie was dat? Is alles in orde?'

Mijn sterke, volwassen zoon kon zich er niet toe brengen te antwoorden. Hij ging in een stoel zitten die zijn vader had gemaakt van appelhout en waar ik trots appels in de houten rugleuning had gekerfd – de vrucht van de ruw ineengeslagen handen van zijn ouders – en hij legde zijn hoofd in zijn handen en begon te huilen.

Jakobek stond daar in Chattanooga met bloed aan zijn mond, een hand op mijn schouder, en de andere op die van mijn zoon – die zich op die manier stilzwijgend door hem liet troosten, nu er bloed was vergoten en zijn vader tot een bezoedelde geest was verworden. 'Waar is Eddie?' vroeg Jakobek zacht.

'Op weg naar Washington.' Elke centimeter van Davis' lichaam schreeuwde zijn ellende uit. 'Ze gelooft dat dit alles niet zou zijn gebeurd als ze niet met mij was getrouwd. Ze neemt zichzelf de publieke onthulling van de geheimen van mijn familie kwalijk.'

'Ga achter je vrouw aan,' zei ik.

'Geloof me, dat doe ik. Zodra ik wat antwoorden van je heb gekregen.' Hij wankelde. 'Hield je van pap? Of was dat ook allemaal een leugen?'

Als je zoon zoiets tegen je zegt is het alsof je vanbinnen een beetje doodgaat. Ik sloeg mijn armen om mezelf heen, trok mijn hart achter een stevige blokkade van verdoving. 'Dat was geen leugen. Ik hield van hem.'

'Je liet niet eens toe dat iemand een appel van je stal, maar je vond het goed dat pap andere vrouwen neukte?'

'Er waren jaren dat het beter ging, en jaren dat ik hem nodig had. En jaren waarin we zo ver mogelijk uit elkaar in een groot bed sliepen en elkaar zelfs niet per ongeluk aanraakten. Denk je dat getrouwd zijn simpel is? Denk je dat er voor dit alles een eenvoudige verklaring is? Trouwen is niet iets wat je alleen maar doet omdat je van iemand houdt. Of zelfs als je niet van die ander houdt. Je vader en ik waren niet voor elkaar voorbestemd, maar we werden partners. We werden ouders! We hoefden niet gelukkig te zijn met elkaar. We moesten alleen een zoon opvoeden die erop kon rekenen dat we er voor hem zouden zijn. En dat hebben we gedaan.'

'Je had het me kunnen vertellen! Ik heb me zo vaak afgevraagd waarom je nooit met hem meeging naar het racecircuit, en waarom ik jullie nooit hand in hand zag, of elkaar zag kussen. Ik dacht dat het een kwestie was van waardigheid. God.'

'Je vader wilde net zo graag als ik dat je opgroeide met twee ouders in huis. Hij en Smooch zijn als kinderen heel erg gekwetst; je vader wist hoe het was om een kind te zijn zonder een echt thuis en zonder ouders op wie hij kon bouwen. En ik wist op mijn manier ook hoe dat was, omdat ik mijn vader zo jong had verloren, en vervolgens mijn moeder toen ik zelf nog een kind was. Zou je gelukkiger zijn geweest als je was opgegroeid met gescheiden ouders, zoals de helft van de kinderen van je leeftijd? Zou je gelukkiger zijn geweest met ouders die voor je ogen ruziemaakten en een vader die alleen maar op bezoek kwam volgens het schema dat door een of andere rechter was opgesteld?'

'Het gaat om veel meer dan alleen dat. Hoe kun je rechtvaardigen dat je me niet over Puppy hebt verteld! Je had me in de waan gelaten dat ze mijn nichtje was. Ik had het recht te weten dat ze mijn zusje is. Zij had het recht te weten dat ik haar broer ben.'

'Ik heb de beste beslissing genomen die ik toen kon nemen.'

'Omdat pap haar wilde opvoeden maar haar identiteit geheim wilde houden uit respect voor jou en mij? Omdat hij de verantwoordelijkheid op zich wilde nemen?' Davis keek me wanhopig hoopvol aan. Ik aarzelde, zocht naar de juiste woorden. Die stilte verraadde me. Davis kreunde. 'Verdomme.'

'Het spijt me. Maar *ík* wilde haar hebben. En je oom Logan wilde haar hebben. Ze is geliefd en gewenst en ze heeft een goed leven, Davis, maar nu moet ze te horen krijgen dat Logan niet haar vader is en dat haar echte moeder haar heeft afgestaan. Zou ik het anders hebben gedaan als ik had kunnen voorkomen dat jullie dit alles hoorden? Nee. Ik zou helemaal niets anders hebben gedaan. Je bent een prima man geworden en God helpe me, als wat ik heb gedaan jou tot de man heeft gemaakt die je nu bent, dan kan ik niet zweren dat ik andere keuzes zou maken als ik het allemaal opnieuw kon doen. Kijk naar jezelf – je bent pienter en attent en je weet hoe je moet liefhebben en je bent met een fantastische, pientere jonge vrouw getrouwd...'

Davis ontplofte. 'Begrijp je het dan niet? Ja, ik ben met Eddie getrouwd omdat ik van haar hou! Omdat ik de romance wilde die mijn ouders hadden. Wat moet ik haar nu vertellen? Dat alles waarop ik mijn idealen heb gebaseerd niet meer was dan een toneelstukje van jou en pap, om de rest van de wereld voor te liegen... mij incluis?'

'Zeg haar dat je goed bent opgevoed. Zeg haar dat het ons erom ging je te leren meer te verwachten dan wat je eigen ouders hadden gehad. Zeg haar dat je met haar bent getrouwd uit liefde en respect, omdat wij je dat geleerd hebben. Die dingen zijn echt, Davis. Of je vader en ik in praktijk brachten wat we predikten doet er niet toe, wat we predikten was de waarheid.' Ik stak mijn handen naar hem uit. Hij stak afwerend een hand op en deed een stap achteruit. Er liepen nog steeds tranen over zijn wangen. En over de mijne. Ik kreunde. 'Haat je me echt?'

De wind leek aan te zwellen op die woorden. Jakobek verstevigde zijn greep op mijn schouder, waarschuwend. Davis sloeg met zijn hand naar de koude bries, wankelde en zei toen met een vreemde, gebroken stem: 'Op het moment, moeder, weet ik niet wat ik voor je voel.'

Hij draaide zich om en liep weg. Ik zakte op het pad naar de herberg in elkaar, maar werd tegengehouden doordat Jakobek de kraag van mijn blouse beetpakte. Ik zag mijn zoon in de vrachtwagen stappen waarmee hij was gekomen. Ik zag hem verdwijnen door een straat in Chattanooga met aan weerszijden prachtige winterse bomen.

Jakobek boog naast me door zijn knieën. 'Kom op. Ik help je naar binnen.' Hij trok me overeind en leidde me naar een bankje dicht bij een glimmende boom vol Victoriaanse engeltjes. Ik ging zitten en kneep mijn ogen dicht. 'Wat heb ik gedaan?'

Jakobek boog zich over me heen, nam mijn kin in zijn handen en hief mijn gezicht op naar het zijne. 'Je hebt je zoon een vader gegeven van wie hij kon houden. Je hebt Puppy een vader gegeven van wie ze kon houden. Ik weet niet eens hoe mijn ouweheer heette, maar ik heb mijn hele leven geweten dat hij er was, ergens, en misschien niets van mijn bestaan wist en er waarschijnlijk niets om gaf. Geloof me. Moeders zijn hun kinderen een vader schuldig. Je hebt gedaan wat juist was.'

'Als je dat werkelijk gelooft, ga dan achter Davis aan,' fluisterde ik. 'Volg hem helemaal naar Washington. Zorg voor hem en Eddie. Probeer met hen te praten. Ik moet terug naar de Hollow om voor Puppy te zorgen. Maar zorg jij alsjeblieft voor mijn zoon, Jakob. Alsjeblieft!'

'Natuurlijk.' Hij sprak met het kalme verdriet van een soldaat die weet dat wat hij doet niet fraai is. 'We zijn immers een team, weet je nog?'

Ik bleef daar zitten zonder me te verroeren, versuft. Met al mijn harde werk, vurige trots en goede bedoelingen was ik er niet in geslaagd mijn gezin te beschermen. Mijn goede verhalen waren ontmaskerd als wensgedachten. Mijn reputatie was weg. Mijn legende was teruggebracht tot een rotte kern. Mijn zoon haatte me! Mijn eigen vlees en bloed haatte me.

'Mevrouw Johnson, voelt u zich wel goed?' vroeg de herbergier.

'Mijn naam is Hush McGillen Thackery,' antwoordde ik. 'En zodra ik me weer kan herinneren waarom dat er nog steeds toe doet, ga ik naar huis.'

Het vergde het uiterste van me om Hush daar achter te laten, zoals ze er op dat moment uitzag. Ja, ik wist dat ze het soort vrouw was dat voor zichzelf en iedereen om zich heen kon zorgen. Als ik had geprobeerd nog meer voor haar te zorgen dan ik al had gedaan, zou ze me gezegd hebben op te donderen. Ze had nu maar één ding van me nodig, en ik respecteerde haar keuze: haar zoon.

Ik zou achter hem aan gaan en dienstdoen als de stem van zijn moeder tot hij weer bereid was naar Hush zelf te luisteren. Intussen zou ik Eddie vertellen dat ze was getrouwd in voor- en tegenspoed, dat zij evenmin schuld droeg aan wat er was gebeurd als iemand anders, en dat alle grijze gebieden tussen vertrouwen en eenzaamheid de moeite waard waren. Ik was plotseling een expert op het gebied van liefde en huwelijk.

Niet dat dat besef voor mij niet te laat kwam.

Al en Edwina stonden op het punt om uit Washington weg te gaan om Kerstmis te vieren bij een van de zusters van Edwina toen ze het nieuws over het programma van Haywood Kenney hoorden. Ze kregen een volledig verslag van hun staf terwijl Kenney doorging alles over de zogenaamd ranzige connectie tussen de nieuwe schoonfamilie van de president en de vrouw van een grote geldschieter van Jacobs in Tennessee uit te zenden. 'Had jij hier enig idee van?' vroeg Al aan Edwina.

'Ik wist dat Hush iets verborgen hield. Ik had wat... onderzoek gedaan. Ik had haar gewaarschuwd me alles te vertellen, zodat ik haar kon helpen. Ze weigerde.'

'Natuurlijk weigerde ze!' schreeuwde Al. 'Dat zou ik ook doen als iemand me bespioneerde! God, ik schaam me voor je!'

Dat Al – haar toegewijde Al – zich voor haar schaamde had iets heel zeldzaams tot gevolg. Edwina, de mensenhaai van het moederschap en de politiek, de sterkste vrouw die ik kende met uitzondering van Hush, barstte in tranen uit. Al was daar zo beduusd van dat hij haar omhelsde, maar tegelijk zei hij op de geen-gezeiktoon van een slagerszoon uit Chicago: 'Er gaat hier het een en ander veranderen!'

En zij knikte tegen zijn borst.

Ik liep de privé-vleugel van het Witte Huis binnen toen Al en Edwina Eddie en Davis bij de deur ontvingen. Edwina's gezicht was gezwollen maar kalm, en ze spreidde haar armen. 'O, schatje, welkom thuis. En kom hier, Davis. Het is zo heerlijk jullie weer te zien. Het spijt me allemaal zo.'

Ze nam eerst de erg zwangere, erg verdrietige Eddie in haar armen, en daarna de grimmig kijkende maar galante Davis, terwijl Al en ik vanaf de zijlijn toekeken. Davis wendde zich tot mij en staarde me steenkoud aan. 'Heeft moeder je achter me aan gestuurd?'

Ik knikte. 'En ik ga niet weg voor je luistert. Dus wen maar aan me.'

Eddie protesteerde met zachte stem: 'Nicky, dit is een probleem dat je niet kunt verhelpen door ons te bewaken.'

In de Hollow, in Dalyrimple, en in heel Chocinaw County verspreidde het nieuws van Haywood Kenneys programma zich als een infectie. Smooch was de eerste die bij me voor de deur stond, het huis in rende, haar donkere haren helemaal in de war, een dik blauw ski-jack om haar middel geknoopt. 'We dagen die klootzak voor de rechtbank voor de leugens die hij over mijn broer vertelt! Ik bel een advocaat! Wie denkt hij wel dat hij is... en hoe komt hij aan al die leugens? Mijn broer mag in zijn jeugd dan een wilde jongen zijn geweest, maar om te beweren dat hij andere vrouwen heeft gehad nadat hij met jou getrouwd was… en dan die Abbie… die beweert dat Puppy de dochter van mijn broer is…'

Haar stem stierf weg. Ze staarde me aan. Ik stond midden in de keuken, op blote voeten, mijn haar nog erger in de war dan het hare. Ik droeg een oude spijkerbroek en een sweatshirt en hield een dot kerstslingers in mijn klamme handen. Vraag me niet waarom ik nog meer versieringen wilde ophangen in een huis dat al van de nok tot de kelder vol hing. Ik wist alleen dat ik bezig moest blijven en me moest concentreren op ongeacht welk klein karweitje dat ik kon vinden.

'Ik heb een bericht voor je ingesproken,' zei ik. 'En ik heb Logan gebeld. Hij zal zo hier zijn. Met Puppy. We moeten een manier vinden om haar duidelijk te maken wat er aan de hand is.'

Smooch liet haar jas op de grond vallen, leunde zwaar op een keukenstoel en ging langzaam zitten toen ik haar bij haar arm pakte en haar hielp. 'Bedoel je… Hush, bedoel je dat wat die man over Davy zegt… dat het waar is?'

Ik ging naast haar zitten en probeerde haar te omhelzen. 'Het spijt me.'

Ze wendde zich van me af, legde haar hoofd op haar armen op de grote tafel die ze Davy en mij had gegeven toen we tien jaar getrouwd waren en begon te snikken. 'Jullie waren mijn grote voorbeeld. Al die jaren ben ik op zoek geweest naar een man die zou voldoen aan de norm die jij en Davy hadden gesteld. Weet je hoeveel mannen ik heb afgewezen omdat ik het perfecte huwelijk wilde, zoals jij en mijn broer?'

'Het spijt me. Je weet niet hoezeer het me spijt.'

'Het was niets dan een fabeltje!'

'Ik wou,' zei ik, 'dat het leven zo simpel was.'

Een uur later maakte ik Puppy aan het huilen. En Logan. En mezelf. En Smooch weer, die handenwringend en kreunend om ons heen hing als een spook op een kerkhof. Logan wist absoluut niet wat hij moest zeggen en kon alleen maar de tranen over zijn wangen laten lopen. 'Schatje,' zei hij hees, naar Puppy in mijn armen kijkend, 'het is goed.'

'Maar ik wil geen nieuwe pappie,' snikte Puppy. 'En hoe kan ik nou een mama hebben die Abbie heet als mijn mama in Duitsland in de hemel is?' Ze rende naar boven met Smooch achter haar aan, op weg naar de kleine, roze slaapkamer die ik zo liefdevol voor haar had ingericht in het huis van haar vader. Logan en ik hoorden de deur dichtslaan. Zijn brede schouders hingen omlaag. Hij droeg zijn sheriff-uniform, en zijn hoed lag tussen zijn grote voeten op de grond. Hij boog zijn hoofd en zei niets, veegde alleen over zijn ogen. Ik ging naast hem zitten, huilde zelf zo hard dat ik ook niet kon praten. 'Bubba Logan,' zei ik uiteindelijk. 'Bubba Logan, het spijt me zo.'

'Voordat...' hij moest even naar woorden zoeken, '... voordat Lucille met Eddie vertrok, zei ze dat een man alleen Puppy hier niet doorheen kon helpen. Wat denk je dat ze bedoelde, zus?'

Ik staarde hem aan. 'Ze bedoelt dat ze van jou en Puppy houdt en dat ze terug wil komen om voor jullie te zorgen. Je hoeft het haar alleen maar te vragen.'

Hij dacht een hele minuut over die onthulling na. 'Godzijdank,' zei hij ten slotte.

Ik had in elk geval iets goed gedaan.

Maar ik moest ook de rest van mijn familie nog onder ogen komen. Vreemde en wonderlijke mensen, de McGillens en Thackery's. Afgezien van Aaron en zijn gezin kwamen mijn verwanten allemaal zonder te bellen, zonder te vragen, zonder te oordelen. Meer dan veertig mensen verzamelden zich in mijn keuken, dicht op elkaar, wachtend. Ik ging aan de korte zijde van de tafel staan. 'Ik hield mezelf altijd voor dat het niemand behalve onszelf iets aanging wat voor huwelijk Davy en ik achter gesloten deuren hadden. Ik dacht dat we onze zoon – en onze familie – een dienst bewezen door te doen alsof we gelukkig waren. Jullie waren allemaal zo op dat beeld van ons gaan vertrouwen. De boerderij was er ook van afhankelijk, het bedrijf. Elke keer als ik een deal sloot met een fruitgroothandel of een winkelketen – vooral in de beginjaren, toen iedereen buiten Chocinaw County zei dat ik de Hollow nooit winstgevend zou kunnen maken – dan dacht ik: *als ze ook maar enige zwakte in me opmerken, zullen ze zeggen: "Ze is maar een meisje dat niet eens haar eigen huishouden draaiende kan houden," en me dan de rug toekeren.* Ik kon niet toestaan dat die mannen, of wie dan ook, vermoedden dat Davy en ik niet werkelijk een team waren. Dus deed ik alsof. En Davy ook. Hij wilde dat jullie dachten dat we een perfect stel waren. Jullie respect was belangrijk voor hem. Het respect van zijn zoon was belangrijk voor hem. Daar leefde hij voor. Ik wil dat jullie weten dat... hij altijd zijn best heeft gedaan mij en Davis goed te behandelen, en toen hij ontdekte dat hij de vader zou worden van het kind van een andere vrouw... deed hij ook wat juist was.'

Goed, dat laatste was een leugen, tenzij je het zo interpreteerde dat Davy eerbaar had gehandeld door zelfmoord te plegen. Een goed verhaal. Een gebaar jegens Davy. En Davis. En Puppy. 'Hij deed wat juist was voor de baby. Puppy is inderdaad Davy's dochter, jazeker, maar dat doet er niet toe. Ze maakt deel uit van deze familie, en hij was van plan dat te respecteren. En ik weet dat hij zou willen dat jullie dat ook doen, in zijn nagedachtenis.'

Ik zweeg even, spande me tot het uiterste in om niet te gaan huilen. Ze hadden me in al die jaren zo zelden zien huilen dat ik dacht dat ze er misschien van zouden schrikken. 'Luister, ik begrijp het als sommigen van jullie niet meer voor me willen werken. Ik heb zelf een hekel aan leugenaars... ik heb op het moment een hekel aan mezelf. Ik neem het niemand kwalijk als hij niets meer met me te maken wil hebben.'

Gruncle keek me aan met ogen als donkere, koele knikkers verpakt in gekreukeld papier. 'Hou maar op met dat gejammer. We weten hoe het zit. Davy was een patser met een grote mond en een vrouwengek en een held op het racecircuit. Ja, hij was een goede vader en een sterke vriend en als echtgenoot goed genoeg om dat toneelstukje met je op te voeren, omwille van jou en omwille van zijn zoon. Maar als je denkt dat wij geen van allen wisten dat jij zijn reputatie hoog hield zonder veel hulp van zijn kant, dan moet je wel denken dat we allemaal stekeblind zijn.'

'Jullie wisten... wat?'

'God zij hem genadig, we wisten dat hij zwak was tot in de kern. Dat wisten we. Hij besloot als kind al dat hij kwaad was op de hele wereld en dat de wereld hem iets verschuldigd was. Ik heb hem al die jaren zien worstelen met zijn eigen aard. Ik heb altijd geweten dat het door jou en Davis kwam dat hij in staat was dat te blijven proberen, en ik bedacht dat elke keer als hij niet bij jou en Davis in de Hollow was, nou ja, dat dan de slechtste kant van zijn aard weer de overhand had gekregen.'

Iedereen knikte. Diep in de menigte sloeg Smooch haar handen voor haar gezicht en huilde, terwijl diverse Thackery's en McGillens haar omhelsden en op de schouders klopten. De waarheid drong tot me door. Ik voelde het gewicht ervan verschuiven van mijn hoofd naar mijn hart, en het maakte me licht genoeg om te wankelen, maar te zwaar om te vallen. In evenwicht, misschien. Ik had de sympathie van mijn familie, maar dat was ten koste gegaan van mijn trots. Al die jaren had ik gedacht dat Davy en ik iedereen voor de gek hadden gehouden. Niet dus.

Verdrietig en leeg en verloren zonder die wapenrusting van mijn veronderstellingen om me heen zei ik: 'Nou, dan valt er verder niet veel te bespreken. Ik waardeer jullie steun, maar nu moeten jullie me verontschuldigen. Ik moet proberen Davis aan de telefoon te krijgen. Proberen hem wat van zijn woede uit het hoofd te praten.'

Gruncle fronste zijn wenkbrauwen. 'Ga je proberen hem en Eddie terug naar hier te krijgen?'

'Ik verwacht niet dat dat zal lukken.'

'En Jakobek dan? We zijn aan hem gewend geraakt.'

'Hij was hier vanwege Eddie. Ik weet het niet.' Ik zakte een beetje voorover. 'Ik denk niet dat hij terug zal komen.'

'Bij mijn broer kon je er tenminste van op aan dat hij altijd terug zou komen,' zei Smooch luid. Boos en blozend keek ze naar haar familieleden alsof die haar hadden verraden. 'Misschien was hij niet helemaal zoals we graag hadden gewild dat hij zou zijn, maar hij bleef het wel proberen! Daar draait het in een huwelijk toch om... partners die bij elkaar blijven en er het beste van proberen te maken. Ik heb kansen op geluk weggegooid omdat jij me een fantasie verkocht, Hush.' Ze keek me vooral heel verdrietig aan. 'Ik ga hier weg. Ik neem ontslag.'

Sommige mensen jammerden en zeiden dingen als *dat zeg je nu*, en schudden hun hoofden, maar ik twijfelde niet aan wat ze zei. 'Smoochie, je baan wacht op je als je van gedachten mocht veranderen, en doe dat alsjeblieft.'

'Het spijt me, maar dat zal niet gebeuren.'

Ze baande zich een weg tussen de anderen door en verdween. Het geluid van de voordeur die achter haar dichtsloeg, deed mijn hart ineenkrimpen. Iedereen zuchtte en maakte zachte, huilerige geluidjes, maar niemand zei iets. Het was een van die momenten waarop niemand nog iets wil zeggen; ze wilden gewoon zo ver mogelijk van het verdriet vandaan. Ik zat aan tafel en staarde naar mijn handen op het zware, geboende hout terwijl de menigte langzaam mijn huis verliet.

Toen ik eindelijk weer opkeek, was ik alleen.

Kerstmis brak aan in Washington. Ik belde Hush met een dagelijks verslag – kort, vijf minuten, niets persoonlijks. Ze hield het ternauwernood vol en had geen behoefte aan sentimentaliteit die een spaak in het wiel zou kunnen steken. Ik begreep dat maar moest me toch verzetten tegen de aanvechting om haar ieder uur te bellen, en een uur lang te praten. Vreemde aandrang voor een man die nooit een prater was geweest. Soldaten zonder oorlog zijn sprakeloos; soldaten in vredestijd, slechts gewapend met woorden, zijn stil en onzichtbaar. Willen praten was mijn straf voor alle zwijgzame jaren die ik had doorleefd. Ik was gedoemd een soldaat te zijn, een niet-sprekende menselijke kijker die het donker in tuurt, wachtend.

Ze wist het misschien niet, maar zij wachtte ook.

Kerstmis. Ik zat de hele dag voor een koude haard in de woonkamer, te luisteren naar het antwoordapparaat dat alle telefoontjes beantwoordde. Mijn familieleden bleven maar bellen, om te vragen hoe het met me ging. Ze wilden komen. We hielden gewoonlijk grote kerstfeesten in de Hollow, maar niet dit jaar. Uiteindelijk zette ik een bericht op de telefoon.

Geen nieuws. Heb gewoon tijd nodig om na te denken. Vrolijk kerstfeest.

Ik wachtte op Jakobeks dagelijkse telefoontje. Toen het kwam, sloeg ik een arm om mijn hoofd en kroop in een hoekje van de bank met opgetrokken knieën en de telefoon tegen mijn oor geklemd. Jakobeks rustige, diepe stem, die van ver weg doordrong tot het als een baby opgekrulde hoopje mens dat ik nu was, hield me op de been. Hij gaf toe dat Davis nog niet milder was geworden, maar zei dat hij, Jakobek, het niet zou opgeven. Hij stond tot mijn dienst. Hij was in de geest bij me.

Ik wilde dat hij voor altijd zou blijven praten.

'Eddie? Kolonel? Ik heb net ontslag genomen uit de geheime dienst. Ik kom jullie gedag zeggen.' De dag na Kerstmis stond Lucille in een gang van de privé-vleugel met een gebloemde reistas. Gebloemd. 'Ik ga terug naar Georgia. Ik heb een sollicitatiegesprek bij het Bureau voor Recherche daar. Als veldagent misschien. Sheriff McGillen heeft een goed woordje voor me gedaan.'

Eddie keek geschokt van haar naar mij. 'Nicky, wist jij hiervan?' Ik knikte. Eddie wendde zich tot Lucille. 'Waarom ga je weg? Wat het probleem ook is, ik zal met je bazen praten. Je kunt me niet in de steek laten. Ik zie je als een… Lucille, waarom?'

'Laat me je eerst eens vragen… waarom ben jij blij om hier te zijn, in plaats van in de Hollow? Na alles wat je hebt doorstaan om daar te komen en iets te bewijzen over hoe je je leven wilt leiden?'

'Dat heb ik bewezen. Nu moet ik de verantwoordelijkheid nemen voor de schade die ik heb toegebracht. Ik hoor niet in de Hollow – althans niet als persoon die zich daar alleen maar verbergt. Ik heb er alleen maar het verkeerde soort aandacht op gevestigd. Dat besef ik nu. Davis en ik zijn partners. We kunnen overal wonen. We… we zijn schildpadden. En we luisteren naar het advies van de appelbomen.' Ze zweeg even. 'Probeer maar niet het te begrijpen. Ik citeer de filosofie van Hush.'

Lucille glimlachte. 'Goed. Je hebt heel veel toegewijde mensen om je heen die voor je welzijn zorgen. En je hebt een goede echtgenoot die van je houdt, die voor je zorgt. Daar ben ik nu van overtuigd. Dus is het… tijd dat ik wat anders ga doen.' Ze zweeg even en zei toen bars: 'Sheriff McGillen heeft me nodig. Zijn dochter heeft me nodig.' Haar stem werd teder. 'Ik moet voor een ander meisje gaan zorgen, zie je?'

'O, Lucille.' Eddie omhelsde de lange, gespierde blondine. 'Wat ik wilde zeggen was: *ik zie je als een zuster.*'

'Dan heb ik aan jouw verwachtingen, en de mijne, beantwoord.' Lucille deed een stap terug, schraapte haar keel, snufte wat tranen weg. 'Ik wil de kolonel graag even spreken, alsjeblieft.'

Eddie knikte en liet ons alleen. Lucille stak haar hand uit. We schudden elkaar warm de hand voordat ze zei wat ze had willen zeggen: 'Kolonel, mensen als u en ik moeten een goed doel en een goed thuis zien te vinden, anders blijven we ons hele leven door het donker zwerven. We moeten inzien waar we het hardst nodig zijn – en wie we zelf het hardst nodig hebben.' Ze keek me doordringend aan. 'En dan moeten we de moed verzamelen om het te zeggen. Ik heb het gedaan. U kunt het ook.'

'Het zeggen is één ding. Bang zijn dat het niet beantwoord zal worden is wat anders.' Ik schudde haar de hand en liet het daarbij.

Moed en keuzes en verloren kansen. Ik dacht over alle drie na toen ik die middag de stad in wandelde. 'Nee, dank je,' zei ik tegen de agenten van de geheime dienst die aanboden me te volgen, en dook daarna een bewakerspoortje door. Ik was lang en in bepaalde aspecten onmiskenbaar… maar in andere gewoon een man alleen – oude kaki broek, een dikke trui, mijn appelrode Sweet Hush Farms-werknemerspeld aan de binnenkant van de kraag van een lange grijze jas, mijn geheim. Ik stak mijn handen diep in de zakken van mijn jas en probeerde, mijn hoofd gebogen, het verleden, het heden en de toekomst van me af te lopen.

Ik geloof dat ik op die koude, heldere decembermiddag bijna de hele stad heb gehad. Ik liep in de schaduw van de monumenten en van het Capitool; zag mijn eigen gefronste voorhoofd in de ruiten van kleine winkels; stak bij rood licht levensgevaarlijke kruisingen over; zoog de koude geur van de Potomac op die naar de Atlantische Oceaan dreef.

Er begon iets door mijn hoofd te scanderen.

God, vaderland, appeltaart.

Hush.

Laat op de dag keek ik op van het volgen van het ritme van mijn schoenen op de trottoirs en bleef ik verrast stilstaan. Ik was weer terug waar ik begonnen was. Het Witte Huis vormde weer het beroemde plaatje achter de beroemde hekken voor het beroemde gazon en de beroemde laan met zijn reusachtige betonnen plantenbakken en andere als ornamenten vermomde veiligheidsblokkades, de paden die slechts ruimte boden voor fietsverkeer, de stoepen nauwelijks toegankelijk voor voetgangers, onder de ogen van bewakers en camera's. Al had de vervelende gewoonte historische anekdotes over het Witte Huis te vertellen – dat het publiek in het begin van de twintigste eeuw elke week op de gazons kwam picknicken.

'Wat is er nodig om die gratie terug te brengen in de wereld?' vroeg hij vaak.

'Een tijdmachine,' antwoordde ik dan.

Ik vertelde hem nooit dat de barricades en de hekken en gewapende bewakers bij de poorten mij ook dwarszaten. Ik was een soldaat – een hardvochtige, onbuigzame Amerikaanse samoerai die van bewakers en barricades hield, die geen gevangenen maakte. Ik werd niet verondersteld me te storen aan de symbolen van de bescherming – of de angst die ertoe had geïnspireerd. Maar ik stoorde me er wel aan.

'We zouden hier meer openbare gazons moeten aanleggen,' zei ik tegen de bewakers. 'En het lijkt me goed om appelbomen in die grote plantenbakken te zetten.'

'Kolonel?'

'Appelbomen. Appels. Puur Amerikaans fruit. Appels duiden op gastvrijheid. Appels staan voor huiselijkheid en familiezin. De mensen zouden dat leuk vinden.'

Ze keken elkaar argwanend aan. 'Is alles in orde, meneer?'

Nee, er was niets in orde.

Dat ding dat al zo lang vanuit het donker naar me terugkeek was eindelijk gearriveerd.

Mijn nekharen gingen al overeind staan voordat ik hem zag. Hij was een grote, slonzige man, misschien honderdtachtig kilo, en zo'n vijftien centimeter groter dan ik – een kolos in een wijde camouflagebroek en een oud legerjack dat hij kapot had geknipt en waar hij repen bruine stof tussen had gezet zodat het nu een paar maten te groot was, zelfs voor hem. Donkere, vuile haren hingen over zijn schouders. Vettige zwarte stoppels maakten hem er niet mooier op. Zijn gezichtsuitdrukking was er een van boosheid, pijn, verwarring. In zijn ogen lag die broeierige, starende blik die niemand graag ziet.

Misschien een veteraan, dacht ik. *Niet oud genoeg voor Vietnam, maar mogelijk de Golfoorlog*. Of misschien was hij gewoon een arme verknipte klootzak die oorlog had gevoerd in zijn eigen hoofd. Hij zwaaide plotseling met zijn armen en joeg een stelletje geschrokken toeristen uit elkaar. Daarna legde hij zijn hoofd in zijn nek en riep naar de hemel.

'Ik ga dit verdomde hek opblazen. Dit is ook mijn huis en ik loop hier naar binnen en ga met de president praten! Ik heb het recht. Ik heb de macht! Ik wil niemand pijn doen! Ga allemaal opzij! Kijk.' Hij trok de jas open en draaide zich om. Zijn buik was omwikkeld met pakjes die evengoed gevaarlijke explosieven als een paar pond onschuldige klei in broodzakjes konden bevatten.

De toeristen schreeuwden en renden weg.

'Blijf uit mijn buurt!' riep hij tegen de bewakers. 'Ik heb ook nog dit!'

Hij schudde met zijn rechterarm. Een lang slagersmes gleed uit de vuile, opgelapte mouw van zijn legerjas. Hij pakte het gevest beet met een hand zo groot als een kolenschop en stak het lange mes toen omhoog. Zijn hand trilde. 'Blijf daar en er raakt niemand gewond,' brulde hij tegen de bewakers en mij. Zijn ogen ontmoetten de mijne. De zijne vulden zich met tranen. 'Blijf daar,' jammerde hij.

Hij bedreigt ons niet, dacht ik, terwijl mijn huid langzaam strak trok vanwege zijn pijn. *Die arme idioot probeert ons tegen hemzelf te beschermen.*

Achter me trokken de bewakers hun wapens en riepen assistentie op. Ik wist wat er zou gebeuren. Ze zouden zeggen dat hij het mes moest laten vallen en als hij dat niet deed, zouden ze een kogel in zijn been schieten. Als hij te zeer bedwelmd, te psychotisch of gewoon te koppig was om voor zijn eigen bestwil door zijn knieën te zakken zouden ze opnieuw schieten. En dan zouden ze hem doden.

Nee.

Ik liep langzaam in zijn richting. De bewakers werden razend. 'Kolonel! Meneer! Kom terug, meneer!' Ik stak mijn hand op in een verzoek om stilte en stapte uit het licht in het duister, de schaduwen in die de reusachtige, wanhopige mensenziel hadden opgeslokt die mijn starende blik beantwoordde. 'Waar denk je dat je mee bezig bent, man?' riep hij. Zijn stem brak.

'Jij mag praten. Ik zal luisteren.'

Hij staarde me pakweg een minuut aan, zwaaide toen vermoeid met het mes en begon te vertellen. Eerst langzaam, toen sneller. De woorden gutsten uit zijn mond. Een deel van mijn hersenen richtte zich op de sirenes die ik in de verte hoorde, het gespannen gefluister van de bewakers achter me, het geschuifel van geheim agenten die met de zachte tred van jagers hun posities innamen. Als de man één verkeerde beweging maakte, was hij dood.

Nee. Ik zou hem niet laten sterven.

Weinig van wat hij zei klonk zinnig – hij kwam niet met wijze ideeën of zelfs een vleugje genialiteit, geen aanwijzingen voor wie hij was en wat hem hierheen had gebracht om in het openbaar zelfmoord te plegen. Niets dan ellende en verwarring en verbittering en angst. De gezichtsloze dingen die bij hem, bij mij, bij ons allemaal in het donker leven. Hij was de ziel achter elk menselijk wezen dat ik in de strijd had gedood, terecht of onterecht. Hij was de stalker in Chicago. Hij was de vader die ik nooit had gekend, de broers die ik misschien had, ergens. Een deel van hem was Davy Thackery en een deel van hem was ik.

Hij was de dood. En hij was verlossing.

Uiteindelijk viel zijn stem terug tot een gejammer en begon hij te snikken. 'Hoe moeten we nou weten wat we moeten doen, man? Ik ben hierheen gekomen om het aan de president te vragen. Hij weet het vast wel. Hij moet het weten.'

'Ik kan je vertellen wat hij zou zeggen. Hij heeft het ooit tegen mij gezegd, toen ik de weg kwijt was.' Ik liep naar hem toe. '"*Laten we naar huis gaan.*"'

'Naar huis.' Zijn schouders zakten omlaag. Hij slaakte een zucht van opluchting. De hand met het mes zakte losjes langs zijn lichaam neer. 'Oké, man.' Zo eenvoudig was het.

Ik legde een hand op zijn schouder om hem tegen te houden terwijl ik naar het mes reikte. Zijn hoofd schoot omhoog toen een van de bewakers een onverwachte beweging maakte. Zijn ogen draaiden gejaagd naar die beweging. De hand met het mes bewoog als in een kramp.

'Liggen!' beval ik hem. Ik tackelde hem laag rond de band met explosieven. Hij struikelde en viel, met mij boven op hem. Het mes schoot met akelige precisie omhoog. Ik wist pas zeker dat ik in mijn borst was gestoken toen ik naar lucht begon te happen en me realiseerde dat het bloed dat zijn legerjack rood kleurde van mij was. Hij hief zijn hoofd op, zag wat hij had gedaan en kreunde: 'Het spijt me.'

Mijn zicht werd wazig. Ik legde mijn hand op zijn hoofd om hem te beschermen.

'Hush,' fluisterde ik.

'Oké,' fluisterde hij, me verkeerd begrijpend maar me toch begrijpend. Hij hield op zich te verzetten. Ik ook.

Hush.

19

IK ZAT MET PUPPY IN EEN GROTE SCHOMMELSTOEL OP DE ACHTER-veranda en hield haar dicht tegen me aan in de koude middaglucht. Ik had een warme deken om ons heen geslagen, waar een appelpatroon in geweven was. Ze verborg haar hoofd in de kromming van mijn nek en ik wiegde haar en kuste haar donkere Thackery-haren. 'Vertel me nog eens wie ik ben,' zei ze met een klein stemmetje.

'Je bent de zésde Hush McGillen en de twéédé Hush McGillen Thackery,' fluisterde ik. 'Dat maakt je heel bijzonder, en dat is het enige wat ertoe doet.'

'Weet je het zeker?'

'Ja, schatje, dat weet ik absoluut zeker. Mensen worden geboren om te worden wie ze willen zijn. Het gaat er maar net om hoe je je eigen verhaal vertelt.'

We hoorden voetstappen. Ik zette haar op de grond en ze rende door het huis naar de voorkant. Ik volgde haar gespannen. Toen ze Logan en Lucille zag, bleef ze staan. Logan keek op haar neer met roodomrande ogen. 'Hoe is het met mijn kleine meisje nu ze met tante Hush heeft gepraat?'

'Ik ben nog steeds de zesde Hush McGillen, pappie.'

'Absoluut.'

'En ik ben ook een Thackery, maar ik hoef mijn naam niet te veranderen. Namen zijn alleen maar het steeltje aan de appel, waarmee de appel vastzit aan de familieboom, dat is alles.'

'Dat klopt, schatje. Dat is alles, meisje. Ja. Je bent Hush McGillen. Je bent mijn Hush Puppy.'

'En het is prima dat Davis mijn grote broer is.'
'Dat klopt. Daar is niets mis mee.'
'Hij heeft me dit hartje gestuurd met de post.' Ze hield een klein, gouden, hartvorming hangertje omhoog. 'En hij heeft me opgebeld en gezegd dat hij blij is dat ik zijn zusje ben.'
'Hij is een lieve grote broer.'
'Weet je zeker dat je nog steeds mijn pappie wilt zijn?'
'Jazeker, juffie. Altijd. Altijd en eeuwig.'
'Goed!' Puppy sprong naar Logan toe en hij nam haar in zijn armen en hield haar heel stevig vast. Huilend hing ze om Logans nek en stak toen een handje uit naar Lucilles natte wangen. 'Lucy Bee! Jij zit bij de geheime dienst. Je huilt nooit!'
'Ik zit niet meer bij de geheime dienst. Iedereen mag me nu zien.'
Haar gezichtje betrok. 'Huil je omdat ik naar Abbie ga? Omdat je weet dat ze mijn mama is?'
'Ik huil niet omdat je naar je mama gaat. Ik vind het fantastisch dat je kennis gaat maken met je mama.'
'Maar daarna kom ik meteen weer met pappie naar huis.'
'Natuurlijk.'
'Tante Hush zegt dat ik zelf een mama kan uitkiezen. Ik kan meer dan één mama hebben.'
'Nou en of.'
'Dus heb ik hier ook een mama nodig.' Puppy slikte haar tranen weg. 'Wil jij dat zijn?'
'Ja! O ja, Puppy. Dat zou ik een grote eer vinden.'
'Oké.' Puppy legde haar handpalm op Lucilles haar alsof ze haar doopte. 'Ik noem je...' fluisterde ze, '... Lucille de Nummer-Eén-Mama.'
Lucille smolt weg in onverzettelijk stromende tranen. Logan sloeg zijn arm om haar heen en ze bleef even naast hem in de houding staan, maar liet zich toen opnemen in zijn grote omhelzing, met Puppy tussen hen in.
Ik veegde mijn eigen ogen droog en liet hen een poosje alleen. Ik liep terug naar de achterveranda en staarde naar de oude boomgaard, een winters tafereel van sluimerend leven. Ik kon net het silhouet van de Oude Dame onderscheiden. Ze fluisterde tegen me. *Kijk eens hoe sterk iedereen geworteld is, en hoe fantastisch die bomen van jou elkaar steunen.*
Ik knikte. Puppy zou meer vragen hebben naarmate ze ouder werd, waarvan sommige pijnlijk, maar het zou wel goed komen

met haar. Het zou goed komen met haar omdat ik haar daar had geplant waar ze thuishoorde. Kon Davis het ook maar zo zien.

En Jakobek.

Mijn mobiele telefoon ging, ergens in een van de bloempotten op de veranda, onder een mengsel van mos en voor de kerstdagen goudkleurig gespoten dennenappels. Ik schoof traag de gouden dennenappels opzij, hield de telefoon bij mijn oor en leunde tegen de reling van de veranda. Ik voelde me oud op mijn veertigste.

'Hallo?'

'Moeder.'

De ernstige stem van mijn zoon trok me overeind en maakte me weer jong. 'Davis! Ik ben zo blij dat je belt.'

'Het gaat om Jakobek,' zei hij.

Jakobek lag nog in de verkoeverkamer toen ik die avond in het ziekenhuis in Washington arriveerde. Zijn long was door het mes doorboord en hij had ontzaglijk veel bloed verloren uit twee slagaders die waren doorgesneden. Hij mocht van geluk spreken dat hij het had overleefd, zeiden de dokters na de operatie.

'Hij leeft,' fluisterde ik, tegen de muur geleund. 'Hij leeft.'

De geheime dienst reguleerde de toegang tot die vleugel van het ziekenhuis. Ik had de operatieafdeling bereikt, maar ze lieten me niet bij hem. 'We hebben bevel van mevrouw Jacobs om iedereen buiten de verkoeverkamer te houden,' zeiden ze beleefd.

Edwina.

Al was in China voor meer gesprekken over de handel, dus voerde Edwina het bevel over Jakobeks situatie en zat zij bij hem in de verkoeverkamer, samen met enkele Jacobs-verwanten en een priester – toen ik dat laatste hoorde zakte ik bijna door mijn knieën, tot ik te horen kreeg dat de priester gewoon een vriend van de familie was, die alleen maar voorging in een gebed voor Jakobeks spoedige herstel.

Ik liep een gang door, op zoek naar een fonteintje om wat water te drinken. Ik sloeg een hoek om en stond oog in oog met Davis. We staarden elkaar triest aan, een moeder haar zoon en een zoon zijn moeder. 'Ik ben blij dat hij weer beter wordt,' zei Davis. 'Dat meen ik.'

'Goed zo. Hoe is het met jou?'

'Ik heb een vraag. Toen je gewond raakte aan je arm en pap je naar de eerste hulp bracht, was dat echt een ongeluk?'

'O, Davis.'

Hij sloot zijn ogen, ademde uit en opende ze toen weer met een harde, nieuwe glans in de irissen. Er liep een rilling over mijn rug. Ik zag mijn zoon waarlijk volwassen worden, met al zijn getemperde vreugde en aanvaarde teleurstellingen. 'Iedereen zegt dat Jakobek een held is.'

'Daar ben ik het mee eens.'

'Maar niemand begrijpt waarom hij heeft gedaan wat hij heeft gedaan. Hij hoefde zijn leven niet te riskeren om een vreemde over te halen zich over te geven.'

'Ja, dat hoefde hij wel. Jakobek heeft een aangeboren gevoel voor goed en kwaad; ik weet dat het niet verfijnd is om te zeggen dat er kwaad in de wereld is, maar dat is er wel, en Jakobek herkent het. Hij zag dat die arme dwaas voor niemand anders een bedreiging vormde, en dat er geen kwaad in hem stak. Als er één ding is waar Jakobek in gelooft is het rechtvaardigheid. Het zou niet rechtvaardig zijn geweest om een verwarde man te laten doodschieten door bewakers.'

'Dan denk ik dat Jakobek inderdaad een held is.'

'Ik betwijfel of hij zichzelf zo zou noemen.'

'Moeder... vanaf het moment dat ik Jakobek ontmoette, voelde ik dat hij écht was op een manier waarop pap dat nooit was geweest. Ik kon dat gevoel destijds niet onder woorden brengen. Misschien was 't het zien van jouw reactie op hem, hoe je naar hem keek, je vertrouwen in zijn mening. Nu realiseer ik me waarom je relatie met hem me zo dwarszat.' Davis schraapte zijn keel. 'Omdat ik me niet kon herinneren dat je pap ooit zo had vertrouwd.'

'Ik wil niet dat je je vader haat. Hij heeft een heel moeilijke start in het leven gehad, en hij was al lang voor jij geboren werd voorbestemd om problemen te veroorzaken. Het is een bewijs van een zekere grootheid dat hij zo zijn best deed een goede vader voor je te zijn.'

'Een goede vader laat zijn andere kind niet in de steek.'

'Hij heeft Puppy niet in de steek gelaten; hij heeft alleen niet lang genoeg geleefd om het juiste te kunnen doen.' Een klein leugentje, maar toch. Goed, ik zou nooit helemaal een zekere neiging kwijtraken om, als dat nodig was, het mooiste verhaal te vertellen in plaats van de waarheid.

'Geloof je dat echt?'

'Ja.'

'Ik ga mijn best doen een goede echtgenoot en een goede vader en een goede man te zijn,' zei hij. 'Eddie en ik gaan in het voorjaar terug naar Harvard. Haar moeder heeft aangeboden een huis buiten de campus voor ons te huren. Met personeel. Bodyguards. We hebben besloten het aanbod aan te nemen. Vind je dat erg?'

'Ik ben er helemaal voor dat jij en Eddie teruggaan naar de universiteit.'

'Ooit kom ik naar huis. Maar ik moet eerst ontdekken wie ik ben, en ik moet vrede sluiten met hoe pap was. Ik kom naar huis als ik mezelf heb gevonden.'

'De Hollow en ik wachten met open armen op je.'

Hij knikte slechts. Er was een zekere afstand tussen ons, een trieste koelte; en het zou jaren duren voor we daar een nieuwe brug overheen hadden gebouwd. Het begin was in elk geval gemaakt. Een deel van me wilde Edwina bedanken omdat ze de weg voor hem en Eddie had geëffend om na de geboorte van hun baby terug naar de universiteit te gaan in welvarendheid en veiligheid, maar een deel van me haatte haar omdat ze mijn zoon meer hulp gaf dan ik hem kon bieden. En weer een ander deel van me zei: *Hou je mond en accepteer wat het beste is voor hem.*

Hij keerde die avond met mijn zegen terug naar het Witte Huis. Eddie had bevel van een gynaecoloog om te rusten na het ontstellende nieuws dat haar dierbare Nicky was neergestoken. Ze stuurde me een lief briefje. *Zorg voor hem, alsjeblieft, zoals hij altijd heeft getracht voor ons te zorgen.* Ik werd verondersteld een van Edwina's slaven te vragen me naar het Witte Huis te brengen als ik wilde slapen. Slapen in het Witte Huis, als gast van Edwina Jacobs, First Lady van de Verenigde Staten, inclusief Chocinaw County... Hush McGillen Thackery... Edwina's gast.

Ik zou nog liever zand eten en wortels poepen.

'Ik wil de kolonel zien,' zei ik tegen iedereen die ik zag. 'We zijn vrienden, en hij is familie.'

'We hebben onze orders,' kreeg ik telkens weer te horen.

'De president weet niet wat hier gaande is,' pareerde ik, 'anders zou hij hels zijn.'

Dat ontkende niemand. Ze zwegen en keken de andere kant uit. Uiteindelijk werd ik toegewezen aan een aardige jonge vrouw van Edwina's staf, die me naar een lift bracht die me naar Jakobeks privé-kamer zou brengen. Maar bij de deur van de lift werden we tegengehouden door agenten van de geheime dienst. 'Mevrouw Thackery staat nog steeds niet op de lijst van personen die van de First Lady naar binnen mogen.'

Het meisje bloosde. 'Dat moet een vergissing zijn.' Ze liep een hoek om zodat ze even ongestoord kon bellen. Toen ze terugkwam durfde ze me niet aan te kijken. 'Mevrouw Jacobs zegt dat de kolonel verdoofd is en in diepe slaap nu hij uit de verkoeverkamer is. Ze gelooft dat het beter is als hij vanavond niet gestoord wordt. Mevrouw Thackery, het spijt me. Mevrouw Jacobs zegt dat u hem morgen mag bezoeken.'

Ik begon te ijsberen. Het meisje stond in haar handen te wringen en bood meermalen haar excuses aan. Toen ik mezelf weer onder controle had, zei ik: 'Ga naar boven, lieverd, en zeg tegen Edwina dat ik de hele nacht hierbeneden in de wachtkamer blijf zitten en dat ik wil dat zij daaraan denkt. Ik wil dat ze zich goed realiseert dat ze elk uur dat ik niet naar Nick Jakobek mag, een plaats hoger op mijn zwarte lijst komt te staan, en dat ze dus tegen de ochtend helemaal bovenaan staat.'

Het meisje werd bleek. 'Ik zal de boodschap overbrengen, mevrouw.'

'Doe dat, alsjeblieft.'

Ik bracht de nacht in de wachtkamer door. Een overdaad aan trots weerhield me ervan mijn eigen zoon te bellen in het Witte Huis, en hem om hulp te vragen.

De volgende ochtend mocht ik nog steeds niet naar Jakobek. Al kwam naar huis gevlogen; de media hadden zich op het verhaal van Jakobeks heldendaad gestort en op de verdieping van het ziekenhuis waar ik zat krioelde het nu van de medewerkers van de geheime dienst. Ze stuurden twee agenten naar me toe. 'Mevrouw Jacobs wil u zien, mevrouw, in het Witte Huis.'

'Ik ga hier niet weg voor ik de kolonel heb gezien.'

'Mevrouw Jacobs zegt dat ze u graag eerst wil spreken. Als u daarmee instemt mag u daarna op bezoek bij de kolonel, zegt ze.'

Patstelling. Ik knarsetandde, slikte mijn eigen gal weer in. 'Breng me dan naar het Witte Huis. Snel.'

Op mijn horloge tikte de steel van een platte gouden appel door naar een nieuw uur. Edwina stond officieel boven aan mijn lijst.

Het eerste wat me opviel nadat ik als een crimineel onder bewaking naar het Witte Huis en naar Edwina's zachtpaarse, halfglanzende Frans ingerichte kantoor was begeleid, was dat ze twee rotte appels in een kristallen koekjespot op haar boekenplank bewaarde. Ze had ze uit de ladingen geplukt die ik in de herfst bij het Witte Huis had afgeleverd.

Ze zette hem op haar bureau als een gewijde urn gevuld met vergif en magie. 'Ik heb die appels van je bewaard om me eraan te herinneren dat ze op een dag niets anders zouden zijn dan een uitgedroogde hoop organisch afval,' zei ze. 'Appelmoleculen. Dat is alles. In gedachten reduceer ik jou ook tot niet meer dan dat. Want wat me het meest dwarszit aan jou is je absolute moed ten overstaan van tegenslag. Ik vrees dat ik die moed twintig jaar geleden heb verloren.'

'Jij? Je bent de moedigste vrouw die ik ken.'

'Er is weinig moed voor nodig om in een sarcastisch, alles regelend kreng te veranderen. Ik ben me heel goed bewust van wat ik ben geworden. En ben er niet trots op.' Ze nam het deksel van de koekjespot, legde het opzij, stak haar hand in de pot en haalde er heel voorzichtig de twee zachte, bruine, verrimpelde, rotte appels uit. Ze bestudeerde ze even, legde ze toen behoedzaam op haar bureau. 'Jammer genoeg lijkt het erop dat noch jij noch je zoon noch je appels zullen uitdrogen en wegwaaien, dus heb ik je zoon verwelkomd en zal ik alles doen om ervoor te zorgen dat hij dol wordt op mij, Al en onze hele familie. Hij is eigenlijk een heel aardige jongeman. Ik zal ervan genieten zijn respect en steun te winnen. Ik vermoed dat hij heel veel met ons gemeen heeft. Intelligentie, opleiding, een ontwikkelde kijk op de wereld.'

'Je maakt mij niet bang met je voodoo-mama-dreigementen. Ik ben met mijn zoon door het vuur van de hel gegaan. We zijn als staal aaneengesmeed.'

Ze verstarde. 'Waarom zou ik jou niet bedreigen zoals jij mij hebt bedreigd? Je hebt me mijn dochter afgenomen! Je hebt haar nooit echt aangemoedigd de breuk met haar vader en mij te lijmen.'

'Dat is een leugen, en dat weet je. Jij hebt haar vertrouwen beschaamd en ze verraste je door net zo koppig te zijn als je zelf bent. Je wilt niet toegeven dat jij het verprutst hebt. Moeder zijn betekent de helft van de tijd je excuses aanbieden omdat je het niet goed hebt gedaan en de andere helft van de tijd het weer niet goed doen. Dat moet je gewoon met elkaar in evenwicht brengen.'

'Je hebt praktisch een boerentrien van haar gemaakt. Ze kwam thuis met overalls in haar bagage. Ze is plotseling gek op countrymuziek en appelbeignets. Ze vereert je. Je bent briljant, lief, sterk, vrijgevig. "Hush doet dit en Hush zegt dat," is het enige wat ik hoor sinds ze terug is. Je bent me wat schuldig. Ik wil mijn dochters genegenheid terug.'

'Ik wil die van mijn zoon terug. Het zal tijd kosten, maar het zal me lukken. En ondertussen wil ik dat jij en de jouwen ook Nick Jakobeks ziel loslaten. Jullie zijn degenen die hem gisteren bijna hebben gedood.'

'Waar heb je het over? Jij hebt zijn ziel gevangen gehouden in je kleine appelhemel. Na een paar maanden in jouw gezelschap heeft hij kennelijk een doodsverlangen ontwikkeld. Waarom zou hij anders op een menselijke bom toestappen? Als er nou onschuldige omstanders beschermd hadden moeten worden, zou ik het begrijpen. Maar die waren er niet.'

'Ja, die waren er wel! Die zielige krankzinnige man, bijvoorbeeld. En Jakobek zelf. Zij allebei – onschuldige omstanders in het donkere, koude gat van de smerigste driften van de mensheid. Als Jakobek de bewakers die man had laten doden, zou hij schuldig zijn geweest aan wat hem ten laste wordt gelegd – een koelbloedige moordenaar, precies zoals de mensen fluisteren. Je hebt hem zelf altijd zo gezien, dus vertel me nou niet...'

'Nicholas gezien als een koelbloedige moordenaar? Ben je je verstand verloren? Waar voor de duivel heb je het nou over?'

'Chicago. Toen hij voor je ogen die man doodde. De blik die hij in je ogen zag – je gedroeg je daarna nooit meer hetzelfde tegenover hem – je was bang van hem.'

'Mijn God. Dacht hij dat?' Ze liet zich op een hoek van haar bureau neerzakken en bracht haar hand naar haar mond. 'Ik was op dat moment bang van de hele wereld, maar niet van hém.'

'Dat wist hij niet. Hij had toen het gevoel dat hij al het kwaad van de wereld in zich droeg. Vooral nadat Al het met zoveel bombarie als zelfverdediging bestempelde. Hij dacht dat Al zich voor hem schaamde.'

'Mijn God, Nicholas.'

'Ik heb hem niets afgenomen, of hem zover gebracht dat hij zijn leven of zijn gezond verstand wilde opgeven. Ik heb alleen maar... naar hem geluisterd. Misschien heeft niemand hem ooit eerder de kans gegeven te praten, of vertrouwt hij mij zoals hij nooit eerder iemand heeft vertrouwd. Omdat ik hem niet veroordeel. Ik hou van hem!'

Ze staarde me aan. 'Wat?'

'Maak je geen zorgen. Ik heb geen idee of hij ook van mijn houdt, en of zelfs het idee om bij mij en mijn ruim achthonderd hectare appels en een zootje narrige familieleden en mijn gehavende reputatie te blijven hem wel aanspreekt.'

Ze stond weer op. 'Ik verzeker je dat Nick niet in de wieg gelegd is om appelboer te worden!' Edwina klemde haar lippen op elkaar en staarde in het niets, verward, fronsend. Ik voelde me afgewezen. Ik voelde me beledigd. Ik voelde dat ze waarschijnlijk gelijk had met te zeggen dat hij niet met mij en mijn appels wilde samenleven. Maar ik voelde ook dat de tijd was gekomen om mijn vruchten de ultieme verklaring te laten afleggen. *Er is een tijd om te vechten*, fluisterde de Oude Dame in mijn oor.

Ik pakte een rotte appel op van Edwina's bureau. 'Edwina,' zei ik op vlakke toon, 'jij moet ceremonieel gedoopt worden met de essentie van de McGillen-stamboom.' Ik gooide de appel. De kleverige, stinkende, rotte Sweet Hush-appel verspreidde zich over haar perfecte, lichte pakje met kasjmieren sjaal.

Ze knipperde niet eens met haar ogen. Een taaie moeder. Ik bewonderde haar. Ze graaide de andere appel van haar bureau, haalde uit en gooide hem tegen de voorkant van mijn blazer.

'Insgelijks,' zei ze.

En toen keken we allebei ontsteld, zoals vrouwen geleerd hebben te doen als ze meedogenloos eerlijk zijn geweest.

En ik ging.

Hij was zo bleek, zo stil. Ik zat dicht naast Jakobeks bed terwijl hij de verdoofde slaap van een gewond dier sliep, zonder zelfs maar te weten dat ik bij hem was. Ik vergoot stille tranen en hield zijn linkerhand vast, de verminkte hand. 'Een oude priester heeft me ooit eens verteld dat de rechterhand van God al het goede bestuurt en dat Zijn linkerhand al het kwade neerslaat,' fluisterde ik. 'Maar ik zeg dat je deze hand en je leven en je hart en je ziel hebt gebruikt om goed te doen én het kwade neer te slaan.' Ik legde een klein kruisbeeldje van appelhout in zijn hand en draaide toen het kettinkje om zijn pols zodat hij de talisman niet zou verliezen. 'Jakob, als je me kunt horen, geloof me dan. *Je hebt je zegeningen verdiend.*'

Niet lang daarna kwam Al de kamer binnen en ik vertelde hem dat ik de appel naar Edwina had gegooid en hij zei dat ze het waarschijnlijk verdiend had. Ik zei geen woord over de voorgaande nacht of wat er verder tussen haar en mij was gebeurd, maar hij schudde me de hand en zei met een trieste glans in zijn ogen: 'Ik beloof je dat er een einde komt aan deze sfeer van confrontatie. Ik aanbid mijn vrouw, en ik begrijp haar motieven, maar ik bied je mijn excuses aan voor haar gedrag.'

'Niet doen. Ik moet je iets bekennen. Ze is hard, ze is pienter, ze geeft niet op. Als ze zich verkiesbaar zou stellen voor het presidentschap, zou ik op haar stemmen.'

Hij glimlachte. 'In plaats van op mij?'

'Misschien kun jij haar vice-president worden.'

'Dat is een diplomatiek antwoord.'

'O? Dan heb jij mijn laatste druppel diplomatie voor vandaag gehad.' Ik wierp een lange, pijnlijke blik op Jakobek. Ik voelde dat Al naar me keek.

'Je houdt erg veel van mijn neef,' zei hij.

Ik knikte treurig. Al legde een troostende hand op mijn schouder. 'Waarom vertel je hem dat dan niet gewoon?'

'Bij alles wat hij heeft meegemaakt heeft hij er geen behoefte aan ook nog eens wakker te worden en mij hier te zien mauwen als een kat die voor de deur zit en binnengelaten wil worden. Als ik hier blijf is dat precies hoe ik me zal gedragen. Ik zal mezelf, en misschien ook hem, in verlegenheid brengen. Nee, als hij wakker wordt en zegt dat hij me nodig heeft, zeg hem dan dat ik eraan kom. En zo niet... tja.' Mijn keel werd dichtgeknepen. 'Tja.'

Al drong erop aan dat ik me door een agent van de geheime dienst naar het vliegveld liet rijden, maar ik weigerde, en dus regelde zijn staf een gewone taxi voor me. Prima. Het werd tijd dat ik weer mijn gewone leven ging leiden en me niet alleen probeerde te herinneren wie ik was geweest, maar ook wie ik moest worden. Dus zat ik daar, alleen en verloren, op de achterbank van een stinkende taxi die me door het landschap reed. Ik wilde me omdraaien en door de achterruit naar het ziekenhuis kijken dat met Jakobek erin langzaam uit het zicht verdween. Maar ik kon alleen maar naar huis gaan, de verscheurde winteraarde van mijn leven gaan omploegen en wachten op de lente.

De taxichauffeur zette zijn radio harder. 'Ik hoop dat u het niet erg vindt dat hij zo hard staat,' zei hij over zijn schouder met een zangerig, Caribisch accent. 'Ik luister altijd naar Haywood Kenney. Hij is *the Man*.'

Kenneys zalvende stem rolde uit de radio, verspreid vanuit zijn hoge, veilige radiostudio boven in een kantoorgebouw in Chicago. 'Dus Al Jacobs' neef heeft gisteren die idiote John Wayne-stunt uitgehaald,' zei Kenney, 'als een of andere stomme Poolse Superman – God, hij had die halvegare er gemakkelijk toe kunnen provoceren een heleboel belastingcenten op te blazen! Jammer dat de halvegare en Mad Dog Jakobek niet allebei in kleine stukjes over het beton verspreid liggen, als je het mij vraagt...'

Ik pakte mijn mobiele telefoon en toetste een nummer in. Ik had mezelf nog niet genoeg problemen bezorgd voor één dag.

'Ik wil graag mijn ticket omruilen,' zei ik. 'Ik wil naar Chicago.'

Als je het mij vraagt was wat ik ging doen voorbestemd. Asia Makumba in Atlanta belde me al snel terug met precies de informatie die ik nodig had. Mediamensen weten alles van elkaar. 'Hij luncht elke dag na zijn programma in een restaurant dat Hallowden's heet,' meldde Asia me. 'Mag ik vragen wat je van plan bent met hem te gaan doen?'

'Hem een koekje van eigen deeg geven.'

Ik liep die middag de chique eetgelegenheid binnen en bleef staan bij het zien van een grote stenen vaas op een tafeltje bij de ingang. De vaas was gevuld met kale takken en twijgen. Ik zweer bij God dat het net de takken van een appelboom waren.

Ik legde een hand vol ontzag op mijn hart. Met de andere brak ik een paar harde, dunne twijgen van ongeveer een meter lang af. 'Mevrouw!' riep de gastvrouw. 'Dat is een heel dure bloemschikking.'

'Stuur de rekening maar naar Sweet Hush Farms, Chocinaw County, Georgia.' Ik legde een visitekaartje op haar gastvrouwenbalie. 'En als de verslaggevers naar me vragen, geef hun dan mijn telefoonnummer en adres maar. Als alles over mijn leven toch al openbaar is, ben ik van plan dat nieuws te gebruiken in mijn voordeel en dat van de mensen van wie ik hou.'

Ik knikte haar kort toe en liep een drukke, donker gelambriseerde bar binnen met leren banken en biljarttafels en de zoete geur van goede sigaren en oude cognac. Het was cocktailtijd en de zaak was volgelopen, voornamelijk met goedgeklede zakenlui. Ik wurmde me tussen hun luxe stoelen door, botste tegen hun schouders aan, liet het ijs in hun whisky rinkelen en begon de aandacht te trekken. 'Mevrouw? Mevrouw!' riep de gastvrouw, maar ik had me al afgesloten voor haar en alles wat me verder kon afleiden. Ik was op jacht.

En ik had mijn prooi snel gevonden.

Haywood Kenney was nooit knap geweest, zelfs niet op zijn geretoucheerde publiciteitsfoto's, maar in levenden lijve zag hij eruit alsof hij gebalsemd moest worden – compleet met zijn pak van vijfduizend dollar en zijn gouden dasspeld en Italiaanse leren bretels en zijn sigaren van veertig dollar per stuk en zijn waardeloze radioprogramma. Hij zat bij een groepje van zijn rijke pluimstrijkers in een iets verhoogde alkoof waar het imago van vip-tafel van af-droop.

'Haywood Kenney, jij waardeloze, laffe, leugenachtige kloot-zak,' zei ik luid. Het was meteen doodstil in de bar. Kenney keek met open mond naar me op. Ik stond inmiddels naast hem. Het element van de verrassing. Ik moest snel zijn. 'Mijn naam is Hush McGillen Thackery.'

'O, Jezus,' zei hij.

'Het heeft nu geen zin hem om hulp te bidden, jij wrat op de kont van de mensheid.'

Ik sloeg hem met mijn appeltwijgjes tegen de zijkant van zijn hoofd, hard genoeg om hem bijna van zijn stoel te slaan. 'Dat is voor wat je over mijn familie hebt gezegd.' Ik sloeg hem weer. 'Dat is voor wat je over de familie Jacobs hebt gezegd, want die zijn ook mijn familie.' *Pets.* 'En dat is omdat je de andere onwetende, sullige dwazen van de wereld vertelt dat Nick Jakobek een moordenaar is en hem tot het mikpunt van je spot maakt.'

Kenney was nu opgestaan en probeerde, zijn hoofd beschermend met zijn handen, weg te kruipen in een hoek van de alkoof. 'Laat iemand me helpen!' gilde hij. Ja, hij gilde. Een bedreven columnist op het gebied van mediazaken zou later in de grote kranten schrijven dat die schreeuw van angst evengoed de doodsklok voor zijn manhaftigheid op de radio genoemd kon worden. Je kunt niet in de ether agressieve politiek prediken en dan in een chique bar in een hoekje wegkruipen als een boze moeder je ervan langs komt geven met namaak appeltakken. Zijn slippendragers stoven uiteen als pissebedden wanneer je een steen optilt. Het zou me niet verbaasd hebben als ze zich op de parketvloer tot kleine balletjes hadden opgerold.

Ik schoof hun lege stoelen opzij en dreef Kenney nog verder in zijn hoek. *Pets.* 'Dit is omdat je vanuit je lullige kleine ivoren torentje naar de wereld zit te grijnzen terwijl mannen als Jakobek ervoor zorgen dat die wereld veilig is.' *Pets.* 'En tot slot, is dit voor het misbruiken van het recht op vrije meningsuiting door de levens van goede mensen als een grote smerige mesthoop te bestempelen met je gemene...' *pets...* 'kleingeestige...' *pets...* 'flemerige...' *pets...* 'leugens.' *Pets.*

Bij die laatste klap zakte hij op zijn hurken neer met zijn armen in zwijgende, ineengedoken onderwerping om zijn hoofd geslagen. Ik keek op hem neer zoals een kat op een muis die is opgehouden te bewegen. 'Je hebt mijn geduld te zwaar op de proef gesteld,' zei ik. Ik gooide de appeltwijgen naar hem toe en hij kromp ineen.

Ik draaide me om en staarde naar de menigte. Iedereen was opgestaan. Achteraan in het vertrek waren mensen op de tafels geklommen om het beter te kunnen zien. Ik zag een aantal enthousiaste gezichten. Hier en daar klonk applaus.

'Als jullie dat echt menen,' verkondigde ik, 'handel er dan ook naar. Luister niet meer naar zijn smerige programma. Vertel de mensen de waarheid achter zijn leugens. En lach niet om de ellende die hij over anderen uitstort. Vandaag gaat het over mij en de mijnen. Maar morgen kan het over jullie gaan.'

Ze gaven me de ruimte. Redenaarskunst met een zuidelijke lijzige stem en een zekere krankzinnige blik in je ogen maken beslist de weg voor je vrij, meestal. Ik liep naar buiten, een koud trottoir in Chicago op, me afvragend of ik, voordat ik erin slaagde het vliegveld te bereiken, gearresteerd zou worden omdat ik een beroemde mediapersoonlijkheid had aangevallen. Enigszins verdwaasd draaide ik me half om en botste tegen een lange, gespierde blonde vrouw in joggingpak aan.

Lucille.

'Ik kwam in Washington aan toen jij zo'n beetje wegging,' zei ze. 'De president vroeg me een oogje op je te houden. Dus heb ik je discreet gevolgd toen je uit het ziekenhuis wegging.'

'Ik vind het vreselijk je dit te moeten vertellen, maar ik zit in de problemen. Ik heb net Haywood Kenney een pak slaag gegeven. In het openbaar. Met getuigen.'

'Ik weet het.' Ze pakte me bij een arm en gebaarde naar een donkere sedan.

'Ik ben erin geluisd,' zei ik.

'Nee, je bent beschermd,' corrigeerde Lucille. 'We hadden al een idee dat je achter Kenney aan zou gaan. Feitelijk zei mevrouw Jacobs dat ze erom wilde wedden. Ze heeft goede instincten.'

'Ze is een moeder en een liefhebster en een wilde vrouw, net als ik. Ze weet welke rekeningen vereffend moeten worden.'

Uit het niets kwam nog een agent te voorschijn, die het passagiersportier van de auto opende. Lucille duwde me naar binnen en stapte naast me in. 'Terug naar het vliegveld,' zei ze tegen de chauffeur. Toen keek ze me aan. 'De president en mevrouw Jacobs zeggen dat ze je persoonlijk zullen vertegenwoordigen bij een beschuldiging wegens mishandeling, als dat nodig mocht zijn.'

'Heeft Edwina dat gezegd? Voor of nadat ze die rotte appel van haar dure pakje had geveegd?'

'Erna. En Hush – dit is zuiver mijn persoonlijke mening als je toekomstige schoonzus – maar, nou ja...' Lucille schraapte haar keel. 'Je bent zojuist toegevoegd aan de gelederen van de kolonel in mijn heldengalerij.'

Ik schudde mijn hoofd.

Helden konden niet zo eenzaam zijn.

20

Ik werd wakker met het gevoel dat er iets veranderd was in mijn binnenste. Niet alleen dat ze in me hadden gesneden om mijn longen en kapotte slagaders te repareren. Het was iets fundamentelers. Ik voelde me lichter vanbinnen. Versuft tilde ik mijn linkerhand op om te zien wat er aan mijn palm kietelde. Ik knipperde een paar keer met mijn ogen en kon eindelijk mijn blik scherpstellen op een ruw houten kruisbeeldje dat aan een gouden kettinkje aan mijn vinger bungelde. Er was maar één persoon die zoiets heiligs uit eenvoudig hout maakte. 'Hush?' zei ik hees, en ik probeerde rechtop te gaan zitten in het ziekenhuisbed.

'Ze is naar huis. Ze wist niet zeker of je haar nodig had of wilde hebben.' De stem van Al. Hij legde een hand op mijn schouder om me rustig te houden, ging toen op een stoel naast mijn bed zitten. Ik liet me zwakjes weer achteroverzakken. Haar niet nodig hebben? Ik kon niet onder woorden brengen hoe hard ik haar nodig had. Mijn keel was rauw door het buisje dat er tijdens de operatie in had gezeten. Ik sloot mijn hand rond het kruisje, maakte zo een afdruk van Hush in mijn handpalm.

Al keek me aan. 'Probeer nog niet te praten. Luister alleen maar.' Hij vertelde me wat Hush omwille van mij met Haywood Kenney had gedaan. Mijn hersenen waren nog traag en mijn zenuwen verdoofd door de medicijnen, maar langzaam verspreidde zich kippenvel over mijn huid. Al ging door. 'Je bent haar held. En zij is jouw heldin. Een afgezaagde term, held – te vaak gebruikt, gebagatelliseerd – maar in dit geval volstrekt juist.' Hij zweeg even, slikte een paar keer. 'Je denkt misschien dat Edwina en ik jaren geleden zijn opgehouden in je elementaire menselijkheid te geloven, maar dat heb je mis. We wisten vanaf de dag dat we je uit Mexico haalden dat je heel bijzonder was, iemand die de uitersten van de wereld begreep met een helderheid waarom wij je alleen maar konden benijden. We hebben je teleurgesteld, maar jij hebt ons nooit teleurgesteld. Je bent ook onze held.'

'Vergeet het maar,' zei ik raspend. 'Ik heb vrede gesloten met wat ik ben. Ik zorg voor mijn familie. Ik kan niet de wereld redden, maar...'

'Je hebt je taak volbracht, Nick. Nu is het tijd om jezelf te redden.' Hij keek me teder aan. 'Als je niet van Hush Thackery houdt, dan is dat jouw zaak. Maar als dat wel zo is, moet je het zeggen. Tegen haar! Niet tegen mij, niet tegen Edwina. Niet tegen de muren van deze kamer. Niet alleen tegen jezelf. Tegen haar!' Hij stond op. 'Nu moet je wat rusten. We houden van je, Nick.' Hij klopte even op mijn schouder en liep de kamer uit.

Ik liet het kruisje van mijn linkerhand glijden, hing toen langzaam, doelbewust het kettinkje rond mijn nek en maakte de sluiting vast. *Alstublieft God, maak me sterk genoeg om snel uit dit bed te komen en te doen wat ik moet doen.*

'Hallo, Nicky.' Eddies zachte gefluister klonk in mijn oor.

Ik opende mijn ogen in de schaduwen van de kamer en zei: 'Hé, meisje. Je hoort hier niet te zijn.'

'Ze konden me niet bij je vandaan houden, maar ik heb beloofd maar een minuutje te blijven. Davis wacht in de gang. En moeder.' Ze streek met haar vingertoppen door mijn haren. 'Toen ik klein was, zag ik je voor me in de zilveren wapenrusting van een ridder die buiten in het bos draken versloeg. Pap was de koning van het koninkrijk dat je beschermde, en moeder was de koningin en ik de prinses. En ik vertelde al mijn vrienden dat ze voor niets in ons rijk bang hoefden te zijn, omdat mijn ridder, Sir Nicky, alle draken in bedwang hield.' Ze glimlachte, met tranen in haar ogen. 'Nu weet ik dat ik niet zomaar deed alsof.'

'Prinses Eddie. Ik sta nog steeds tot uw dienst.'

'Prinses Edwina Margisia Nicola!' corrigeerde ze me.

'Arm kind. Opgezadeld met drie maffe namen.'

'Nick, ssst. Ik kom je om een paar diensten vragen. Oké?'

'Zeg het maar.'

'Wil je de peetoom van mijn baby worden?'

Ik zweeg lange tijd. 'Wat vindt Davis...'
'Hij zal het je ook vragen. Maar ik wilde eerst.'
'Ik voel me zeer vereerd.' Ik schraapte mijn keel, keek de andere kant op, keek haar weer aan. 'En de andere dienst?'
'Ik wil dat je weggaat.'
'Wat?'
'Ga weg. Ga terug naar waar je thuishoort. En zeg niet dat je niet weet wat ik bedoel, Jakob!' Ze stond op.
'Ik ben van plan...'
'Ssst. Zeg maar helemaal niets. Het antwoord is iets tussen jou en je hart.' Ze kuste me op mijn hoofd, legde mijn dekens recht, glimlachte en liep de kamer uit, voorzichtig lopend, haar handen op haar buik, als een baldakijn over haar baby die ik met alle plezier zou beschermen, precies zoals ik haar had beschermd. Ik deed even mijn ogen dicht en toen ik ze weer opende, trok Edwina mijn lakens recht. 'Ik lig er zeker wel erg verkreukeld bij,' zei ik.
'Nog niet. Maar als je nog veel langer wacht om een vrouw te vangen, zul je het heel moeilijk krijgen, omdat je dan zo verkreukeld... gerimpeld zult zijn als een gedroogde... appel.' Ze trok een grimas. 'Appelanalogieën. Ik ben er pathologisch door geobsedeerd.' Ze trok de stoel naast het bed en ging zitten. Haar gezicht en houding werden milder. 'Nicholas,' zei ze verdrietig.
'Het gaat goed met me.'
'Nee, dat gaat het niet. We hebben je al die jaren over de hele wereld laten zwerven zonder de dingen te zeggen die we hadden moeten zeggen.'
'Het is niet erg dat je je niet bij me op je gemak voelt.'
'Niet op mijn gemak? Je bedoelt zeker bang?' Toen ik knikte, zuchtte ze. 'Toen Al je mee naar huis bracht... ik moet toegeven dat ik toen bang van je was. Maar waarschijnlijk niet banger dan jij voor mij was.'
'Goed, ik geef het toe. Ik was doodsbang van jou.'
'Maar het duurde niet lang voor ik inzag dat je een heel diepgaand eergevoel had en een nog diepgaander vermogen tot eerlijkheid en zachtaardigheid.'
'Kon je dat opmaken uit de coyoteschedels?'
'Ja. Ja, dat kon ik.' Haar snelle glimlach vervaagde weer. 'Het spijt me zo dat Al en ik je toen steeds met onze regels over moraal om de oren sloegen, terwijl jij al die tijd leefde naar een code van plicht en opoffering die veel verder ging dan onze eenvoudige toespraken. Jammer genoeg bleken wij hypocrieten te zijn toen jij ons het hardste nodig had.'

'Nee. Jullie waren eerlijk. Daarom hield ik zoveel van jullie. Hou ik nog steeds van jullie.'

Ze veegde haar ogen droog en tilde toen het houten kruisje van mijn borst op. Ze kneep haar lippen op elkaar. 'Straks zing je nog de baritonpartij in de Gospel Church of the Harvest in Song in Chocinaw County, als je niet uitkijkt.'

Ik wilde iets zeggen over mijn toekomst, maar ze stond op. 'Daar hoef je niets op te zeggen. En Nicholas? Ik realiseer me dat ik door de jaren heen in een monster ben veranderd. Ik ben van plan te veranderen. Oké? Ga rusten.'

Ze deed het licht boven mijn bed uit en liep de kamer uit. Ik lag alleen in het donker, verbaasd. Eindelijk had ik iets te zeggen, maar wilde niemand naar me luisteren. Nou ja, één persoon zou wel luisteren.

Ik moest alleen bij haar zien te komen.

Soms draaien we de film van ons leven terug en zien we in een soort déjà vu een moment in ons leven zuiver voor wat het was: een teken van wat we hebben bereikt. Ik zat vroeg in de ochtend op de rand van het ziekenhuisbed, te zweten van inspanning, bijna al mijn concentratie benuttend om me aan te kleden. Ik werd niet verondersteld rechtop te zitten, laat staan me klaar te maken om te vertrekken. Ik was erin geslaagd mijn oude kaki broek aan te trekken en mijn gulp dicht te doen. Daarna frummelde ik met de knopen van mijn flanellen shirt.

Bill Sniderman kwam binnen. Dezelfde keurige klootzak die hij bijna twintig jaar geleden in dat ziekenhuis in Chicago was geweest. Zijn gesteven witte overhemd was hoog gesloten. Hij droeg een donker geplooid pak met een zijden stropdas, zoals een etalagepop in een herenmodezaak een houding uitstraalt van *hier mag je niet aan zitten*. De hoogste adviseur van Al keek over zijn brede bruine neus op me neer met dezelfde afkeer als altijd. 'Je verdwijnt hopelijk weer, Nick?'

'Je bent nog redelijk slim voor een man die zijn boord zo strak dichtmaakt dat zijn hersenen geen zuurstof krijgen.'

'Je ziet er niet al te best uit. Bestaat de kans dat je op weg naar buiten zult neervallen en sterven?'

'Ach, Bill, geef het nou maar gewoon toe. Je weet dat je me zult missen.'

Hij trok een grijs wordende wenkbrauw op. 'Ik ben gekomen om je één ding te zeggen: ik heb altijd gemeend dat je een goede dode held zou zijn.'

'Dat is aardig van je. Waar was je gisteren toen mijn po geleegd moest worden?'

Hij stak zijn hand uit. 'Waarom ga je niet terug naar je appelboerin, blijf je uit de schijnwerpers van de president, en ga je de levende held uithangen?'

We keken elkaar een tijdje aan. 'Verdraaid, ik geloof dat ik je nog aardig ga vinden,' zei ik.

We schudden elkaar de hand.

Davis kwam binnen, gekleed voor een lange rit in een oude spijkerbroek en een dikke jas. 'Klaar?'

'Al vanaf mijn geboorte,' zei ik.

Een paar van de koppen in de landelijke dagbladen:

KENNEY VLUCHT VOOR PAK SLAAG VAN SCHOONMOEDER VAN EDDIE JACOBS THACKERY

KENNEY KRUIPT IN EEN HOEKJE, OVERLEEFT ZIJN MACHO-IMAGO DIT?

KENNEY DIENT GEEN KLACHT IN; BRONNEN ZEGGEN DAT HIJ HET INCIDENT SNEL WIL VERGETEN

NEEF VAN DE PRESIDENT IS 'NATIONALE SCHAT', ZEGT KARDINAAL VAN AARTSBISDOM CHICAGO. HIJ VEROORDEELT KENNEYS PROGRAMMA.

En de mooiste van allemaal: TWEE RADIOSTATIONS HALEN KENNEYS PROGRAMMA UIT DE LUCHT, WELLICHT VOLGEN ER MEER.

Allemaal geweldig nieuws, maar een schrale troost op de dag na mijn terugkeer in de Hollow. Ik jaagde mijn familie weg en deed de boerderij op slot. Een kille regen miezerde uit de grauwe lucht omlaag. Er waren vorst en ijs onderweg. Het geweldigste, en verschrikkelijkste, appelseizoen van mijn leven was voorbij. Ik zou het liefst met de ellende in mijn binnenste wegkruipen onder een deken.

Het rinkelen van mijn mobiele telefoon deed me opschrikken. 'Hush, met Smooch.'

'Smooch!'

'Ik zit in Miami, bij eenentwintig graden op de kade te wachten tot ik aan boord kan gaan van een cruiseschip naar de Bahama's, maar ik... ik kan maar niet ophouden met huilen...'

'Kom naar huis.'

'Ik wilde het verleden vergeten en op dat cruiseschip gewoon een goede man vinden, maar toen belde nicht Mayflo me over Jakobek en zag ik het nieuws over jou en Kenney, en ik bedacht dat je me eigenlijk echt hard nodig hebt daar, ik bedoel, jij hebt veel harder een goede public relations manager nodig dan ik een goede man nodig heb...'

'Smoochie, ik heb geen idee hoe ik het hier zonder jou moet redden als je niet naar huis komt.'

'Ik weet niet wat ik moet zeggen over mijn broer. Ik weet het gewoon niet.'

'We zullen erover praten. We vinden wel een manier om ons hem te herinneren, de goede en de slechte dingen.'

'Het gaat hierom... kun je nog steeds van me houden als van een zus als je nooit van mijn broer hebt gehouden?'

'O, Smoochie, liefde is net als appels. Elk zaadje is verschillend, ook al komen ze van dezelfde boom. Natuurlijk hou ik van je. Natuurlijk ben je in mijn hart nog steeds mijn zus. Kom naar huis!'

'Goed dan, Hush, goed.' Ze hield lang genoeg op met huilen om over de drukke kade in South Florida te roepen: 'Breng mijn bagage terug, *por favor, señor!*'

Nadat we de verbinding hadden verbroken, ging ik naar buiten in het koude, nevelige weer en liep ik de boomgaard in, denkend aan hoe ik er ondanks mezelf toch in was geslaagd mijn familie bij elkaar te houden. *Plant goed en je oogst zal goed zijn*, fluisterde de Oude Dame.

'Je zaait wat je oogst,' zei ik hardop. 'Dat weet ik ook wel. Maar wat als de enige man die de bijen voor me kan betoveren geen teken heeft gegeven dat hij voor het volgende seizoen, of ongeacht welk seizoen daarna, terug zal komen?'

Geen antwoord. Ik stond er alleen voor.

Ik liep lange tijd rond, omhuld door de mist. Ik werd nat in mijn spijkerbroek en trui, door de oude boomgaarden en over de terrassen van de oude bergen en de graven van de soldaten dwalend, tot ik weer het dal in liep via de nieuwe boomgaarden en de rand van hun beschutting bereikte. Ik keek naar de grote, lege schuren en de lege parkeerterreinen en, in de richting van McGillen Orchards Road, de gesloten poort. Leegte en eenzaamheid leken me te omringen als het afnemende namiddaglicht. Doodse dagen en nachten wachtten me. Ik ging in de schemering van het einde van de dag en het einde van het seizoen aan de rand van de boomgaard zitten en begon te huilen.

Ik zat nog steeds met mijn hoofd in mijn handen toen ik ver weg het gerommel van zware motoren hoorde. Somber kwam ik overeind en staarde naar de openbare weg. Het gerommel werd luider. Een karavaan van kakigroene legertrucks kroop langzaam dichterbij – een stuk of twaalf. Ik staarde ernaar. Het eerste voertuig, een jeep, stopte voor mijn poort.

Davis stapte aan de passagierskant uit. Mijn Davis. Mijn zoon. Goed, dit was zijn tweede onaangekondigde rit van dit jaar, hij had het seizoen geopend en afgesloten door me te verrassen. Hij zag me niet met open mond staan staren vanaf de rand van de boomgaarden terwijl hij met zijn sleutelring stond te prutsen. Hij maakte het hangslot van de poort los. Een soldaat in legertenue hielp hem de poorten open te duwen. Daarna stapten Davis en de soldaat terug in de jeep. De karavaan – het konvooi – reed langzaam de oprit af en de parkeerplaatsen op.

Tegen die tijd rende ik hun tegemoet.

Ik kwam glijdend tot stilstand op ongeveer het moment dat de trucks naast elkaar parkeerden. Het geronk van de motoren viel stil. Het zachte, natte fluisteren van de adem van de berg vulde de stilte. Davis zag me en stapte weer uit, stak groetend zijn hand op. Hij gebaarde naar een voertuig ergens midden in de groep, en liep toen die kant op. Ik stond als aan het grind vastgenageld.

Mannen en vrouwen in legertenue stapten uit de jeeps en transporttrucks, sommige met medische apparatuur in hun handen, andere kennelijk puur als escorte. Ze dromden samen rond die ene jeep, waar iemand die ik niet kon zien voorzichtig uit werd geholpen. De langzaam bewegende man was lang, had donker haar en een verweerd, getekend gezicht. Gekleed in een legerjack, flanellen shirt en oude kaki broek, wuifde hij zijn helpers weg en draaide zich toen naar mij om. Hij begon langzaam, haperend, met grote vastberadenheid, in mijn richting te lopen.

Jakobek.

Ik rende naar hem toe.

'Je hoort in het ziekenhuis te liggen, Jakob! O, Jakob!'

'Ik wil appelboer worden,' zei hij.

Ik sloeg mijn armen om hem heen en kuste hem, en hij kuste mij en sloeg een arm om mijn schouders en de andere om mijn middel. Ik dwong mezelf hem niet te dicht tegen me aan te trekken, denkend aan zijn wond, maar hij manoeuvreerde me naar zijn goede kant en we hielden elkaar stevig vast.

'Welkom thuis dan,' fluisterde ik.

21

Een maand later

De reis naar Washington voor de geboorte van de baby van Eddie en Davis was Jakobeks eerste grote reis nadat hij was hersteld van zijn verwonding. Hij was prima opgeknapt, genezen in elke zin die telde. We redden het wel samen – dat wil zeggen dat we een stel werden – en Davis en ik konden ook weer beter met elkaar praten over alles wat er was gebeurd, en het leven begon op een nieuwe manier weer normaal te worden. Een maand van mijn kookkunst, veel liefdevolle aandacht van mij en het merendeel van Chocinaw County, en precies de juiste verhouding van diepzinnige gesprekken en tedere seks hadden wonderen verricht bij Jakobek. Bij mij trouwens ook.

De volgende generatie van de Davis Thackery-tak van de familie stond op het punt te worden geboren, niet onder een appelboom, maar in een zeer geavanceerde, extreem dure kraamkliniek in een rustige wijk van D.C. Eddie en Davis hadden die kliniek uitgekozen omdat hij dicht bij het centrum was en de geheime dienst had hun keuze goedgekeurd. In een speciale kamer voor jonge bezoekers was Puppy vriendschap aan het sluiten met een half dozijn Jacobs- en Habersham-kinderen.

De jonge Jacobsen waren onstuimige kleine snotneuzen en blijmoedige worstelaars, maar de Habershams waren veel te schoon voor kinderen van onder de twaalf en een beetje verwaand, net als Edwina. 'Ik ben Walford Habersham de Vierde,' zei een jongetje trots toen hij zichzelf aan Puppy voorstelde. 'Ben jij een boerenheikneuter?' Ze knipperde niet eens met haar lange donkere Thackery-wimpers. Ze had besloten wie ze zou zijn en hoe ze haar verhaal zou vertellen. 'Ik ben Hush McGillen de Zésde!' zei ze tegen Walford. 'Dus blaas niet zo hoog van de toren.'

Lucille, die als nieuwe moeder vanuit een hoekje toekeek, grinnikte.

Edwina en ik stonden in een kleine privé-wachtkamer. Te wachten. Al, Jakobek en Logan stonden buiten in het besneeuwde duister sigaren te roken. Ik verlangde naar mijn pijp, maar was hem vergeten in de haast van de reis naar Washington toen we gebeld werden dat Eddie weeën had. Smooch was thuisgebleven om telefoontjes te beantwoorden en een persbericht op te stellen. Ze was van plan een wedstrijd te houden om een nieuw appelproduct naar de baby te noemen. Ik had nee gezegd, maar ze was vastbesloten.

Edwina haakte plotseling een sterke arm door de mijne, alsof we vriendinnen waren. 'Ik heb voor jou en Nicholas een voorjaarsbruiloft gepland,' verkondigde ze.

Ik keek haar van opzij aan. 'Nou, het is heel aardig van je om ons dat te laten weten.'

'Wat is het probleem? Het staat toch vast dat jullie gaan trouwen?'

'Ja, maar ik laat jou onze bruiloft niet regelen.'

'Wil je niet in het Witte Huis trouwen?'

Ik staarde haar aan. 'Moet dat een grapje voorstellen?'

'Het is geen grapje,' zei ze koeltjes. 'Ik heb Nicholas al gevraagd of hij er bezwaar tegen zou hebben. Hij zegt dat jij daarover beslist.'

Ik was even sprakeloos. Toen: 'Zou je dat voor me doen?'

'Nee, ik doe het voor Nicholas. Jij bent alleen een noodzakelijk rekwisiet om zijn geluk te vieren.'

'Ik begrijp het.'

Ze schraapte haar keel en keek de andere kant op. 'Je stemt er dus mee in?'

'Edwina, volgens mij probeer je aardig tegen me te doen, en ik kan alleen maar zeggen dat het pijnlijk is om aan te zien.'

'Neem verdorie het aanbod aan of niet.'

'Ik neem het aan.'

'Mooi.'

'Dank u, Uwe Hoogheid.'

'Hou je mond.'

We keken allebei weer voor ons, naar de gesloten deuren van de suite waar de bevalling gaande was. 'Je hebt het in het najaar altijd druk met je appels,' zei ze plotseling. 'Dus elk jaar in de herfst is mijn kleinkind bij mij.'

'Goed, maar dan heb ik recht op míjn kleinkind in de winter, het voorjaar en tijdens de zomerzonnewende.'

'De winter, het voorjaar én de zomerzonnewende? De zonnewende?! Waarom? Is dat een of andere rituele appelfeestdag?'

'In zekere zin. Het is de dag van het jaar waarop het seizoen in de richting van de oogsttijd keert. We houden een grote familiereünie waarvoor iedereen wat meebrengt, en we maken een oud Cherokee-pioniersrecept voor een stoofschotel van groene appels klaar.'

'Stoofschotel van groene appels? Wat gebeurt er nadat je een stoofschotel van onrijpe appels hebt gegeten? Doet de hele clan dan de ceremoniële diarreedans? Nee hoor. Je gaat mijn kleinkind echt geen buikloopspecialiteit voeren.'

'Ach, stel je niet aan. Ik stuur je kok het recept wel. Dan kun je het eerst uitproberen. Voer het aan een paar van je lijfeigenen of je boeren. Kijk of zij het overleven. Je weet wel. Zoals gebruikelijk.'

Ze zuchtte. 'Laat maar zitten. Goed dan, het kind is van mij vanaf de zomerzonnewende tot en met de herfst, en met Kerstmis.'

'Ho ho. Grote feestdagen zijn een ander verhaal.'

'Oké dan, Kerstmis om de beurt.'

'En Thanksgiving ook.'

'Maar Pasen is altijd voor mij. Jij bent praktisch een heiden. Je hebt Pasen niet nodig.'

'Als eerwaarde Betty van de Gospel Church of the Harvest in Song dat hoorde, zou ze een vloek over je uitspreken.'

Al, Jakobek en Logan waren weer binnengekomen terwijl wij stonden te kibbelen. 'Dames,' zei Al, 'ik wil even iets zeggen. De baby heeft ouders die jullie misschien graag willen vertéllen wanneer jullie mogen babysitten.'

'Geen sprake van,' zeiden Edwina en ik eensgezind.

Jakobek nam me bij de arm en liep een stukje met me de gang in. 'Ontspan je,' zei hij.

'Dat kan ik niet. Ik ben nog nooit oma geworden. Hoeveel langer kan het nog duren? Volgens mij heb ik bij Davis maar vijf seconden weeën gehad. Of misschien vijf dagen. Het was allemaal een waas van koude regen en pijn, gevolgd door onbeschrijflijke vreugde.'

'Ik was erbij toen Eddie werd geboren. Ik wilde dat ik er ook bij was geweest met Davis,' zei hij zacht.

'Het zou wat lastig zijn geweest om dat aan zijn vader uit te leggen.'

Een slechte grap. We werden er stil van. We hielden verontschuldigend elkaars handen vast, liepen naar een raam dat uitzicht bood op een winterse tuin en keken naar de besneeuwde schaduwen die een buitenlamp op een stel hulstbossen wierp. 'Ik zou ook willen dat je erbij geweest was met Davis,' zei ik.

'Je hebt altijd nog een baby gewild.'

Ik kneep in zijn hand. 'Ik help Puppy grootbrengen. En kan elk moment een kleinkind krijgen.' Ik zweeg even. 'Maar ja, ik had inderdaad graag nog een baby van mijn eigen vlees en bloed gehad.'

'Je wordt dit jaar eenenveertig. Ik word vierenveertig. Het zou een beetje mesjokke zijn om er zelfs nog maar aan te denken, maar...'

'Laten we dan een beetje mesjokke doen.' Mijn hart ging hevig tekeer. We keken elkaar aan, wisselden ernstige, zoekende, hoopvolle blikken uit. 'Zou je,' fluisterde ik, 'vader willen worden als het ons zou lukken?'

Hij knikte, zonder zijn blik een moment van mijn gezicht af te wenden. 'En jij? Nog een keer moeder?'

'Ja!'

'Mooi.'

We slaakten allebei een zucht van opluchting en bogen onze hoofden naar elkaar. 'Het zal misschien niet lukken,' zei ik, een beetje huilend. 'Maar laten we de voor omploegen en het zaad zaaien.'

Hij lachte. 'Nou weet ik niet of ik mijn condooms moet weggooien of een nieuwe tuinhark moet kopen.' We omhelsden elkaar, wiegend, met vochtige ogen, glimlachend, bang, opgewonden. Baby of niet, het was goed om me weer vruchtbaar te voelen.

'Waar is iedereen?' riep Davis. 'Moeder? Waar ben je?'

Jakobek en ik haastten ons terug naar de wachtkamer. Daar stond Davis, glimlachend, zwetend, een beetje bleek, zijn lange, slanke lichaam in gekreukte blauwe ziekenhuiskleding gestoken. Samen met Al, Edwina, Logan en Lucille gingen we om hem heen staan.

'Eddie maakt het prima,' zei hij, 'en we hebben een prachtige dochter.'

Applaus. Omhelzingen. Tranen. Handdrukken.

'Onze kleindochter,' zei Edwina tegen Al, en ze kuste hem.
'Mijn kleindochter,' zei ik tegen Jakobek, en ik kuste hem.
'Mijn petekind,' zei hij tegen iedereen, en hij kuste mij.

Een paar minuten later lieten de verpleegsters ons binnen in de privé-kamer, waar Eddie een allerliefst meisje vasthield dat in een roze dekentje gewikkeld was. Zonder enige waardigheid liepen we er allemaal op af, fluisterden en gaapten en legden een hand op ons hart. Davis ging naast haar op het bed zitten. 'Wil je het ze nu vertellen?' Eddie knikte verfomfaaid en uitgeput maar dolgelukkig.

'David en ik hebben besloten onze dochter een stel namen te geven die haar aan haar wortels zullen herinneren.'

'O, niet iets met appels,' kreunde Edwina.

'Nee, moeder. Iets dat de kracht, de liefde en de pure, fantastische koppigheid van haar stamboom vertegenwoordigt.'

'Alles wat met bomen te maken heeft vind ik prima,' opperde ik.

'Moeder, ssst,' zei Davis.

Eddie glimlachte. Met een tedere blik op Davis en daarna op haar dochter fluisterde ze: 'Haar naam is Edwina... Hush... Thackery.'

Edwina Hush. Het klonk wat onbeholpen, een mondvol, helemaal niet muzikaal, maar ik vond het prachtig. 'Hush Edwina,' zei ik zacht. 'Perfect.'

'Edwina Hush,' corrigeerde Edwina. 'Perfect.'

Al begon te lachen. Ik keek naar Jakobek en zag dat hij zijn best deed niet te glimlachen. 'Wat?' vroeg ik.

Al schudde zijn hoofd. 'Ik hoop dat er gauw iemand met een goede bijnaam komt, anders moet ik het hooggerechtshof misschien om een uitspraak vragen.'

Jazeker, Edwina Hush had een bijnaam nodig. Voorlopig noemden Davis en Eddie haar Little Eddie. Ik verwachtte dat dat voorlopig wel zo zou blijven. Ik vond het niet erg. Ik bedacht mijn eigen versie. 'Little Eddie Hush,' zei ik telkens weer tegen Jakobek, glimlachend. 'Little Eddie Hush. Dat is niet te lang. Wanneer ze naar de Hollow komt, noem ik haar Eddie Hush. Dat is heel zuidelijk.'

Jakobek trok een wenkbrauw op. 'Het klinkt als de naam van een jockey of een professionele gokker.' We begonnen allebei te lachen.

We reden ver na middernacht naar het centrum van de stad. De geheime dienst had te horen gekregen dat ze ons konden verwachten, en liet ons op het terrein van het Witte Huis. Jakobek en ik liepen naar een verlicht stuk dat was goedgekeurd door de bureaucratie die het beheer voert over het grote oude landhuis en de tuinen. En daar, waar hij veel zon en regen zou krijgen, plantten we een Sweet Hush-appelboom.

De duisternis zou het niet winnen van de appels.

Het is goed om beroemd te zijn, fluisterde de Oude Dame. *Soms moeten we onze legendes het werk voor ons laten doen, om te zien of ze werkelijk de zwaarste seizoenen kunnen overleven.*

Ja, antwoordde ik. *Ze hebben het overleefd. En ze hebben gebloeid.*

Jakobek pakte mijn vuile handen in de zijne. 'Waar denk je aan met die blik op je gezicht? Wat het ook is, het spreekt mij wel aan.'

'Ik denk aan jou. Aan jou en onze familie en aan deze fantastische nacht en aan onze appelbomen, en de bijen die wachten om in het voorjaar naar de Hollow te komen en zich door ons beiden te laten betoveren. Denk je eens in, Jakob. Jij en ik... twee bijentovenaars aan het werk in de boomgaarden, samen! We zullen tot onze knieën in de appels en de honing en de mooie tijden staan.'

Hij glimlachte. 'Dat staan we nu al,' zei hij.

Dankwoord

IK BEN OPGEGROEID MET APPELS, WESPEN EN EEN FAMILIE VAN ONwrikbare boeren die elk jaar enkele steken riskeerden om de oogst van onze wilde appelbomen levensvatbaar te maken. Tot mijn jeugdherinneringen behoort het roeren in gigantische wastobbes vol zoete appels die in mijn grootmoeders keuken te weken waren gezet, en het bijten in harde, zure wilde appels waar mijn lippen van samentrokken. Als volwassene voerden mijn fijnste najaarsuitstapjes naar de appelmarkten in de bergen. Er gaat geen herfst voorbij zonder dat er appeltaart op mijn eettafel staat, er appelbrood op mijn snijplank staat af te koelen, en er zachte bruine appelgelei over de crackers op mijn ontbijtborden wordt uitgesmeerd.

Ik ben sindsdien elk jaar weer gebiologeerd geweest bij het zien van vrouwen in de bergen die onder de koele oktoberhemel grote manden vol Arkansas Blacks of Rome Reds zitten te schillen; de geur van appels is zo sterk dat hele zwermen bijen en wespen komen delen in het fruit en, net zo gebiologeerd als ik, rustig blijven rondhangen om naar de werkzaamheden te kijken. Appels zijn de oudste voedingsmiddelen des levens, en worden geacht steun en vrede te brengen. Zelfs de stekende wezens weten dat.

Dit boek is voor de grote appelboomgaarden die in het kielzog van de moderne landbouw verdwenen zijn; voor de verloren gegane namen van appelsoorten die op zichzelf een vorm van poëzie waren; en voor de herinnering aan tevreden smaken en geuren en structuren en momenten.

Voor de appels.

Mijn dank gaat uit naar Ann White, Sandra Chastain en Virginia Ellis voor hun aandeel in het opkweken van dit boek van zaadje tot vrucht. Ook veel dank aan Ellen Taber voor haar vakkundig onderzoek en het zeer nauwkeurig lezen van de proeven, en aan staf-sergeant Lynn Cypert, U.S. Army, Fort McPherson, en kapitein Steven Ray, U.S. Army, Fort Gillem, die me hebben geadviseerd op het gebied van militair protocol.

Ten slotte, als altijd, had ik dit boek niet kunnen schrijven zonder het geduld van mijn man Hank, de steun van mijn moeder Dora Brown, en de trouwe genegenheid van onze vier katten, drie honden en dertig goudvissen.

Oké, goed dan, ik weet niet zeker of de goudvissen veel hebben bijgedragen.

Maar ze vinden het beslist lekker als ik appelschijfjes in de vijver gooi.